薬剤師のための
基礎からの検査値の読み方

第2版

臨床検査専門医×薬剤師の視点

■監修・編集　上硲 俊法
■編　　集　森嶋 祥之

じほう

執筆者一覧

■**監修・編集**

上硲　俊法（近畿大学病院臨床検査医学教授）

■**編集**

森嶋　祥之（前近畿大学病院薬局長）

■**執筆**

芦田　隆司（近畿大学医学部客員教授）

岩﨑　浩子（近畿大学病院薬剤部技術科長代理）

上硲　俊法（近畿大学病院臨床検査医学教授）

髙部　朋幸（近畿大学病院薬剤部）

田中　裕滋（近畿大学病院臨床検査医学講師）

平野　　豊（近畿大学医学部医学教育センター准教授）

藤原季美子（近畿大学病院薬剤部技術科長）

森嶋　祥之（前近畿大学病院薬局長）

栁江　正嗣（近畿大学病院薬剤部技術主任）

吉年　正宏（近畿大学病院薬剤部技術主任）

（五十音順）

第 2 版発刊に際し

　血液や尿の検査データは問診，身体診察，画像診断などとともに患者のもつ病態を理解するための必須情報である。従来の医療においては患者の病気の状態（病態）を読み解き，その情報を患者に還元することは専ら医師の仕事であった。このためかつて薬剤師を含む医療従事者は患者の病態にはあまり関与せずに医療に参画していた。しかし今日の医療においては，すべての医療従事者が「チーム医療」という考えのもと患者の病態を知る必要性が高まり，薬剤師は患者のさまざまな病態を理解したうえでの服薬指導や副作用監視などが求められている。

　診療情報のうち検査データは，臨床薬剤師にとって，患者の病態を理解するための最も身近な情報であり，病院薬剤師は電子カルテの検査データを，保険薬局薬剤師は院外処方箋に記載されている臨床検査値や患者が持参したさまざまな検査データを利用して患者の病態を理解することとなる。

　日常臨床で利用可能な臨床検査項目数は概ね1,000種類であるが，医師はこれらを選択して検査し，患者の病態を把握している。これらの検査のうち，患者に負担をかけず異常所見を見落とさないように組まれた検査を「基本的検査」という。この「基本的検査」は病態を把握する検査という位置付けにもなる。多くの患者の経過観察に汎用されているので患者が持参する臨床データの多くは「基本的検査」ということになる。数値で表された臨床検査値は，その数値を判読（意味づけすること）し，その奥にある病態を理解して初めて意味をもつ。

　本書「薬剤師のための基礎からの検査値の読み方」は臨床薬剤師が，患者が持参してくる「基本的検査」の値を判読して，患者の病態を理解することを目的に執筆された学習書である。2018年の初版発刊以降，多くの読者を得ることができ，このたび第2版を上梓することができた。改訂にあたっては，「COLUMN」や「知っておきたい知識」の充実などを行い，「基本的検査」の判読からの病態理解を初版以上により学びやすい内容とした。さらに付録として，「基本的検査」ではないが薬剤師にとって知っておいたほうがよい検査を加筆した。

　本書で学習した臨床検査の知識を十二分に発揮し，臨床において検査値を活用できる薬剤師として活躍されることを願っている。

2023年5月吉日

上硲　俊法

本書の構成と使い方

　本書は，薬剤師を対象に「基本的検査」のデータの読み方をトレーニングする学習書です．本書を学習することにより「基本的検査」のデータからその患者の病態を読み解くことができるようになります．本書は第Ⅰ章「はじめからわかる検査項目の基礎知識」と第Ⅱ章「症例解析トレーニング」からなります．本書は一度読んで終わりにする本ではなく，学習書ですので繰り返し読んで理解を深めていただくことが重要になります．

　第Ⅰ章「はじめからわかる検査項目の基礎知識」では，各検査項目を判断するために必要な事項が書かれています．ここではStep 1，2，3の3段階構成で，段階が上がるほど応用的になっています．

Step 1　まず覚えておいていただきたい「検査の基礎知識」です．ここには検査値を判読するために必要な知識「検査値を読むポイント」が入っています．Step 1は読者全員にまず理解していただきたい内容です．検査値を読むのに慣れていない方はここを精読してください．簡単と思われるなら検査データを読む基礎知識が備わっていることになります．

Step 2　Step 1の基礎知識を患者に説明するために知っておきたい知識です．ここには検査値が示す病態を知るための知識も入っています．Step 1が簡単だという方はここから読み始めてください．

Step 3　Step 1，2の知識を確認する練習問題です．薬剤師が日常的に遭遇する状況で目にする可能性のある検査値を，実際に読んでみてそのデータが示す病態を考えましょう．

　第Ⅱ章「症例解析トレーニング」では，薬局を舞台に患者が，さまざまな検査結果を持ってきて，医師に聞けなかった検査値のことを，薬剤師に尋ねるシチュエーションが展開されます．第Ⅰ章で得た知識を応用することを目的とします．症例によって難易度が異なります（症例についている★印が多いほど難易度が高くなります）．次の8つのパートからなります．

① 「患者背景」
　処方内容，臨床検査値など薬局の薬剤師が知り得る情報を提示しています。この段階の情報からこの患者のもつ問題を考えます。
② 「この検査値，どう読む？」
　検査値のプロブレムを抽出します。
③ 「どのような病態？」
　検査値が示す病態を考えます。第Ⅰ章で得た知識を活用しましょう。この段階までは全読者が到達できるようにしましょう。
④ 「病態をさらに読み込むと何がみえる？」
　検査値の変化以外の医学情報を駆使して検査データを読み解いていきます。この段階では検査以外の医学知識が必要になってきます。
⑤ 「薬剤師は次に何をする？」
　知り得た情報から何をすべきかを考えます。そこに書かれていることをすべきか否かを含めて読者には考えていただきたい段階です。書かれている内容は著者（薬剤師）の意見と考えてください。
⑥ 「専門医からのアドバイス」
　臨床検査専門医がその症例の補足説明をしています。
⑦ 「本症例のまとめ」
　症例を簡単にまとめています。
⑧ 「知っておきたい知識」
　関連する医学情報を提示しています。

　初学者の方は①②③⑥⑦とお読みいただき，初学者以上の方は全項目をお読みください。
　本書で学んだ知識の定着・理解度の確認や，さらに多くの症例から病態を読み解くトレーニングをされたい方は，本書の姉妹書「薬剤師のための検査値判読ドリル」をご活用ください。

基準範囲一覧

項目名称	項目	単位	基準範囲
白血球数	WBC	$10^3/\mu L$	3.3～8.6
好中球	Neut	%	40～60
好酸球	EOS	%	2～4
好塩基球	BASO	%	0～2
単球	MONO	%	3～6
リンパ球	LYMP	%	26～40
赤血球数	RBC	$10^6/\mu L$	男性：4.35～5.55 女性：3.86～4.92
ヘモグロビン	Hb	g/dL	男性：13.7～16.8 女性：11.6～14.8
ヘマトクリット	Ht	%	男性：40.7～50.1 女性：35.1～44.4
平均赤血球容積	MCV	fL	83.6～98.2
平均赤血球色素量	MCH	pg	27.5～33.2
平均赤血球色素濃度	MCHC	g/dL	31.7～35.3
血小板数	PLT	$10^4/\mu l$	15.8～34.8
プロトロンビン時間　秒 　　　　　　　　　活性 　　　　　　　　　国際基準比	PT PT PT-INR	秒 %	9～12 80～120 1.0±0.1
活性化部分トロンボプラスチン時間	APTT	秒	30～40
総蛋白	TP	g/dL	6.6～8.1
血清アルブミン	Alb	g/dL	4.1～5.1
グロブリン	Glb	g/dL	2.2～3.4
アルブミン，グロブリン比	A/G		1.32～2.23
血中尿素窒素	BUN	mg/dL	8～20
血清クレアチニン	Cre	mg/dL	男性：0.65～1.07 女性：0.46～0.79
推定糸球体濾過量	eGFR	mL/min/1.73 m^2	90以上
尿酸	UA	mg/dL	男性：3.7～7.8 女性：2.6～5.5
ナトリウム	Na	mEq/L	138～145
カリウム	K	mEq/L	3.6～4.8
クロール	Cl	mEq/L	101～108

項目名称	項目	単位	基準範囲
カルシウム	Ca	mg/dL	8.8～10.1
無機リン	IP	mg/dL	2.7～4.6
血糖	GLU	mg/dL	73～109
トリグリセライド	TG	mg/dL	男性：40～234 女性：30～117
総コレステロール	TC	mg/dL	142～248
HDL-コレステロール	HDL-C	mg/dL	男性：38～ 90 女性：48～103
LDL-コレステロール	LDL-C	mg/dL	65～163
総ビリルビン	T-Bil	mg/dL	0.4～1.5
直接ビリルビン	D-Bil	mg/dL	0.0～0.4
間接ビリルビン	I-Bil	mg/dL	0.2～0.8
アスパラギン酸アミノトランスフェラーゼ	AST	U/L	13～30
アラニンアミノトランスフェラーゼ	ALT	U/L	男性：10～42 女性： 7～23
乳酸脱水素酵素	LDH	U/L	124～222
アルカリホスファターゼ	ALP	U/L	38～113
γ-グルタミルトランスフェラーゼ	γ-GT	U/L	男性：13～64 女性： 9～32
コリンエステラーゼ	ChE	U/L	男性：240～486 女性：201～421
アミラーゼ	AMY	U/L	44～132
クレアチンキナーゼ	CK	U/L	男性：59～248 女性：41～153
脳性ナトリウム利尿ペプチド	BNP	pg/mL	18.4以下
C反応性蛋白	CRP	mg/dL	0.00～0.14
鉄	Fe	μg/dL	40～188
免疫グロブリン	IgG	mg/dL	861～1747
免疫グロブリン	IgA	mg/dL	93～393
免疫グロブリン	IgM	mg/dL	男性：33～183 女性：50～269
グリコヘモグロビン	HbA1c	％	4.9～6.0

（日本臨床検査標準協議会（JCCLS）　基準範囲共用化委員会の共用基準範囲を参考に作成）

CONTENTS

本書の構成と使い方 ………………………………………………………… ii
基準範囲一覧 ………………………………………………………………… iv
序　章　臨床検査値判読のための基礎知識 ……………………………… 1
第Ⅰ章　はじめからわかる検査項目の基礎知識 ………………………… 7
第Ⅱ章　症例解析トレーニング …………………………………………… 107
付　録　薬剤師が知っておきたいその他の検査 ………………………… 285
索　引 ………………………………………………………………………… 300

		第Ⅰ章	第Ⅱ章
1	AST，ALT	8	108
2	LDH	12	116
3	ALP	16	122
4	γ-GT	20	132
5	ChE	23	138
6	T-Bil	26	144
7	BUN，Cre，eGFR	30	152
8	UA	34	158
9	Alb	38	164
10	Na	42	172
11	K	46	180
12	CK	50	186
13	BNP	54	194
14	AMY	57	202
15	TC，LDL-C，HDL-C	61	208
16	TG	65	214
17	GLU，HbA1c	68	220
18	CRP	72	226
19	白血球数，白血球分画	76	234
20	赤血球数，ヘモグロビン値，平均赤血球容積	80	240
21	PLT	84	248
22	PT，PT-INR	88	254
23	APTT	92	260
24	尿蛋白	95	266
25	尿潜血	98	274
26	尿糖	103	280

COLUMN List

- 薬物性肝障害 ……………………………………………… 8
- 胆石発作とAST，ALT ………………………………… 10
- LDHアイソザイム ……………………………………… 15
- 胆汁うっ滞とALP ……………………………………… 18
- 骨の病気とALP ………………………………………… 19
- 臨床検査のChE ………………………………………… 23
- 間接ビリルビンが高値になるのは？ ………………… 29
- 腫瘍崩壊性症候群（TLS） ……………………………… 36
- A/G比 ……………………………………………………… 38
- 浮腫（むくみ）とAlb …………………………………… 39
- 利尿薬による低ナトリウム血症 ……………………… 43
- 薬剤性低ナトリウム血症 ……………………………… 45
- 血清Kと食品 ……………………………………………… 47
- 血清Kと漢方 ……………………………………………… 48
- 横紋筋融解症 ……………………………………………… 52
- 運動によるCK上昇 ……………………………………… 53
- NT-proBNP ……………………………………………… 56
- AMYのアイソザイム …………………………………… 57
- アミラーゼと急性膵炎 ………………………………… 60
- 家族性高コレステロール血症（FH） ………………… 62
- 急性膵炎と高TG血症 …………………………………… 65
- 静脈血と毛細血管血（指頭血液） ……………………… 69
- 赤沈とSAA ………………………………………………… 73
- CRPの新たな側面　―心筋梗塞とCRP― …………… 74
- 重症細菌感染症の診断マーカー：プロカルシトニン … 75
- 発熱性好中球減少症（FN） ……………………………… 78
- 汎血球減少症 ……………………………………………… 82
- 高齢者に多い貧血 ………………………………………… 83
- 薬物性血小板減少症 ……………………………………… 85
- 血小板と動脈硬化 ………………………………………… 86
- 偽性血小板減少症 ………………………………………… 87
- ワルファリンとPT ……………………………………… 89
- ワルファリンと直接作用型経口抗凝固薬 …………… 90
- 血友病とAPTT …………………………………………… 94
- IgA腎症 …………………………………………………… 99
- 血尿診断ガイドライン（尿中有形成分定量） ………… 100
- ヘモグロビン尿とミオグロビン尿 …………………… 102
- ナトリウム依存性グルコース共輸送体（SGLT） …… 104
- 腎性糖尿 …………………………………………………… 106

知っておきたい 知識 List

- NAFLDの線維化と肝臓がん ……… 112
- NAFLとNASH ……… 115
- 溶血性貧血を起こす薬物 ……… 118
- 採血時の溶血によるLDHの上昇 ……… 120
- 3つのタイプの薬物性肝障害 ……… 128
- 国際標準に合わせたALPとLDHの測定方法の変更について ……… 129
- 肝内胆汁うっ滞 ……… 131
- γ-GTの誘導を起こす薬物 ……… 136
- 「やる気スコア」とChE ……… 143
- 高Bil血症を引き起こす疾患の特徴 ……… 150
- シスタチンC ……… 157
- 尿中尿酸排泄量と尿酸クリアランス ……… 163
- NAFLD/NASHの進行を防ぐには？ ……… 170
- Child-Pugh分類 ……… 171
- うっ血性心不全で低ナトリウム血症になる理由 ……… 175
- 抗利尿ホルモン不適合分泌症候群(SIADH) ……… 178
- 漢方薬に含まれる甘草 ……… 182
- 偽アルドステロン症の病態 ……… 184
- 無症候性高CK血症 ……… 190
- ミオグロビン(Mb) ……… 193
- うっ血性心不全 ……… 196
- ナトリウム利尿ペプチド ……… 201
- 薬剤性膵炎の原因薬 ……… 207
- sd-LDL測定キット ……… 210
- レムナントリポ蛋白 ……… 219
- 食後高血糖を発見するための簡便な方法 ……… 225
- 血中CRP濃度が高いほどがん罹患リスク増大？ ……… 230
- 抗炎症作用を期待した冠動脈疾患治療 ……… 232
- 発熱性好中球減少症における抗菌薬の選択 ……… 239
- いろいろな貧血 ……… 242
- 真性赤血球増加症(真性多血症) ……… 247
- ヘパリン起因性血小板減少症 ……… 251
- 医薬品リスク管理計画 ……… 252
- ワルファリン効果の遺伝的背景 ……… 259
- PT正常でAPTTのみ延長する疾患 ……… 265
- ネフローゼ症候群 ……… 271
- 生理的蛋白尿と病的蛋白尿 ……… 273
- 無症候性血尿 ……… 279
- 食後高血糖 ……… 283

検査目的別INDEX

		第Ⅰ章	第Ⅱ章
■ 血清酵素			
1	AST，ALT	8	108
2	LDH	12	116
3	ALP	16	122
4	γ-GT	20	132
5	ChE	23	138
12	CK	50	186
14	AMY	57	202
■ 肝臓をみる検査			
1	AST，ALT	8	108
2	LDH	12	116
3	ALP	16	122
4	γ-GT	20	132
5	ChE	23	138
6	T-Bil	26	144
9	Alb	38	164
■ 腎臓をみる検査			
7	BUN，Cre，eGFR	30	152
8	UA	34	158
24	尿蛋白	95	266
25	尿潜血	98	274
■ 血清蛋白			
9	Alb	38	164
■ 電解質の検査			
10	Na	42	172
11	K	46	180

	第Ⅰ章	第Ⅱ章

■ 心疾患をみる検査
- **12** CK ……………………………………………………… 50　186
- **13** BNP …………………………………………………… 54　194

■ 膵臓をみる検査
- **14** AMY …………………………………………………… 57　202

■ 脂質代謝の検査
- **15** TC, LDL-C, HDL-C ………………………………… 61　208
- **16** TG ……………………………………………………… 65　214

■ 糖代謝の検査
- **17** GLU, HbA1c ………………………………………… 68　220
- **26** 尿糖 …………………………………………………… 103　280

■ 炎症の検査
- **18** CRP …………………………………………………… 72　226
- **19** 白血球数, 白血球分画 …………………………… 76　234

■ 血液検査
- **19** 白血球数, 白血球分画 …………………………… 76　234
- **20** 赤血球数, ヘモグロビン値, 平均赤血球容積 … 80　240
- **21** PLT …………………………………………………… 84　248

■ 凝固系の検査
- **22** PT, PT-INR ………………………………………… 88　254
- **23** APTT ………………………………………………… 92　260

■ 尿検査
- **24** 尿蛋白 ………………………………………………… 95　266
- **25** 尿潜血 ………………………………………………… 98　274
- **26** 尿糖 …………………………………………………… 103　280

序章

臨床検査値判読のための基礎知識

序章

臨床検査値判読のための基礎知識

1 臨床検査とは

　医療の現場では患者の診断や病態を知るために医師は病歴聴取や身体診察をしたうえで検査を行っています。この検査には，①検体検査(血液や尿などを採取して分析する検査)，②生理機能検査(心電図や脳波など)，③病理検査，④画像検査(放射線検査や超音波検査など)，が含まれます。このうち検体検査では臨床検査値という定量的や半定量的な数値が出てきます。本書でいう検査値は検体検査の臨床検査値のことを指します。

2 基準値と臨床判断値

　この臨床検査値を判読する際には何らかの基準をもとに，その基準から外れていることは検査値を判読するうえで重要です。日常臨床では検査値を判読する際の基準として基準値と臨床判断値を併用して利用します。

① 基準範囲(基準値)

　「基準範囲」とは一定の条件を満たす健常者と思われる人を集めて検査を行い，その値が平均値を含む95％の範囲(平均値±2SDにあたります)をいいます。また「基準値」とは基準範囲に入る値をいいます(図1)。「基準値」には「多くの人がこの値をとる」という意味があり，検査値を判断する「ものさし」

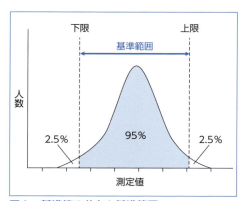

図1　基準値の分布と基準範囲

2

として役立ちます。この値は20世紀には「正常値」と呼ばれていましたが、病気の診断やリスクの評価のために作成されたのではないため「正常値」から「基準値」へと呼び名が変わった経緯があります。

多くの検査値はこの「基準値」をもとに判読しますが、従来この範囲は各医療施設や各検査所でまちまちに設定していました。このため検査値を判断する「ものさし」が施設ごとに異なるという事態が起こっています。この事態を打開するため、わが国では綿密な検討を経て「共用基準範囲」という共通の「ものさし」を利用するようになってきました。

② 臨床判断値

「臨床判断値」とは、特定の疾患の診断や治療目標に用いる値です。医師はその値を境に臨床上の判断を変える可能性があります。多くの疫学研究や臨床研究から得られた情報から設定された値であり、基準範囲の上限値や下限値とは違う概念で設定されています。臨床判断値にはカットオフ値、予防医学的閾値、治療閾値などがあります。

「カットオフ値」とは、健康か病気かを区切るために設定された検査値のことです。この検査値を境に「陽性」、「陰性」とも表記されます。カットオフ値が設定されている検査項目は、腫瘍マーカー、感染症マーカー、自己抗体などです。カットオフ値を設定すると図2に示すようになります。

「予防医学的閾値」とは、疫学研究から将来の発症が予測され、予防医学的な見地から一定の対応が要求される検査閾値のことです。これは、疾患の診断、治療、予防の判定のために用いられるものとして、各専門学会がガイドライン

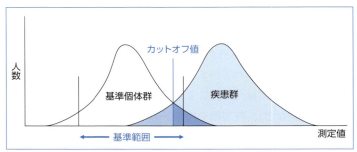

図2 カットオフ値の考え方

等の形で公表しています。尿酸，トリグリセライド，総コレステロール，LDLコレステロール，HDLコレステロールなどがあてはまります。

「治療閾値」とは，医学的介入が必要か否かの判断が必要な検査値のことです。「治療閾値」のなかにはすぐに治療しなければ致命的になりかねない極端な値である「パニック値」が含まれます。

3 基本的検査

本書で扱っている検査項目は，「基本的検査」というカテゴリーに入る検査項目です。この検査にある項目は，患者の初診時にも経過観察にも重要な検査で，医師にとっては病歴情報や診察所見に加え「基本的検査」をみることで患者のプロブレムを明確にし，病態を理解しようとします。本書の読者である薬剤師が患者から検査値を得る方法としては，処方箋に記載されている検査値や患者の検査データ(検査値とそれ以外の検査情報も含む)でしょう。これらの検査データの多くはまさに「基本的検査」に含まれる検査項目です。

4 検査値に変動を及ぼす生理的因子

検査値の変動は病気の状態(病態)の変化により起こりますが，さまざまな生理的因子の影響も受けて変化します。検査値の変動をみる場合はこれらの変動を考慮して判読できないのでまず確認します。検査値に影響を及ぼす生理的因子には，①個人間の変動，と②個人内の変動があります。

① 個人間の変動としては，遺伝的要因(性別，人種の違いなどを含めた個体差)，年齢，生活習慣(食習慣，喫煙や飲酒などの習慣)，職業などがあります。例えば，男性は女性よりヘモグロビンが高く，HDLコレステロールは低い傾向にあるのはよく知られています。

② 個人内の変動としては，時間による変動(日内変動，日間変動など)，行動要因(食事，運動など)，性周期や妊娠があげられます。このうち食事と運動の検査値に及ぼす影響は日常よくみかけます。検査値を判読する前に採血や採尿が食前に行われたのか食後に行われたのかを気に留めてください。いく

つかのデータ（血糖，脂質検査，白血球数など）が食事の影響を受けます。過度の運動で変動する検査値（CK，AST，LDHなど）もあります。

5 臨床検査値判読の手順

「基本的検査」を利用して，患者の問題点と病態の理解が検査の判読で重要となります。「検査値の読み方の手順」を次に示します。

① まず，検査値判読の準備段階として，検査値を変動させる生理的要因（特に食事や運動の影響）はないかをみます。
② 次に，基準値（範囲）と臨床判断決定値を参考にして，問題がある検査値を拾いあげます。例えば，＃1）AST，ALTの上昇，＃2）γ-GTの上昇，のようにプロブレムリストを作ります。
③ そして，その検査値の異常に検査の意味をあてはめましょう。異常値を示すメカニズムがわかってくると背景にある病態がわかってきます。（本書の第Ⅰ章を読むことで検査の意味がわかってきます。）

まずはこの3つの点を意識して検査結果を解釈してみましょう。

6 判読した検査情報はどのように利用するか

本来検査情報を患者に伝えるのは医師の役割ですが，これからの薬剤師は判読した検査情報のどの部分を，いかに患者に伝えるかを意識しておく必要があります。

① 生活習慣改善に協力する。

おそらく医師が説明しているであろう，糖尿病の患者への血糖値やHbA1c，脂質異常症の患者への脂質関連検査などの説明に加えて，生活習慣改善のアドバイスは問題なく行えるでしょう。

② 医師が十分説明できなかった検査値に関する説明をする。

診察室内で説明されなかった検査に関して一般的な事項を説明するというこ

とも多そうです。

③ 検査値の変化を参考に医師に投薬の確認をする。

　腎機能，肝機能，電解質異常（Na，Kなど）の異常がみられたときの，処方変更の必要性や投薬量調節についての医師への確認は，検査情報を利用することで今後ますます増えるでしょう。

④ 検査値の変化をみて副作用を監視する。

　もし，過去のデータがわかるのなら，過去からの変動をみることも重要です。患者の検査データは毎回変化します。検査値の変化は患者の病態が変化していることを示します。治療の効果がある場合も病状が悪くなる場合も変化します。ここで薬剤師として気に留めたいものに「薬物の副作用監視」があります。検査値の変動と薬の変更に関連があるかどうかを気に留めることは重要です。

　これらの点は，患者はもちろん医療機関も薬局薬剤師に望んでいることです。

7 検体測定室で行った検査結果について

　今後，検体測定室を設置する薬局が増えるでしょう。検体測定室を設置する場合には，今後解決すべき問題点が幾つかあります。例えば，①採血に伴う感染対策，②検査の精度管理，はハード面での対策が医療機関並みに必要になるでしょう。

　また，得られた検査値をどこまで説明するのかという点も重要になってきます。前項の，「6 判読した検査情報はどのように利用するか？」で述べた事項は，医療機関との連携のうえで行っていることを前提にしています。検体測定室で行った検査結果は，結果のみの提示にとどめ，判読情報を伝えないことが基本です。

第Ⅰ章

はじめからわかる
検査項目の基礎知識

1 AST, ALT

基準値	AST	アスパラギン酸アミノトランスフェラーゼ	13〜30 U/L
	ALT	アラニンアミノトランスフェラーゼ	男性：10〜42 U/L 女性： 7〜23 U/L

Step 1　AST, ALTの基礎知識

　ASTとALTはともにいろいろな細胞内に存在する酵素であり，その細胞の破壊に伴い血液中に出てくる逸脱酵素です。日常的にASTとALTとペアで測定することが一般的です。これらがともに高いと肝細胞の障害がある可能性が高いと考えます。

　この2つのアミノトランスフェラーゼは肝細胞以外のさまざまな細胞に存在します。各細胞内のAST/ALT活性比は，肝で2〜3，心臓や筋肉で20〜30，腎臓で5〜6とされています。ALTの上昇に比べてASTの上昇が目立っている場合は，肝臓以外の臓器（筋肉，心筋，血液）の障害によりAST，ALTの上昇が起こっている可能性もあります（表1）。疾患でなくても強い運動をした後には筋肉由来のASTの上昇をみることもあります。

> **COLUMN　薬物性肝障害**
>
> 　薬物性肝障害の多くは軽度の肝機能障害である場合が多く，複数診療科から出ている薬剤を包括的に把握している薬剤師が発見する場合があります。薬物性肝疾患は肝細胞障害型（ALTの上昇が主なもの）と胆汁うっ滞型（ALPの上昇が主なもの）に分類できますが，肝細胞障害型の場合，服用薬が変わって6カ月以内に肝疾患が元々ない患者にAST，ALT上昇がみられた場合は薬物性肝疾患が疑われるので主治医との連携をとることが必要です。（☞ 症例 P.122参照）

AST，ALTを読むポイント

検査値を読むときはALT，ASTの高さやAST/ALT比に注意して読むことが重要です。まずは次の3つの点に気を付けて検査値を読んでみましょう。

(1) ALT，ASTが高いほど肝障害（肝細胞の破壊）が強いと判断します（表1）。
(2) ALTは肝臓に比較的特異性が高いので，血清AST/ALT比が1以下の場合（ALTが優位の場合）はおおむね肝臓の異常によるトランスフェラーゼ上昇と判断できます。一方ASTが優位の場合は肝臓以外に原因があるかもしれないことに気を付けましょう。
(3) 肝疾患における血清AST/ALT比は肝疾患の原因診断や予後判定に重要な役割を示すことがあります。AST/ALT<1の上昇（ALTが優位）は慢性肝炎（軽い線維化）や脂肪肝（過栄養による）が考えられ，AST/ALT>1の上昇は線維化の進行している慢性肝炎，肝硬変，肝がん，アルコール性肝疾患（脂肪肝を含む），急性肝炎の極期でみられます（表2）。

表1　AST，ALTの高さからみた各疾患

	肝疾患	肝疾患以外
10以下		人工透析患者，長期臥床患者
基準範囲		
35～100	脂肪肝，慢性肝炎，肝硬変	溶血，心筋疾患，骨格筋疾患
100～500	急性肝炎，慢性肝炎（強い活動性）自己免疫性肝炎，NASH，肝がん	
500以上	急性肝炎，劇症肝炎	

表2　血清AST/ALT比からみた各疾患

	肝疾患	肝疾患以外
AST優位	肝硬変，肝がん，アルコール性肝疾患，急性肝炎極期，劇症肝炎	溶血，心筋疾患，骨格筋疾患，悪性腫瘍
ALT優位	慢性肝炎，脂肪肝（過栄養性），急性肝炎の回復期	

Step 2　AST, ALTによる患者指導

　AST，ALTについて患者から尋ねられた場合には次の点に気を付けて説明しましょう。第一にAST，ALTだけでは肝臓の状態のすべてを把握できません。第二にはAST，ALT（特にAST）は肝疾患以外でも上昇する場合があるということです。

(1) 肝臓の状態を判断する検査は多数ありますが，日常診療においては①肝細胞の壊死を反映する検査(AST，ALT)，②胆汁うっ滞を反映する検査(ALP，γ-GT)，③肝細胞の合成機能を反映する検査(アルブミン，ChE，プロトロンビン時間)，に分類してデータをみます。患者にAST，ALTが「肝細胞の壊死を反映する検査」であることに留意して説明します。患者のなかには，この点を理解していない方もおられます。ALT，ASTの高さとAST/ALT比により診断名や肝細胞壊死の程度をみた後，胆汁うっ滞の有無，肝臓の合成能(予備能ともいいます)をセットで評価します。

COLUMN　胆石発作とAST，ALT

　胆石症という疾患は無症状のことも多いですが，時に胆道内で陥頓し強い腹痛発作を来します。胆石発作の後にもAST・ALTの上昇をみる場合があります。腹痛が弱い場合には急速なAST・ALTの上昇をみる急性肝炎と区別がつきにくい場合があります。

　血中でのAST・ALT半減期を知っておくと，この2つの鑑別診断に役立つ場合があります。AST・ALTの血中半減期はASTが11～15時間，ALTが約41時間とALTのほうが血中から消失しにくい特性があります。

　急性肝炎時の場合は先に述べたとおり，ASTはALTに比して肝細胞に豊富に存在するため，急性肝炎極期にはAST優位のトランスフェラーゼ上昇をみます。数日経過して急性肝炎の回復期になるとALTは血中半減期が長く消失しにくいため，ようやくALT優位となります。

　一方，胆石発作の場合は発作が治まると半減期の短いASTは1日で半減し，発作翌日にはALT優位となっています。

このことにより肝臓の状態が理解しやすくなります。
(2) 肝疾患以外でASTが上昇する可能性としては甲状腺機能異常（甲状腺機能低下，甲状腺機能亢進），心筋疾患（心筋梗塞，心筋炎），骨格筋疾患（筋ジストロフィー，多発性筋炎など）などがあり，これらはクレアチンキナーゼ（CK）の異常を伴うことがあります。また悪性腫瘍，溶血によりASTが上昇する場合は乳酸脱水素酵素（LDH）の上昇を伴うことがあります。

Step 3　AST，ALTの値を読んでみよう

Practice ①　C型慢性肝炎で内科クリニックに通院中の68歳女性。抗ウイルス治療を主治医から勧められていますが，決心がつかずまだ治療を受けていません。今日の採血結果はAST 98 U/L，ALT 65 U/L，アルブミンやビリルビンは基準値内で，血小板数は9万でした。この患者の肝臓の状況はどのように考えたらよいでしょうか。

解説　薬剤師がみかけることが多いAST，ALT異常は中等度上昇（100〜500 U/L）や軽度上昇（35〜100 U/L）の場合と思います。患者がウイルス性の慢性肝炎（B型やC型）の場合，例えばAST 98 U/L，ALT 65 U/Lのように AST/ALT>1の上昇であれば肝硬変になっている可能性が高く，AST 98 U/L，ALT 125 U/LならばAST/ALT<1なので線維化の少ない慢性肝炎の可能性が高いと考えられます。さらに本症例では血小板減少もみられることが肝臓の線維化が進行していることを示唆しています。他の肝機能検査も組み合わせて肝臓の状態を把握することが肝要です。

2 LDH

基準値 LDH　乳酸脱水素酵素　　　　　　124～222 U/L

Step 1　LDHの基礎知識

　LDH（乳酸脱水素酵素）は細胞内で糖をエネルギーに変換するときに働く酵素です．LDHはほとんどすべての細胞・臓器に存在する酵素ですが，特に腎臓，骨格筋，肝臓，心筋，膵臓，肺，赤血球に多く含まれています．そのためこれら臓器の異常で細胞が破壊されると血液中に酵素が出てきて増加します．

　LDHの増加を認めた場合，どの臓器の障害かということをすぐに特定するのは困難です．しかし，少なくともどこかの細胞が壊れてLDHが血液中に逸脱しているということはわかるので細胞・臓器障害のスクリーニング検査として用いられます．疾患によっては経過観察や治療効果のモニタリングにも利用されます．

　血液中LDHが高い場合に疑われる疾患は，肝炎・肝がんなどの肝疾患，心筋梗塞などの心疾患，筋炎・横紋筋融解症などの筋疾患，悪性貧血・溶血性貧血・白血病・悪性リンパ腫などの血液疾患など多岐にわたるほか，悪性腫瘍でも増加します．妊娠後期や激しい運動でも高値を示します．

LDHを読むポイント

　検査値を読むときはLDHの高さと他の血液検査項目との組み合わせに注意して読むことが重要です．以下の点に気を付けて検査値を読んでみましょう．

（1）まずLDHの増加の程度をみてください（表1）．高度上昇では，白血病・悪性リンパ腫などの可能性があります．わずかな増加の場合，病態を考える前に採血手技による溶血の有無について考えてください．このようなときはLDH以外に赤血球由来のASTやカリウムもわずかに増加します．

（2）次にLDHが高値のときどの細胞・臓器が障害を受けているかを予測す

表1 LDHの高さからみた各疾患

LDH	疾患・病態
123以下	LDHサブユニット欠損症
基準範囲	
223〜350	慢性肝炎，肝硬変，心不全，慢性腎炎
350〜500	悪性リンパ腫，リンパ性白血病，悪性腫瘍，皮膚筋炎，筋ジストロフィー
500以上	心筋梗塞，急性肝炎，悪性貧血，急性骨髄性白血病，悪性リンパ腫

るには，他の検査項目に注目してください。例えば肝疾患であればLDHだけ増加するのではなく，ASTやALTの増加を伴います。心筋や骨格筋の疾患であればLDHだけでなく，CKやASTの増加を伴います。一方，LDHが単独高値の場合は悪性腫瘍を考慮する必要があります。

Step2 LDHによる患者指導

LDHについて患者から尋ねられた場合には，LDHは体の中のほとんどすべての細胞・臓器に存在する酵素で，どこかの細胞が壊れていることを説明しましょう。肝臓や筋肉以外に肺，心臓，あるいは赤血球が壊れていても増加してきますので，一度，原因に関して病院を受診するよう，勧めてください。

LDH以外の検査項目としてALT（肝由来），CK（心筋・骨格筋由来），間接ビリルビン（赤血球由来）の異常高値があるかみて，どの臓器の障害の可能性があるか説明しましょう。

LDHと同様にさまざまな細胞内に存在する酵素であるASTに注目してLDH/AST比を考えることで障害臓器を推測できます。各細胞内のLDH/AST活性比は，肝疾患では6〜10以下，心筋梗塞や肺梗塞で10前後，悪性腫瘍では10以上，白血病や悪性リンパ腫，溶血性疾患では20〜30以上となります（表2）。

LDHアイソザイムを測定することである程度臓器を特定できます。LDHが

表2　血清LDH/AST比からみた各疾患

LDH/AST	疾患・病態
<6〜10	肝疾患
≒10	心筋梗塞・肺梗塞
>10	悪性腫瘍
>20〜30	白血病・悪性リンパ腫・溶血性疾患

高い場合医師がすでに検査していることがあります。心筋にはLDH_1が，肝臓にはLDH_5が，赤血球には$LDH_{1,2}$が多く存在します。

Step 3　LDHの値を読んでみよう

Practice ②　健診で高コレステロール血症を指摘され，内科クリニックを受診した48歳男性。食事療法で経過をみていたが改善しないため，アトルバスタチン錠10 mgを1日1錠処方され，1カ月後に薬の効果判定と副作用の有無を確認するために採血を受けました。今日の採血結果はT-Bil 1.5 mg/dL，AST 59 U/L，ALT 30 U/L，LDH 543 U/L，CK 110 U/L，ALP 78 U/L，BUN 12 mg/dL，Cre 0.5 mg/dL，Na 140 mEq/L，K 5.2 mEq/L，LDL-C 98 mg/dL，TG 120 mg/dL，HDL-C 43 mg/dLでした。この患者の血液検査結果をどのように考えたらよいでしょうか。

解説　このケースではLDL-C 98とスタチンの効果は出ているようです。副作用としては横紋筋融解症や肝障害に注意する必要があります。筋原性酵素であるCKは基準範囲内ですから問題ないようですが，総ビリルビン，AST，およびLDHの上昇を認めます。これは肝障害によるものなのでしょうか。肝細胞特異的な酵素であるALTは正常ですので肝障害であるとはいえません。他に腎機能は正常ですがKの軽度上昇も認めますので，これらの異常高値は赤血球由来の可能性があります。このような場合，採血手技による機械的溶血の可能性も考えてみてください。

COLUMN　LDHアイソザイム

　LDHはアミノ酸組成の異なるH型（心筋型）とM型（骨格筋型）の2つのサブユニットからなる4量体で，電気泳動で易動度の早い分画からLD1（H4），LD2（H3M1），LD3（H2M2），LD4（H1M3），LD5（M4）に分画されています。心臓，腎臓，赤血球などは主としてLD1，2を含み，肝臓，骨格筋はLD4，5を多く含みます。肺は中間の易動度の分画（LD2，3）を多く含むという臓器別の特徴があります。血清総LDHの上昇は心臓，肝臓，腎臓などが大きなダメージを受けた場合や悪性腫瘍，白血病，悪性貧血などにみられ，これらの疾患の診断や経過観察に参考になります。しかしLDHはすべての細胞にあるため特異性の低いのが欠点です。このためにアイソザイムの分画測定が診断上重要視されています。

表　LDHアイソザイムと疾患

アイソザイム	由来臓器	疾患
LDH1，LDH2↑	心筋・腎	心筋梗塞・腎梗塞
	赤血球	悪性貧血・溶血性貧血
	筋	筋ジストロフィー
LDH2↑／LDH2，LDH3↑	白血球	白血病
	腫瘍	悪性リンパ腫・進行がん
	肺	肺梗塞
LDH5↑	肝	急性肝炎・うっ血肝
	筋・皮膚	筋ジストロフィー・皮膚筋炎
	腫瘍	一部のがん（前立腺がんなど）

3 ALP

基準値 ALP　アルカリホスファターゼ　　38〜113 U/L

Step1　ALPの基礎知識

　ALP（アルカリホスファターゼ）はアルカリ性の環境でリン酸化合物を加水分解する働きのある酵素です。肝臓，骨，小腸や胎盤に多く含まれており，何らかの原因でこれらの組織が障害を受けると血液中に漏れ出てくるためにALPは高値となります（表1）。

　ALPは肝機能検査の1つとして用いられることが多く，特に胆汁うっ滞（胆汁の分泌が低下している状態）の診断に有用です。

　ALPは骨に異常のある場合も上昇します。骨芽細胞（骨を作る細胞）からALPは分泌されますので，骨芽細胞が増加する骨折，骨肉腫，悪性腫瘍の骨転移で上昇します。

　肝臓に腫瘍ができるとALPが上昇することがあり，これが発見の手掛かりになることもあります。

表1　ALP異常値を示す要因

	肝臓，胆道系	骨	その他
高値	急性・慢性肝炎，肝硬変，肝臓がん，薬物性肝障害，胆管炎，胆石症，閉塞性黄疸　など	骨折，骨軟化症，悪性腫瘍の骨転移，骨肉腫，成長期の小児	悪性腫瘍，妊娠後期，甲状腺機能亢進症
低値			甲状腺機能低下症，亜鉛欠乏，マグネシウム欠乏

ALPを読むポイント

　ALPのみで疾患を予測することは困難です。実際には各種画像評価や他の臨床検査値をあわせて診断します。以下の点に気を付けて検査値を読んでみましょう。

(1) まずはALP高値となる原因の組織を予測する（肝臓や胆道系かそれ以外の部位かなど）ことが重要です。他の臨床検査値の変動も参考になります。肝疾患であればビリルビンやAST，ALT，悪性腫瘍であれば腫瘍マーカーなどの検査値も利用します。

(2) ALPは生理的な要因でも上昇することがあります。骨新生が盛んな小児ではALPが高値を示すことが多く，思春期には500 U/Lを超える例もあります。他にも胎盤にALPが多く含まれていますので妊娠後期に高値を示す場合や，小腸にALPが多く含まれていますので高脂肪食の摂取後に高値を示すことがあります。

Step 2　ALPによる患者指導

　ALPが高値を示す原因はさまざまですが，患者背景やStep 1で述べたように，他の臨床検査値を加味して考察することでおおよその病態を把握することが可能です。また，ALP高値でも生理的な上昇も考えられるため，患者に説明する場合には過度の不安を与えないような配慮も必要です。

(1) ALPが高値を示す肝疾患や胆道疾患としては，胆汁うっ滞，閉塞性黄疸，薬物性肝障害，肝臓がんなどがあげられます。これらの疾患ではALP高値とともにビリルビンやAST，ALT，γ-GTなどの臨床検査値が高値となることが多くみられます。

(2) 骨由来のALP高値の原因としては，骨軟化症，悪性腫瘍の骨転移，骨折，副甲状腺機能亢進症，腎不全などがあげられます。骨粗鬆症ではALPが上昇することはまれです。副甲状腺から分泌される副甲状腺ホルモンは骨芽細胞を刺激しますので副甲状腺機能亢進症でもALPが上昇します。

表2　ALPアイソザイムと対応する疾患

型	存在部位	高値を示す疾患
ALP1	肝臓	閉塞性黄疸，肝細胞障害
ALP2	肝臓	胆道疾患，肝疾患
ALP3	骨	骨関連疾患，副甲状腺機能亢進症
ALP4	胎盤	悪性腫瘍，妊娠後期
ALP5	小腸	肝硬変，慢性肝炎，小腸疾患，慢性腎不全
ALP6	免疫グロブリン結合型	潰瘍性大腸炎

(3) 臨床の場で問題となることはまれですが，ALPが低値を示すことがあります。亜鉛欠乏やマグネシウム欠乏，甲状腺機能低下症などがあげられます。

(4) ALP上昇の原因検索のための検査としてALPアイソザイム測定があります。ALPは存在する組織ごとにALPを形成する蛋白質の構造が異なり，アイソザイムと呼びます。ALPには6種類のアイソザイムが存在し，それぞれALP1～ALP6に分類されます。どのアイソザイムが高値を示すかを確認することで，ALP高値の原因となる組織を推測することができます（表2）。

COLUMN 胆汁うっ滞とALP

　肝臓の働きには消化液の1つである「胆汁」を作ることがあります。胆汁の流れが減少した状態のことを「胆汁うっ滞」といいます。胆汁うっ滞の原因は，肝臓内に原因があるものと，肝臓外の胆道に通過障害があるものの2つに分類できます。肝臓内の原因には，肝臓の小葉レベルの細い胆管（小葉間胆管）に炎症がある原発性胆汁性胆管炎や，薬物やホルモンによる小葉間胆管よりさらに細い細胆管の障害などがあります。また肝臓外の原因には，胆管内の結石，胆管狭窄，胆管がん，膵臓がん，膵炎などがあります。いずれの場合も，黄疸が現れる前にALPは鋭敏に上昇します。

Step 3 ALPの値を読んでみよう

Practice ③　乳がんで近所のクリニックに通院中の47歳女性。ホルモン剤の注射と，ビスホスホネート製剤の注射を定期的に受けています。今日の採血結果はALP 300 U/L，Ca 11.3 mg/dL，ビリルビンやAST，ALT，γ-GTは基準範囲内でした。この患者の検査値をどのようにとらえるべきでしょうか。

解説　この患者の場合は，ALPと血清カルシウム濃度が高値です。ビリルビンやAST，ALT，γ-GTが基準範囲にあることから肝疾患や胆道疾患よりも患者背景や治療内容から乳がんの骨転移が原因でALP，血清カルシウム濃度が上昇していると考えられます。ALPは単独では原因を推定することは困難ですので，患者背景や他の臨床検査値の変化に注意することが肝要です。

COLUMN 骨の病気とALP

　他の肝機能障害を伴わないALP上昇は骨の病気も考えます。骨由来のALP3は骨を作る機能を担う「骨芽細胞」が産生し血中に出てきます。このため何らかの原因で骨芽細胞が増殖する疾患では血中ALP値が高くなります。多くは骨に関わる疾患で，次のようなものがあります。①**副甲状腺機能亢進症**：副甲状腺ホルモンは骨芽細胞増殖に働きますので副甲状腺機能亢進症ではALP値が高くなります。②**骨肉腫**：骨芽細胞の腫瘍です。腫瘍細胞がALPを分泌しますのでALPは上昇します。③**骨折，癌の骨転移，多発性骨髄腫**：局所の骨破壊の修復のために骨芽細胞が増殖しALPが上昇します。④**骨軟化症***，**くる病**：骨形成障害のため2次的に骨芽細胞が増殖し，ALPは上昇します。一方，骨粗鬆症は骨を作る機能が絶対的にもしくは相対的に低下しているためALPは上昇しません。

＊骨軟化症：骨の基質（骨の細胞成分以外の成分の量）は正常だが，骨化した基質が少ない状態（石灰化障害）をいいます。原因は低リン血症やビタミンDの何らかの原因による作用不足です。骨粗鬆症は骨の基質の量そのものが減っている違う病気です。

4　γ-GT

基準値　γ-GT　γ-グルタミルトランスフェラーゼ　　男性：13～64 U/L
　　　　　　　　　　　　　　　　　　　　　　　　　　女性：　9～32 U/L

Step 1　γ-GTの基礎知識

　γ-GT（γ-グルタミルトランスフェラーゼ／γ-glutamyl transferase，従来はγ-glutamyl transpeptidase；γ-GTP）はグルタチオンなどのγ-グルタミルペプチドを加水分解し，他のペプチドやアミノ酸にγ-グルタミル基を転移する酵素です．γ-GTは腎臓に最も多量に存在する酵素ですが，他に膵臓，肝臓，脾臓，小腸，脳，心筋に存在します．

　血中γ-GTの大部分は肝細胞の毛細胆管膜や胆管上皮由来であるため，肝胆道系疾患のスクリーニング検査として有用です．

　腎臓では近位尿細管に豊富に存在します．腎障害時にγ-GTは血中に増加するのではなく尿中に排泄されるため特に血清γ-GTの上昇は認めません．急性膵炎などの膵疾患で血中増加を認めることはありえますが，通常，膵疾患診断には利用されません．

　γ-GTはアルコールや向精神薬などによってミクロゾーム酵素として誘導を受け，血中で増加します．そのため，アルコール常飲者では上昇し，禁酒で低下します．

γ-GTを読むポイント

　検査値を読むときはγ-GTの高さと他の血液検査項目との組み合わせに注意して読むことが重要です．以下の点に気を付けて検査値を読んでみましょう．

（1）γ-GTの増加の程度をみてください（表）．高度上昇では，アルコール性肝障害や肝内および肝外の胆汁うっ滞性疾患，および閉塞性黄疸を来す総胆管結石や膵頭部がん・胆管がんなどの可能性があります．肝細胞の障害

表　γ-GTの高さからみた各疾患

γ-GT	疾患・病態
40以下	妊娠，経口避妊薬の服用
基準範囲	
40～100	急性および慢性持続性肝炎，肝硬変，脂肪肝，糖尿病
100～400	慢性活動性肝炎，肝細胞がん，胆汁うっ滞（肝内・肝外），アルコール性肝障害
500以上	アルコール性肝障害，胆汁うっ滞（肝内・肝外） 転移性肝がん，肝内胆管がん，膵がん（閉塞性），総胆管結石

　が主体である慢性肝炎や脂肪肝では，γ-GTは軽度の増加にとどまります。
(2) 他の胆道系酵素であるALPおよび肝細胞障害で上昇するASTやALTが正常でγ-GTのみ上昇が認められる場合は，アルコールや薬物による異常が考えられます。ただし，アルコール常飲者でASTとALTの上昇を伴うケースもあり，その場合はALTに比較してASTが優位に上昇しますので参考にしてください。
(3) γ-GTだけでなくALPが並行して上昇を認める場合は，肝胆道系疾患による肝内胆汁うっ滞や閉塞性黄疸の可能性がありますので腹部超音波検査などで原因を調べます。
(4) ASTとALTの上昇に比較してγ-GTの上昇が軽度な場合は，肝細胞障害がメインと考えて肝炎や脂肪肝を疑います。

Step2　γ-GTによる患者指導

　γ-GTについて患者から尋ねられた場合には，γ-GTはアルコール多飲や薬物服用の影響で異常値を示すことがあると説明します。
　さらに詳しく説明する場合は，γ-GT以外の検査項目として肝細胞障害マーカーであるAST・ALTや他の胆道系酵素であるALPの異常高値があるかどうかをみて，肝炎，脂肪肝，肝胆道系疾患などの可能性があることを説明して，一度，病院を受診するよう勧めてください。

Step 3　γ-GTの値を読んでみよう

Practice ④　高血圧症と高コレステロール血症で内科クリニックにて服薬治療中の53歳女性。1週間前に歯の治療を受けて抗生剤が処方されたようです。今日は定期的な採血を受けました。採血結果ではT-Bil 0.9 mg/dL，AST 52 U/L，ALT 48 U/L，ALP 278 U/L，γ-GT 232 U/L，TC 252 mg/dLでした。定期的な採血ではコレステロール値は基準値の範囲となり，これまでにCKや肝機能検査は異常を認めたことはないとのことです。この患者の血液検査結果をどのように考えたらよいでしょうか。

解説　今日の血液検査では，肝機能異常を認めています。肝機能異常を詳しくみると肝細胞の障害を反映するAST・ALTの上昇よりも，胆道系酵素であるALP・γ-GTの上昇がより顕著です。胆道系酵素の上昇に関してはγ-GTの単独の上昇ではなくALPの顕著な上昇も認めています。これらの結果は，胆汁うっ滞を示唆するデータと考えられます。また，高コレステロールに対する治療を受けているにもかかわらずTCは上昇していました。胆汁うっ滞によってコレステロールの胆汁排泄が低下していることによるものと考えられます。これまでの定期的な採血では肝機能異常は認めなかったとのことですので，直近の抗生剤内服による胆汁うっ滞型薬物性肝障害の可能性が考えられます。ただし，鑑別疾患として胆汁うっ滞性肝疾患や肝・胆・膵のがんによる胆汁うっ滞の可能性もあります。

5 ChE

基準値 ChE コリンエステラーゼ　男性：240〜486 U/L
女性：201〜421 U/L

Step1 ChEの基礎知識

　ChE（コリンエステラーゼ）は，コレステロール，アルブミンとともに，肝細胞で合成されます。このため肝合成能が低下すると測定値は低くなります。これらは肝臓の予備能力（蛋白合成能力）を反映する検査項目です。

　低値の場合は，肝疾患，栄養不足，有機リン中毒（農薬）などを疑います。有機リン中毒の場合，測定値が0（ゼロ）となることが多くあります（表）。

　脂肪肝（非アルコール性）は食べ過ぎることにより，トリグリセライド（中性脂肪）が肝臓に沈着している病態です。脂質代謝や蛋白合成に加えChEなどの一部酵素合成は，肝臓の予備能力の指標であり，脂肪肝の際に検査値は上昇します（表）。

> **COLUMN 臨床検査のChE**
>
> 　体内には，アセチルコリンエステラーゼと，ブチリルコリンエステラーゼの2種類のコリンエステラーゼが存在します。アセチルコリンエステラーゼは，神経組織，赤血球，筋肉などに存在し，アセチルコリン（神経伝達物質）のみを酢酸とコリンに分解し，神経の刺激伝達に関係しています。このため，特異的にアセチルコリンを分解するアセチルコリンエステラーゼ（AChE，Ⅰ型・真性ChE）といわれています。一方，ブチリルコリンエステラーゼは，血清，肝臓，膵臓などに存在し，アセチルコリン（神経伝達物質）を含むさまざまなコリンエステル類を分解します。このため，非特異的なコリンエステラーゼ（ChE，Ⅱ型・偽性ChE）といわれています。臨床検査で測定するChEは，後者の非特異的なChEです。

表　ChE値からみた疾患や症状

	肝疾患	肝疾患以外
高　値	脂肪肝（非アルコール性）	ネフローゼ症候群，糖尿病，甲状腺機能亢進症，本態性家族性高ChE血症
低　値	肝硬変	低栄養
極低値		遺伝性ChE欠損症，有機リン中毒

ChEを読むポイント

　検査値を読むときはアルブミンやプロトロンビン時間（PT）の検査値も同時に読むことが重要です。まずは以下の点に気を付けて検査値を読んでみましょう。

(1) ChEが低いほど肝機能の予備能力が低下していると理解しましょう。慢性の肝臓病（肝硬変など）が進行するとChEは減少しますが，ChE値単独で肝予備能低下とは判断できません。

(2) アルブミンや血液凝固因子も肝臓で作られるため，ChEとアルブミンやプロトロンビン時間（PT）とも相関して変動します。そのため，アルブミンなどと同時に確認することによって，肝臓の予備能力（合成能力）の程度がわかります。

(3) 肝疾患以外でも，ChEは低下します。低栄養，消耗性疾患，有機リン中毒，一部のChE阻害薬の使用などです。

(4) 栄養過多で検査値は上がりますが，急激な検査値の上昇はネフローゼ症候群でもみられます。これらではChE合成が亢進しているためです。

Step 2　ChEによる患者指導

　日常の外来診療においてChEは肝機能検査として取り扱われています。肝臓の状態を判断する検査は多数ありますが，日常診療においては①肝細胞の壊死（障害）を反映する検査（AST，ALT，LDH），②胆汁うっ滞などを反映する検査（ALP，γ-GPT，直接ビリルビン），③肝臓の予備能力（蛋

白合成能力)を反映する検査(ChE，アルブミン，コレステロール)，に分類してデータをみると理解しやすくなります。患者にはChEが「肝臓での蛋白の合成能力を反映する検査」であることに留意して説明します。

(1) ChEと一緒にアルブミンも低下しているときは，慢性の肝臓病(肝硬変など)が考えられます。

(2) 肝疾患以外で著しい低下を認めた場合有機リン中毒を疑います。農薬などによる有機リン中毒では，有機リンがChEを不活化させるため，0(ゼロ)に近い著しい低値を認めます。薬剤師が患者指導の際にみかけることは少ないかもしれませんが覚えておきましょう。

(3) また，ChE欠損による遺伝性ChE欠損症でも著しい低値を認めます。日常生活には支障はありませんが，筋弛緩薬・麻酔薬投与において分解が遅くなり作用が強く出るため，麻酔後長時間無呼吸を起こす場合もあります。ChEは手術前の重要な検査項目となります。

(4) ChEの上昇は肝臓での蛋白合成能亢進を示し，栄養過多，蛋白や脂質代謝の亢進を反映するため，過栄養性脂肪肝，糖尿病，ネフローゼ症候群，甲状腺機能亢進症などが予測されます。

Step 3　ChEの値を読んでみよう

Practice ⑤　患者から，クリニックでの血液検査結果について相談を受けました。ChEが101 U/Lであり活性低値の異常マークが付いているのですが，これに関して医師からは特に説明がなかったとのことです。どのように説明すればよいでしょうか？

解説　軽度ChE低下は肝障害や低栄養でみられるので，体重の変化，アルブミン値，他の肝機能検査の結果を確認します。体重減少やアルブミン値が低い場合は低栄養と考えられるため，栄養指導が必要な場合もあります。他の肝機能検査にも問題がある場合やChE値に影響を及ぼす服用薬がある場合は医師に相談することをアドバイスします。

6 T-Bil

基準値 T-Bil 総ビリルビン 0.4〜1.5 mg/dL

Step 1 T-Bilの基礎知識

　ビリルビン（Bil）の多くは老廃赤血球由来のヘモグロビンに含まれるヘムという物質が脾臓などで代謝されて産生されます（図）。このビリルビンは非抱合型ビリルビン（間接ビリルビン：I-Bil）と呼ばれ尿中に排泄されることはなく肝細胞に取り込まれます。肝細胞にあるグルクロン酸転移酵素UGT1A1によりグルクロン酸抱合を受けて水溶性の抱合型ビリルビン（直接ビリルビン：D-Bil）となって胆汁中に排泄されます。

　ビリルビン代謝経路のどこかで障害が生じると血清ビリルビンが増加し黄疸

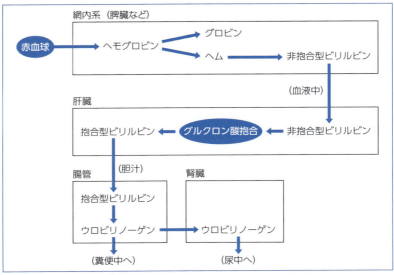

図　ビリルビン代謝の概要

となります。①肝臓の手前に原因があるものとしては，ビリルビンが過剰に産生される場合(溶血性黄疸など)，②肝臓が原因のものとしては，肝細胞の機能障害や胆汁うっ滞による肝細胞性黄疸，③肝後性としては，肝外胆管に結石や腫瘍による閉塞機転があると閉塞性黄疸となります。先天的な遺伝子異常による体質性黄疸もあります。

黄疸が認められた際には，総ビリルビン値(T-Bil)だけでなく間接ビリルビン(I-Bil)優位な上昇か直接ビリルビン(D-Bil)優位な上昇かを考えることが重要で，病態や障害部位を把握することができます。

T-Bilを読むポイント

間接型と直接型を区別することと他の血液検査項目との組み合わせにも注意して読むことが重要です。

間接ビリルビンの上昇は，ビリルビンの産生亢進を来す溶血性貧血やUGT1A1の遺伝子異常による酵素活性の低下(ジルベール症候群やクリグラー・ナジャー症候群)で起こります。

表　高ビリルビン血症を示す病態と疾患

	病態	疾患
I-Bil優位	溶血性黄疸	遺伝性球状赤血球症，自己免疫性溶血性貧血 弁置換術後
	無効造血	シャント高ビリルビン血症
	体質性黄疸	ジルベール症候群，クリグラー・ナジャー症候群
	重症肝障害	劇症肝炎，進行肝硬変
	生理的	絶食
D-Bil優位	肝細胞障害	急性肝炎・劇症肝炎(ウイルス性・薬物性など) 自己免疫性肝炎，アルコール性肝炎，肝硬変 うっ血肝，肝がん
	肝内胆汁うっ滞	胆汁うっ滞性肝炎，胆汁うっ滞型薬物性肝障害 原発性胆汁性胆管炎，原発性硬化性胆管炎，妊娠性
	閉塞性黄疸	総胆管結石，胆管がん，乳頭部がん，膵頭部がん
	体質性黄疸	デュビン・ジョンソン症候群，ローター症候群

(1) 直接ビリルビンの上昇は，抱合型ビリルビンが肝臓から胆汁中に排泄される流れの障害で起こります（総胆管結石や膵頭部がんなど胆汁うっ滞性疾患）。先天性のビリルビン代謝異常であるデュビン・ジョンソン症候群やローター症候群でも直接ビリルビンが上昇します。また，肝細胞障害を来す急性肝炎や劇症肝炎，および進行した肝硬変では間接型と直接型の両者が上昇します（表）。

(2) 直接型優位なビリルビンの上昇では肝細胞障害で上昇するASTやALTと胆道系酵素であるALPやγ-GTに着目します。ALP・γ-GTに比較してAST・ALT優位な上昇の場合は肝細胞障害に伴う黄疸を考え，AST・ALTに比較してALP・γ-GT優位な上昇を認めた場合は胆汁うっ滞に伴う黄疸を考えます。

Step 2　T-Bilによる患者指導

T-Bilについて患者から尋ねられた場合には，T-Bilの上昇は黄疸の指標であり，肝胆道系疾患が原因のことが多いが，溶血や体質性の原因で起こることもあると説明してください。

肝細胞障害マーカーであるAST・ALTや胆道系酵素であるALP・γ-GTの異常高値があるかどうかもみて，異常がある場合は肝臓や胆道系疾患などの可能性があることを説明して，一度，原因に関して病院を受診するよう勧めてください。表を参考にしてください。

Step 3　T-Bilの値を読んでみよう

Practice ⑥　脂質異常症で内科クリニックにて治療中の46歳男性。今日は定期的な採血と腹部エコーの予定で昨晩から絶食で来院しました。採血結果ではT-Bil 2.5 mg/dL，D-Bil 0.2 mg/dL，AST 26 U/L，ALT 20 U/L，ALP 65 U/L，γ-GT 28 U/L，LDH 180 U/L，TC 180 mg/dLでした。腹部エコーでは特に異常を認めませんでした。定期的な採血ではこれ

までに肝機能検査の異常は認めたことがないですが，T-Bilは2 mg/dL近くまで上昇していたようです。この患者の血液検査結果をどのように考えたらよいでしょうか。

解説 今日の血液検査では，総ビリルビンの上昇を認めるが直接ビリルビンの上昇はなく，間接型優位な高ビリルビン血症を認めています。間接型優位なビリルビンの上昇が認められる場合，最初に溶血性の可能性を考えます。本症例ではLDH・ASTが基準範囲内にあるため溶血は否定的です。次に本症例の肝機能検査も基準範囲内で肝胆道系の異常は認めませんでした。溶血性と肝細胞性黄疸を示唆するデータがなく，間接型ビリルビンが以前から軽度上昇を認めていた経過からも体質性黄疸のジルベール症候群が最も考えられます。本症例では，前日に少し多めの運動をしてアルコールを摂取し，検査当日は絶食でした。これらのことで総ビリルビン値が普段と比べて，上昇した可能性が考えられます。ジルベール症候群の患者では特に治療の必要はありません。

COLUMN 間接ビリルビンが高値になるのは？

　肝胆道系疾患が原因で黄疸となる場合は，主に直接ビリルビンが上昇します。一方，日常臨床では間接ビリルビンが上昇した血液データにもしばしば遭遇します。まず，間接ビリルビンの上昇とLDH，AST値の上昇があれば溶血を疑います。次に，間接ビリルビンの上昇があるが肝酵素に異常がなければジルベール症候群を考えます。本症候群はまれではなく，人口の2〜7％にみられます。絶食時採血でも間接ビリルビンが軽度上昇することが知られており，食事を摂ると低下します。絶食によるビリルビン値の上昇の程度は，健常人よりもジルベール症候群で大きいことが知られています。他に心不全症では肝臓のうっ血による肝障害を認めることがあります（うっ血肝）。この場合，AST優位の肝酵素上昇とともに間接ビリルビンの上昇も認めます。

7　BUN，Cre，eGFR

基準値	BUN	血中尿素窒素	8〜20 mg/dL
	Cre	血清クレアチニン	男性：0.65〜1.07 mg/dL 女性：0.46〜0.79 mg/dL
	eGFR	推定糸球体濾過量	90 mL/min/1.73 m² 以上

Step 1　BUN, Cre, eGFRの基礎知識

　BUN（血中尿素窒素），Cre（血清クレアチニン），eGFR（推定糸球体濾過量）はいずれも腎機能の指標となる検査値です。

　BUNは体内の蛋白質の代謝産物です。腎糸球体濾過能が低下すると高値になります。腎臓が悪くなくても高蛋白食や消化管出血によっても高値になることもあります。逆に肝不全など肝臓の機能が悪い場合は低値になります。

　Creは主に筋肉で生成される代謝産物です。筋肉量が少ない女性では低値になります。クレアチニンは腎糸球体で約98％が濾過されるため，腎糸球体濾過能が低下すると高値になります。

　eGFRは年齢とCre値をもとに推算された糸球体濾過量（estimated GFR）のことです。糸球体濾過量は1分間に血液が糸球体から濾過される量のことです。eGFRは患者の体表面積を標準的な体型（170 cm，63 kgの場合1.73 m²）に補正した値で表されています。eGFRは腎機能をよく反映しているため慢性腎臓病の重症度を表す指標として用いられています（図）。

Creを用いた推算式
　　男性：$eGFR_{Cre}$ (mL/min/1.73 m²) ＝ 194×年齢$^{(-0.287)}$×$Cr^{(-1.094)}$
　　女性：$eGFR_{Cre}$ (mL/min/1.73 m²) ＝ 194×年齢$^{(-0.287)}$×$Cr^{(-1.094)}$×0.739

図　eGFR推算式

表1 BUN/Cre比からみた腎外性因子

	考えられる腎外性因子
BUN/Cre＞10～20	循環血液量の減少 　下痢，嘔吐，心不全，利尿薬　など 尿素窒素産生の亢進 　高蛋白食，消化管出血，アミノ酸輸液　など 蛋白異化亢進 　火傷，重症感染症，がん，高熱，副腎皮質ステロイド投与， 　テトラサイクリン抗菌薬　など
BUN/Cre＜10	妊娠，多尿，低蛋白食，重症肝不全　など

BUN, Cre, eGFRを読むポイント

　検査値を読むときはBUNやCreの高さだけでなく，BUN/Cre比やその他検査値を総合的に読むことが重要です。まずは以下の3つの点に気を付けて検査値を読んでみましょう。

(1) Creが高いときは腎機能が低下していると理解します。

(2) eGFRが低いときは腎機能が低下していると理解します。eGFRはあくまで標準体型における腎臓の機能を表しているため，腎排泄型薬物の投与設計には患者の体格を考慮，つまり患者に合わせた体表面積未補正化をする必要があります。

(3) BUNが40以上の高値のときは腎機能低下を疑います。BUNは腎機能以外の影響も受けやすいので，BUNが異常値を示すときはBUN/Cre比が10より乖離していないかにより，原因を推測することができます（表1）。BUN/Cre比が10より小さい場合は低蛋白食や多尿を，10より大きい場合は脱水や消化管出血，食事の影響などを疑います。

Step 2　BUN，Cre，eGFRによる患者指導

(1) BUNやCreは腎機能の指標として大切ですが，さまざまな因子により変動します。それぞれの産生過程を理解することで，な

ぜ異常値を示しているのかを考えやすくなります．BUNは日内変動の大きい検査値です．BUNは肝臓でアンモニアと二酸化炭素をもとに作られ，腎糸球体によって濾過されて，尿として排出されます．糸球体濾過能が低下すると排出しきれないBUNが蓄積し高値になります．高蛋白食の摂取などにより，蛋白分解が亢進されると糸球体の濾過能を上回るため高値になります．血液には蛋白質が多く含まれているため消化管出血時も蛋白分解が亢進されBUNは高値になります．逆に蛋白質の摂取不足や肝不全など肝臓の機能が悪い場合は血中尿素の産生能が低くなるためBUNは低値になります．

(2) Creは主に筋肉で生成される代謝産物であるため筋肉量に依存します．体内クレアチニン量(100〜120 g)の1％が代謝されるといわれており，男性で20〜25 mg/kg，女性で15〜20 mg/kgのクレアチニンが排泄されます．検査値の変動が少なく，尿細管で再吸収されることなくほとんど(約98％)が糸球体で濾過され尿中へ排出されるため，腎糸球体濾過能が低下すると排出されず高値になります．BUNに比べ，より腎機能を反映していると考えられます．

(3) eGFRは腎機能障害の診断指標として適切な評価をするために，標準体型(体表面積が1.73 m^2)であった場合の糸球体濾過量を想定して算出されています．腎糸球体濾過量が低下すると低値になります．

Step 3 BUN，Cre，eGFRの値を読んでみよう

Practice ⑦ 身長148 cm，体重37 kgの小柄な67歳女性．今日の採血結果はBUN 12 U/L，Cre 0.7 mg/dL，eGFR 54.7 mL/min/1.73m^2 でした．この患者の腎臓の状況はどのように考えたらよいでしょうか．

解説 BUNやCreの基準値から考えると一見正常な腎機能であると見受けられます．腎機能はeGFRにより評価します．腎機能は加齢とともに低下していきますが，「60 mL/min/1.73 m^2未満の状態が3カ月以上持続すること」という慢性腎臓病(CKD)の定義は高齢者であっても変わりません．したがっ

て，この患者の腎機能が3カ月以上続くならCKDのG3aの軽度～中等度低下に相当します。ただし，CKDのグレード分類をするには，アルブミン尿や蛋白尿などを総合的に判断する必要があります（表2）。また，この患者の体型で補正したeGFRは，54.7×1.25/1.73＝39.6 mL/minとなり，腎排泄能としてはより低値であると考えられます。

表2　CKD重症度分類

原疾患	蛋白尿区分		A1	A2	A3
糖尿病	尿アルブミン定量(mg/日)　尿アルブミン/Cr比(mg/gCr)		正常	微量アルブミン尿	顕性アルブミン尿
			30未満	30～299	300以上
高血圧　腎炎，多発性嚢胞腎　腎移植，不明，その他	尿蛋白定量(g/日)　尿蛋白/Cr比(g/gCr)		正常	軽度蛋白尿	高度蛋白尿
			0.15未満	0.15～0.49	0.50以上
GFR区分 (mL/min/1.73 m²)	G1	正常または高値	≧90		
	G2	正常または軽度低下	60～89		
	G3a	軽度～中等度低下	45～59		
	G3b	中等度～高度低下	30～44		
	G4	高度低下	15～29		
	G5	末期腎不全(ESKD)	<15		

重症度は原疾患・GFR区分・蛋白尿区分を合わせたステージにより評価する。CKDの重症度は死亡，末期腎不全，心血管死亡発症のリスクを■のステージを基準に，■，■，■の順にステージが上昇するほどリスクは上昇する。

（KDIGO　CKD guideline 2012を日本人用に改変）

（日本腎臓学会 編：CKD診療ガイド2012，東京医学社，P.3，2012）

第Ⅰ章　はじめからわかる検査項目の基礎知識

8　UA

基準値　UA　尿酸　　男性：3.7〜7.8 mg/dL
　　　　　　　　　　女性：2.6〜5.5 mg/dL

Step 1　UAの基礎知識

尿酸（UA）はヒトにおけるプリン代謝の最終生成物です。プリン体は食べ物からは全体の約3割，7割は体内での代謝の際にATPやDNAが分解されて作られます。プリン体（キサンチン，ヒポキサンチンなど）は主に肝臓で分解され尿酸となります。この段階で働いている酵素がキサンチンオキシダーゼです（図1）。

1日に体内で産生される尿酸は約600〜800 mgであり，排泄される量も600〜800 mgなので，体内の尿酸は常に一定の量（貯蔵量は健康成人男性の場合で約1200 mg，健康成人女性で約600 mg）に保たれています。

尿酸の生成量が排泄量を上回り，血清尿酸値が7.0 mg/dLを超える状態を高尿酸血症といいます。

UAを読むポイント

ただし高尿酸血症のすべてが薬物治療対象とはなりません。

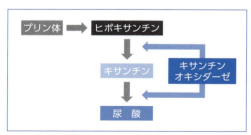

図1　尿酸の産生

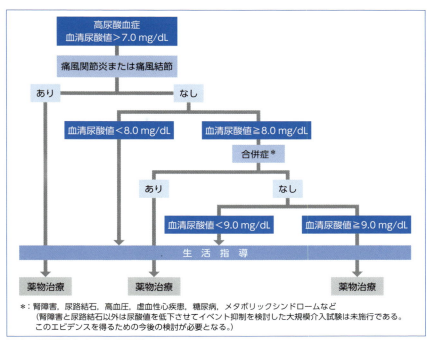

図2 高尿酸血症の治療指針
(日本痛風・尿酸核酸学会ガイドライン改訂委員会 編:高尿酸血症・痛風の治療ガイドライン 第3版,診断と治療社,P.116, 2018)

　高尿酸血症の薬物治療対象は,①血清尿酸値7.0 mg/dL以上で痛風関節炎・痛風結節を認める場合,②血清尿酸値8.0 mg/dL以上で何らかの合併症がある場合,③血清尿酸値9.0 mg/dL以上です(図2)。

Step2 UAによる患者指導

　尿酸について患者から尋ねられた場合は次の点に気を付けて説明しましょう。

(1) 血清尿酸値の増加は,①腎負荷型(尿酸産生増加,腎外排泄低下型),②腎排泄の低下,③その混合型に大別されます。鑑別は尿中尿酸排泄量と尿酸クリアランスから分類します。これらの違いにより薬剤選択が異なります(表)。

表 痛風・高尿酸血症における尿中尿酸排泄量と尿酸C_{UA}による病型分類

病型	尿中尿酸排泄量 (mg/kg/時)		C_{UA} (mL/分)
腎負荷型	>0.51	および	≧7.3
尿酸排泄低下型	<0.48	あるいは	<7.3
混合型	>0.51	および	<7.3

(日本痛風・尿酸核酸学会ガイドライン改訂委員会 編：高尿酸血症・痛風の治療ガイドライン 第3版，診断と治療社，P.97，2018)

(2) 痛風発作中には尿酸値が高いからといって尿酸を低下させる薬を服用すると、さらなる発作の誘発を来します。また痛風発作中は血清尿酸値がかえって普段より低値を示すことがあります[1]。

(3) 女性ホルモンは腎からの尿酸排泄を促進する作用があるため、血清尿酸値には性差があり女性は低値を示します。したがって閉経後は性差は小さくなります。また女性は血清尿酸値が7.0 mg/dL以下であっても、尿酸値の上昇とともに生活習慣病のリスクが高くなるとされているので注意が必要です。

(4) 血清尿酸値には日内変動があり、採血時間により若干の変動があります。健常者の日内変動は0.5 mg/dL程度で明け方が高く夕方に低下します。また飲酒・食事・運動などでも変動(運動により1.04倍、昼食により1.1倍)します。

(5) 高尿酸血症には二次性(何らかの疾患によるもの)のものもあり、その可

COLUMN 腫瘍崩壊性症候群(TLS)

悪性腫瘍、特に白血病や悪性リンパ腫などの造血器腫瘍の急性期未治療時や治療開始直後に大量の腫瘍細胞が急速に崩壊し細胞から逸脱した過剰の尿酸が腎尿細管や集合管を閉塞させ、さらに高カリウム血症、高リン酸血症、低カルシウム血症などの代謝異常を生じるオンコロジーエマージェンシーとして重要な病態です。ラスブリカーゼは不溶性の尿酸を水溶性のアラントインに変換させ腎臓から排泄させることにより過剰の尿酸による腎障害を防ぐことができます。

能性について検討する必要があります。二次性の高尿酸血症は悪性腫瘍，横紋筋融解症，甲状腺機能低下症，慢性腎疾患，脱水，薬物などによって引き起こされます。

Step3 UAの値を読んでみよう

Practice ⑧ 42歳男性。仕事は営業職で仕事柄アルコール摂取が多く，数日前から左足の第1中趾節に異和感があったがそのまま放置していると，昨日の晩から痛みが強くなり夜中に数回目が覚めました。朝になり歩行時も痛みが出ることから近所のクリニックを受診し，処方箋を持って来局されました。採血結果ではWBC 9000 /μL，UA 10.5 mg/dL，CRP 5.2 mg/dLでした。今回の処方薬に尿酸を低下させる薬物がないことに少し不満がありそうです。

解説 痛風発作の好発部位である中趾節腫脹および疼痛があることから痛風発作を疑います。関節液で尿酸塩結晶が認められていることにより痛風関節炎と確定できますが，通常は症状のみで診断します。発作があるのでまずは炎症の抑制と疼痛軽減をはかります。高尿酸血症があるので患者は尿酸を低下させる薬物の服用を望むこともありますが，そのような薬物の服用はかえって発作を誘発することを伝えます。

●参考文献
1）日本痛風・尿酸核酸学会ガイドライン改訂委員会 編：高尿酸血症・痛風の治療ガイドライン第3版，診断と治療社，2018

9 Alb

基準値 Alb　血清アルブミン　　　　　　　　4.1〜5.1 g/dL

Step 1　Albの基礎知識

　Alb（血清アルブミン）は，血液中の蛋白質の一種であり肝臓で合成されます。血清総蛋白質（TP）の60〜70％を占め，残りはグロブリン（Glb）が占めます。したがって，TP＝Alb＋Glbという関係があります。通常，Alb，TPを同時に測定します。

　TPが基準範囲を示していても，Albが減少し，グロブリンが増加するような場合，何らかの異常が隠れていることがあります。アルブミン/グロブリン

> **COLUMN　A/G比**
>
> 　血清総蛋白値が基準範囲内であっても，アルブミンの減少，グロブリンの増加といった何らかの異常が潜んでいる場合があります。このような場合にアルブミン（A）/グロブリン（G）比が重要となります。肝機能低下や糸球体腎炎などでのアルブミン減少は，アルブミン単独でみるよりもA/G比でみると，より病態を把握しやすいとされています。なお，日本の共用基準範囲では1.32〜2.23に設定されています。
>
> 　A/G比が基準値より高い場合，アルブミンに対してグロブリンが少ないということを意味します。健康な若者の場合，時に基準範囲を上回ります。一方でA/G比が基準値より低い場合，以下のように考えられます。
>
> ①アルブミン減少による低値：肝炎，肝硬変などの肝疾患やネフローゼ症候群，栄養不良など
> ②グロブリン増加による低値：多発性骨髄腫，悪性腫瘍，慢性炎症性疾患，感染症，自己免疫疾患，原発性マクログロブリン血症など

比（A/G比）を確認することが肝障害，ネフローゼ症候群，骨髄腫などの診断の一助になっていることがあります。検査値を読むときはAlb値だけでなく，TPおよびA/G比の確認も重要となります。

　Albは血中で薬物が結合し，運搬する蛋白質として重要な役割もあります。Albとの結合率が高い薬物が投与されている場合，Alb量が極端に減少すると薬物の蛋白結合率が低下するため，遊離型薬物濃度が増加します。分布容積が大きい薬物の場合，組織への移行率が増加しますので，副作用が出やすくなることがあり注意が必要です。

Albを読むポイント

　Albは肝臓で合成されますので，肝硬変では低値となります。このとき，AST/ALT比ではASTが優位のトランスフェラーゼの上昇（☞ P.9参照），血小板の低下などを伴います。

　その他のAlbが低値を示す原因としては，尿中へAlbが漏れ出るネフローゼ症候群，低栄養状態，甲状腺機能亢進症，感染症，妊娠などがあります。

　Albは患者の栄養状態を評価する指標にもなります。一般に，Alb値 3.5 g/dL 以下を低栄養状態とされます。通院中の方では高齢者によくみられます。

　高度の脱水による血管内濃縮があると高値を示します。ただし，通院できる

COLUMN 浮腫（むくみ）とAlb

　浮腫（edema）は，細胞間の体液（間質液）が異常に増加した状態です。皮下組織に間質液が過剰に貯留することで体表面が腫れたような状態が「むくみ」です。

　その原因の1つとしてAlbの低下があります。通常，血中のAlb濃度が一定に保たれるよう，血管内と血管外（細胞側）で水分量が調節されています（膠質浸透圧が関係します）。血漿中のAlb量が低下するとAlb濃度が低下するため，元の濃度に戻るよう血管の外側へ水分が移動します。血管内に水分をうまく取り込むことができなくなり，体に余分な水分が溜まりやすくなるのです。これが浮腫の原因となります。利尿剤等で浮腫が改善されない場合は，高張アルブミン製剤を投与することがあります。

患者の場合，高度の脱水状態であるとは考えにくいため，Alb高値でも問題のないケースもあります。

Albによる患者指導

　日常診療においてAlbの検査は，①栄養状態を反映する検査，②肝機能（合成能）を反映する検査，③腎機能（蛋白尿）を反映する検査，④その他，に分類されます。したがって，患者に説明するときには，Albが「栄養状態，肝・腎の病態を含め，全身状態を探る検査」であることに留意して説明しましょう。

（1）食事により摂取した蛋白質が消化管でアミノ酸に消化・吸収された後，肝臓で合成され血中に移行します。したがって，低栄養状態ではAlbの絶対量が減少しますので，Albは栄養状態を把握するのに役立つことがあります。Alb低値の患者には食生活の状況を聞いてみるのもいいかもしれません。ただし，半減期が14〜21日と非常に長いことから，直近2〜3日の栄養状態の変化ではあまり変動しません。

（2）Albは肝機能により左右されます。慢性肝炎，初期の肝硬変ではあまり変動せず，肝硬変が進むと絶対量が減少するといわれています。同じよう

表　成人ネフローゼ症候群の診断基準

1．蛋白尿：3.5 g/日以上が持続する。
　　（随時尿において尿蛋白/尿クレアチニン比が3.5 g/gCr以上の場合もこれに準ずる。）
2．低アルブミン血症：血清アルブミン値 3.0 g/dL 以下。
　　血清総蛋白量 6.0 g/dL 以下も参考になる。
3．浮腫
4．脂質異常症（高LDLコレステロール血症）

注：1）上記の尿蛋白量，低アルブミン血症（低蛋白血症）の両所見を認めることが本症候群の診断の必須条件である。
　　2）浮腫は本症候群の必須条件ではないが，重要な所見である。
　　3）脂質異常症は本症候群の必須条件ではない。
　　4）卵円形脂肪体は本症候群の診断の参考となる。

（厚生労働科学研究費補助金難治性疾患等政策研究事業（難治性疾患政策研究事業）難治性腎疾患に関する調査研究班 編：エビデンスに基づくネフローゼ症候群診療ガイドライン2017，東京医学社，P.1，2017）

な肝合成能の指標としては，ChE，プロトロンビン時間があります。
(3) 糸球体の障害（特に基底膜のダメージ）により，血中Albが尿に漏れ出ることがあります。このようなとき血中Alb量が低下します。尿中Alb漏出が多く，蛋白尿が3.5 g/日以上となるとネフローゼ症候群と診断されます（表）。
(4) その他，妊娠中では循環血液量が増加するため，Alb濃度が希釈され，低下します。さらに，重症感染症や火傷などの激しい炎症が起きると蛋白の消費量が増加するため，蛋白異化亢進によりAlbを消耗する結果，低下することもあります。

Step 3　Albの値を読んでみよう

Practice ⑨　59歳の男性。身長175 cm，体重78 kg（2カ月前は74 kg）。約1カ月前から全身倦怠感と息切れがあり，改善が認められないことから受診されました。また，顔面と下腿に浮腫を認めています。12年程前から糖尿病と高血圧症と診断され治療を受けていましたが，最近仕事が多忙なため半年間受診しておらず，薬による治療をしていなかったそうです。
　以下の所見を参考に，この患者の病態はどのように考えたらよいでしょうか。
血液生化学所見：BUN 32 mg/dL，Cre 1.8 mg/dL，UA 7.8 mg/dL，GLU 220 mg/dL，HbA1c 7.8 %，TP 5.8 g/dL，Alb 2.8 g/dL
尿所見：蛋白（3＋），糖（2＋），潜血（±）

解説　まずこの患者は，糖尿病と高血圧症と診断されており，検査結果からも血糖のコントロールができていないことがわかります。また，血清アルブミンは2.8 g/dLと低値を示しており，さらに尿蛋白（3＋），浮腫を認めるため，ネフローゼ症候群の診断基準を満たしている可能性があります。したがって，本症例では，糖尿病性腎症の進行によりネフローゼ症候群を併発したものと推察されます。本症例では糖尿病性腎症による，二次性ネフローゼ症候群に分類されます。なお，ネフローゼ症候群の診断基準を表に示しますが，蛋白尿と低アルブミン血症が診断の必須条件となっています。尿定性検査で陽性の場合，尿定量検査（随時尿や蓄尿など）を行う必要があります。

10 Na

基準値 Na ナトリウム　　138〜145 mEq/L

Step 1　Naの基礎知識

　Na（ナトリウム）は細胞外液（血清中でも）の主要な陽イオンであり，血清の浸透圧を決定する主要因子です。血漿浸透圧が上昇する（血清Na上昇）と，口渇中枢を刺激による飲水（希釈）とADHの分泌（Naの排泄）により調節が始まり，血清Naを下げようとします。

　血清Naの基準値は138〜145 mEq/Lです。この濃度は体内Na量に加え体内の水分量にも依存します。

　体内のNa量は摂取量と腎臓からの排泄量により厳重にコントロールされています。尿中Na量は食塩の摂取量に依存しますが，おおむね4〜8 g/日です。尿中へのNaの排泄はホルモンであるアルドステロン，心房性ナトリウム利尿ペプチド（ANP）や脳性ナトリウム利尿ペプチド（BNP）により決定されます。

Naを読むポイント

　低Na血症とは，何らかの原因によって水とNaの調節機能が正常に働かずに，血中Na濃度が低下する電解質代謝異常症です。定義としては血中Na濃度が135 mEq/L未満とされています。このなかには水が過剰のものとNaが不足しているものがあります。

(1) 水過剰型（希釈性低Na血症）：水分が過剰に入ってくる場合（心因性多飲や低張輸液の過多）や水の排泄低下（抗利尿ホルモン不適合分泌症候群：SIADHなど）が原因です。

(2) Na喪失型（Na喪失＞水の喪失，細胞外液不足型）：摂取するNaの低下やNa排泄の過剰（腎性のものと腎外性のものがある）が原因です。

(3) 水過剰＞Na過剰の場合（細胞外液過剰型）：水もNaも過剰ですが水の

ほうがより過剰な場合です。

高Na血症とは血中Na濃度が上昇する電解質代謝異常症です。定義としては血中Na濃度が145 mEq/L以上とされています。このなかには水が不足のものとNaが過剰のものがあります。

(1) 水喪失型：水分摂取不足や水の排泄増加（尿崩症など）で起こります。
(2) Na過剰型：摂取するNaの増加やNa排泄の低下が原因です。

Step2 Naによる患者指導

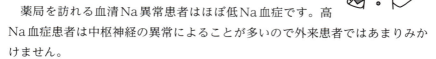

薬局を訪れる血清Na異常患者はほぼ低Na血症です。高Na血症患者は中枢神経の異常によることが多いので外来患者ではあまりみかけません。

水過剰型の低Na血症は高頻度でみられる状態です。最も多いのは高齢者のがん患者などで起こるSIADHや多飲症などがあげられます。非浸透圧刺激によるADH分泌を起こす場合もこのタイプになります。原因としては薬物性もあります（クロルプロパミド，トルブタミド，オピオイド，バルビツール酸系，

> **COLUMN　利尿薬による低ナトリウム血症**
>
> 　利尿薬でも細胞外液量減少型の低Na血症を引き起こすことがあります。特にサイアザイド系利尿薬は，腎臓の希釈能を低下させ，Na排泄量を増加させます。いったん体液が減少すると，非浸透圧刺激によるADH分泌によって水貯留が生じて，低Na血症が悪化します。随伴する低K血症は，細胞内にNaを移動させADH分泌を増加させるので，その結果として低Na血症が悪化します。サイアザイド系利尿薬のこの作用は，投薬中止後も最大2週間程度は持続する可能性があります。高齢者はNa利尿が増加している可能性があり，特にサイアザイド系利尿薬による低Na血症を起こしやすく，特に腎臓の自由水排泄能に障害がある症例にあてはまります。こうした患者は，サイアザイド系利尿薬の開始後数週間以内に，生命を脅かす重度の低Na血症を発症することがあります。

ビンクリスチン,クロフィブラート,カルバマゼピンなど)。

Na喪失型は水欠乏を上回るNa欠乏が生じている状態です。腎性と腎外性に分けられ,腎性体液喪失は,尿細管障害,アジソン病,利尿薬投与などで生じ,また腎外性体液喪失は嘔吐,下痢,経管ドレナージなど消化管からの喪失や,熱傷,膵炎,腹膜炎といったサードスペースへの喪失などにより生じます。発汗などで水分や塩分を大量に失い,塩分を補給せず水分のみ大量に補給することでも陥ると考えられます。

細胞外液過剰はナトリウム過剰を上回る水過剰がある場合です。多くは浮腫を伴っています。腎不全,うっ血性心不全,肝硬変,ネフローゼ症候群などがあげられます(図)。

偽性低Na血症は血清脂質や血糖値の増加による見かけ上の低Na血症です。

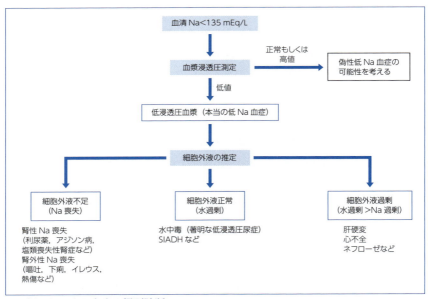

図 低ナトリウム血症の鑑別診断

Step 3 Naの値を読んでみよう

Practice ⑩ 高血圧で近所のクリニック(内科)にて治療を受けている患者がいつものように薬局に訪れ,今日の採血で「Naが130 mEq/Lといつもより低い」と医師からいわれたとのことで,「高血圧で塩分を控えていたのが悪かったのか？」と相談されました。自覚症状は特に何もないようです。この患者のNaをどのように考えたらよいでしょうか。

解説 何らかの原因で水とNaの調節が障害され,血中Na濃度が低下している可能性があります。この患者はNaが低い原因は塩分不足によると考えているようですが,本文の説明にもあるように低Na血症は摂取するNaの減少以外にも水過剰型(希釈性低Na血症)やNa排泄の過剰さらにネフローゼやうっ血などさまざまな原因で起こることを伝えましょう。低Na血症の原因診断は医師にお願いするとして,薬剤師としては薬物性の可能性はないかを確認するとよいでしょう。

COLUMN 薬剤性低ナトリウム血症

薬剤性低Na血症の原因は大きく分けると,①抗利尿ホルモン(ADH)作用の分泌増加か作用増強によるもの(水過剰)と,②尿中へのNa排泄増加があります。

①ADH産生刺激増加を来す薬物には,抗うつ薬(三環系,SSRI,SNR),抗精神薬(フェノチアジン系,ブチロフェノン系),抗てんかん薬(カルバマゼピン,バルプロ酸),抗悪性腫瘍薬(白金製剤,アルキル化薬),モルヒネなどがあります。抗利尿ホルモン作用増強を来す薬物には,カルバマゼピン,SU薬,アルキル化薬の一部があります。これらでは尿細管での自由水再吸収が増加し相対的水分過剰となり低Na血症になります。

②尿中へのNa排泄増加を来すものとしては,利尿薬(特にサイアザイド系利尿薬は水よりもNa喪失が上回る)やシスプラチンなど(塩類喪失性腎症を来す)があります。

11 K

基準値　K　カリウム　3.6〜4.8 mEq/L

Step 1　Kの基礎知識

　K（カリウム）はそのほとんどが細胞内液にある陽イオンであり，細胞外液に含まれるK量は少なく，2％程度です。この細胞内外のK濃度差は，細胞膜のNa-Kポンプによって保たれています（図）。

　血清K濃度は，心臓や筋や神経の機能の働きに大きく関係しており，細胞内外でのKの移動と尿中への排泄により調節されています。

　血清K濃度の変化は，心臓・筋肉・神経などの生体の機能に重大な影響を及ぼすことがあります。また腎機能障害や心電図異常などから血清カリウム濃度の異常がみつかる場合もあります。

　血清K濃度は，インスリン，血液のpH，浸透圧，カテコールアミン，副腎皮質からのアルドステロンなどの影響を受けます。特に，アルドステロンは遠位尿細管および集合管からのKの分泌を促進し，尿中への排泄に重要な役割を果たします。

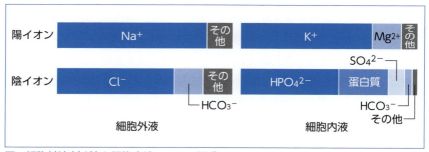

図　細胞外液（血清）と細胞内液のイオン組成

Kを読むポイント

検査値を読むときは，基準値より低値か高値かを確認するとともに，その原因が多岐にわたっていることに注意します。

(1) 血清K値が基準値よりも低値を示す原因
- 腎からのKの排泄増加：原発性アルドステロン症，クッシング症候群など
- 下痢や嘔吐などにより腸管からのKの喪失が増加する場合
- Kが細胞内へ移動：アルカローシス(何らかの原因で血液のpHがアルカリ性に傾いた病態)，インスリンなどの薬剤投与など
- Kの摂取の低下

(2) 血清K値が基準値よりも高値を示す原因
- Kの細胞内からの移動：アシドーシス(何らかの原因で血液のpHが酸性に傾いた病態)，薬剤(ジギタリス製剤，β遮断薬など)，溶血性疾患，悪性腫瘍の壊死など
- Kの腎臓からの排泄障害：急性・慢性腎不全，アジソン病，低アルドステロン症による疾患やACE阻害薬やARBなどの薬剤
- Kの負荷増加：Kの過剰投与，保存血輸血など

COLUMN 血清Kと食品

通常の食生活であれば，健康な人はK不足になることはないといわれています。日本人はNaの摂取量は諸外国に比べて多いため，健康を維持するためにはNaの摂取量を控えることとNaの尿中排泄を促すKを摂取することが重要と考えられています。また，近年ではKの摂取量が増加することによって，血圧低下や脳卒中予防につながることが動物実験や疫学研究によって示唆されています。サプリメントや食品摂取の際，腎機能が正常である場合であれば，上限量は決められていませんが，腎機能に障害がある場合には，医師または薬剤師に相談するように指導することが重要です。

第Ⅰ章　はじめからわかる検査項目の基礎知識

Step2　Kによる患者指導

　Kについて患者から尋ねられた場合には次の点に気を付けて説明しましょう。まずK値が基準値より低いか高いか，次に薬による副作用に加えてさまざまな原因を考えながら説明しましょう。

(1) K値が基準値よりも低値の場合を低K血症（血清K濃度 3.5 mEq/L 以下）といいます。主な自覚症状として，疲労感，筋力低下，傾眠傾向などの症状が現れることがあります。K値が基準値よりも高値の場合を高K血症（血清K濃度 5.5 mEq/L 以上）といいます。主な自覚症状として，吐き気や嘔吐，体にしびれを感じたり全身が脱力するような神経・筋肉の影響，不整脈といった症状が現れることがあります。さらに進行すると，深刻な不整脈から生命の危機に瀕することもあるので，症状の発現の有無を確認することが大切です。

(2) 低K血症を考えるうえで，次のことを確認することが重要です。
- 何らかの理由により経口摂取するK量が低下していないか？
- インスリンの過剰状態，代謝性アルカローシスなどの状態ではないか？
- 原発性アルドステロン症，クッシング症候群などの病態はないか？
- 下痢，嘔吐などはしていないか？
- 利尿薬の服用はないか？

(3) 高K血症を考えるうえで，次のことを確認することが重要です。
- 代謝性アシドーシス，溶血性疾患，悪性腫瘍の壊死などの病態はないか？

COLUMN　血清Kと漢方

　甘草は保険収載されている漢方エキス製剤の8割近くの方剤に含まれています。病院で処方される漢方薬以外に薬局で購入することもできるため，知らず知らずのうちに甘草の1日摂取量が多くなっていることがあります。複数の漢方薬を服用している場合，1日の甘草の摂取量が多い場合や長期服用の場合，偽アルドステロン症による低K血症を発症しやすくなるといわれています（具体的な商品名 ☞ P.182 知っておきたい知識参照）。

- 急性・慢性腎不全，アジソン病，低アルドステロン症などの病態はないか？
- ジギタリス製剤，β遮断薬などの薬剤を服用していないか？
- ACE阻害薬やARBなどの薬剤を服用していないか？

Step 3　Kの値を読んでみよう

Practice ⑪　定期健診でKの値が3.4 mEq/Lという結果が出ていた患者が薬局に「何かKを補う薬はないか？」と相談に来ました。自覚症状は特に何もないようです。この患者のKの状況はどのように考えたらよいでしょうか。

解説　血清K値が基準値よりも低下している場合，すべてにおいてすぐに治療を開始しなければならないことはありません。目安として，血清K値が3.0〜3.5 mEq/Lの値の場合，軽症であり治療の必要性は高くありません。ただし，この間の値でも，疲労感や筋力の低下など自覚症状がある場合には，中等症とみなされKを補給する必要があります。また，2.5〜2.9 mEq/Lの値では重症とされ，入院が必要なこともあります（CTCAE：有害事象共通用語基準より）。本症例の場合，検査日前に下痢，嘔吐など血清K値が体外から失われる状態がなかったか確認し，腎機能に問題のない場合はKを多く含む食品を摂取するよう勧めるのもよいでしょう。

12 CK

基準値 CK　クレアチンキナーゼ　　男性：59〜248 U/L
　　　　　　　　　　　　　　　　　　女性：41〜153 U/L

Step 1　CKの基礎知識

　CK（クレアチンキナーゼ）は，クレアチンリン酸とADPから，クレアチンとATPへ変換する酵素です．クレアチンリン酸は，エネルギーを筋肉に蓄える役目をしています．急激な運動のときには，クレアチンリン酸が変換されてATPが生まれ，さらにATPが分解されるとエネルギーが発生し，そのエネルギーで筋肉は動きます．

　CKは骨格筋・心筋・平滑筋・脳などに多く含まれています．これらの部位に障害があると血液中のCKは増加します．体を動かす骨格筋に最も多く含まれるため，CKの異常は筋肉に関係する頻度が高いのですが，心筋梗塞など心筋の傷害でも上昇することをまず知っておきましょう．

CKを読むポイント

(1) CKは分子量約82 kDで，MとBの2つのサブユニットからなる2量体です．Mは筋肉（Muscle）の意味で筋肉に多くみられ，Bは脳（Brain）の意味で脳に多く存在しています．

(2) CKにはMサブユニットが2個のCK-MM，Bサブユニットが2個のCK-BB，MサブユニットとBサブユニットからなるCK-MBの3種類があります．CK-MM，CK-BB，CK-MBはアイソザイムと呼ばれます．実際にCK-MMは骨格筋，CK-BBは脳に，両方のサブユニットをあわせもったCK-MBは心臓に多く存在します．

(3) CKのアイソザイムは，骨格筋（CK-MM：ほぼ100％），脳（CK-BB：100％），心筋（CK-MM：80％，CK-MB：20％）に含まれています．その

表　CKアイソザイムと疾患

CK-MMが高くなる疾患	筋ジストロフィー 多発性筋炎・皮膚筋炎 横紋筋融解症 甲状腺機能低下症 悪性高熱症の保因者
CK-BBが高くなる疾患	頭部手術 脳挫傷 ウイルス性髄膜炎 脳血管障害
CK-MBが高くなる疾患	急性心筋梗塞 急性心筋炎 急性心膜炎

ためアイソザイム増加のパターンでどこの部位の疾患が疑わしいかを推測することができます。

(4) 健常人が血液検査で測られるCKのほとんどはCK-MMで，CKの97〜100％を占めています。CK-BBはほとんど認められず，心臓から放出されるCK-MBは心疾患がなければCKの0〜3％程度しかありません。

(5) 心臓疾患の場合は血清CK活性が高くなるとともに，CK-MBの割合（％）が増加します。また血清CK活性やCK-MBは疾患の時間経過や心筋の損傷の程度をみるのに重要です（表）。

Step 2　CKによる患者指導

(1) CKの大部分が筋肉由来であることから，一般的に筋肉量の多い男性のほうが女性よりも約1.5倍高く出ます。女性は加齢や妊娠により低くなり，閉経すると上昇します。

(2) CKの値は個体差が大きく，他人と比較することは意味が大きくなく，同じ人の数値の変動をみることが疾患の早期発見には重要です。

(3) 日常生活で最もCK値に影響が出るのは運動です。軽い運動でもCKの値は数倍に増加し，数日間その影響が残ることがあります。マラソンでは

正常の100倍になることもあります。子どもの場合は，採血のときに大泣きするだけでも増加することがあります。筋肉注射を行うと，CKの値が高くなることがあります。
(4) 採血のときに溶血すると，赤血球内に含まれているAdenylate kinaseが放出されて測定結果に影響を与え，CKが高くなります。

CKが高いときの考え方
①原因が不明で軽度の上昇が持続する方がいます。
②無症状でCKが高値の場合は，1週間ほど運動を控えて再検査をし，それでCKが基準値内であれば異常はないと考えてもよいでしょう。もしこのときにも高値であった場合は，筋肉に疾患がみられるかもしれません。
③サプリメントや薬物の服用歴があるなら，CK増加の原因になっていないか医師に相談しましょう。遺伝性の筋肉疾患のこともあります。家族に同様の疾患がみられることがあります。
④CK値が1000 U/L程度で無症状であれば，すぐに治療が必要な疾患であることはまれです。異常値であるからといって必要以上に不安に感じる必要はないと伝えます。
⑤CKが20000 U/Lを超えると，大量に筋肉破壊が生じていることが推測されます。筋肉の破壊により，筋肉中のミオグロビンが血液中に増加すると急性腎不全を起こすことがあります。

> **COLUMN　横紋筋融解症**
>
> 　横紋筋が壊れる疾患です。原因としては，挫滅（クラッシュ）症候群（事故などで身体が車や建物の下敷きになり，機械に挟まれて筋肉が長時間圧迫された場合）や熱射病（熱中症のうちの1つで最重症のものです）などがあります。横紋筋融解症は，薬の副作用でも生じます。脂質異常症（高脂血症）治療薬のフィブラート系あるいはHMG-CoA還元酵素阻害薬（スタチン系薬）による症例が代表的です。その他，ニューキノロン系抗菌薬，パーキンソン病治療薬，抗精神病薬でも知られています。アルコール依存も原因になります。

Step 3　CKの値を読んでみよう

Practice ⑫　陳旧性心筋梗塞の既往があり，内科クリニックに通院中の64歳の男性で，高血圧，高脂血症，糖尿病で現在内服治療中です．自覚症状はありません．CK値は2818 U/Lと上昇しています．CK-MBは28 U/L（CK-BB分画も0％）でした．

解説　CK値は2818 U/Lと上昇しています．アイソザイムを測定して，どの分画が上昇しているのか確認する必要があります．本症例ではCK-MB 28 U/Lと10％以上の上昇がなく，CK-BB分画も0％であることから，CKの上昇は筋肉由来と考えられます．まずは，家族に筋肉疾患の方がいないか確認しましょう．日常生活で最もCK値に影響が出るのは運動です．軽い運動でもCK値は数倍に増加し，数日間その影響が残ることがあります．一方，内服薬剤の副作用としては，まずはスタチンが考えられます．本症例でも内服薬継続状況を確認する必要があります．さらに自覚症状として筋肉痛がないか確認する必要があります．筋肉痛がある場合は，横紋筋融解症の可能性があるので，慎重に経過をみる必要があります．

> **COLUMN　運動によるCK上昇**
>
> 　CK上昇で気を付ける必要がある病態には，筋疾患，心疾患（心筋梗塞や心筋炎など），薬物の副作用などがありますが，深刻ではない原因でも上昇しやすい検査値です．特に激しい運動，肉体労働，こむら返り，筋肉注射など，疾患によらない筋組織の損傷でも容易に上昇します．運動により筋損傷が起こると筋肉痛がみられますが，このようなときにCK上昇が認められます．運動でのCK上昇は運動量や運動習慣の有無により異なります．日常運動を行っている人のCK値上昇は軽度で，運動負荷後のCK上昇のピークは早く（8～24時間），一方，運動習慣のない人は，強い運動後1～3日がCKのピークで，その上昇の程度は大きいことが知られています．

13 BNP

基準値 BNP 脳性ナトリウム利尿ペプチド　　18.4 pg/mL 以下

Step1　BNPの基礎知識

　BNP（脳性ナトリウム利尿ペプチド）はANP（心房性ナトリウム利尿ペプチド）とともにナトリウム利尿ペプチドといわれ，心臓や血管，体液量の恒常性維持に重要な役割を担います。ANPは主に心房から，BNPは主に心室から分泌されます。

　BNPは心室への伸展ストレスに応じて遺伝子発現が亢進し，速やかに生成・分泌されます。BNPは心室壁への伸展ストレスが増大する心不全では，その重症度に応じて血中濃度が増加します。

BNPを読むポイント

（1）BNPが正常であれば心不全である可能性はきわめて低いと考えてよいでしょう。症状のない患者でルーチンに測定したBNPが高値を示した場合，これを心不全と診断するには注意が必要です（表）。

表　心不全診断のための BNP と NT-proBNP 値の目安

BNP (pg/mL)	NT-proBNP (pg/mL)	心不全の可能性	対応
0～18.4	0～125	極めて低い	
18.4～40		低い	精査・可能なら経過観察
40～100	125～400	軽度の可能性あり	精査・経過観察
100～200	400～900	治療対象となる可能性あり	精査あるいは専門医へ紹介
200～	900～	治療対象となる可能性が高い	

（日本心不全学会「BNPに関する学会ステートメント」より作成）

(2) 基準値を超えている場合も，BNP値の絶対値より，その変動に注目します。BNP値は心不全症例の経過観察に役立ちます。またBNPをある数値以下に維持しなければいけないという絶対的な目標値ではありません。

(3) 肺うっ血が明らかな急性心不全では，ほとんどの患者で血漿BNP値が100 pg/mL以上に上昇し，診断に有用です。

Step2　BNPによる患者指導

BNPは心筋への伸展ストレスが増加すると血中濃度が増加します。このためBNPが高いということは，心筋への負担が増えて「心臓が無理している」ことを示します。

(1) BNP値の臨床判断は，「BNP値変動の大きさ」と「BNP値の高さ」で行います。「変動の大きさ」が大きいときには心臓への負担の変化がみられることと関連があり，治療方針に大きく関わります。一方，ある時点の「BNP値の高さ」だけでは心不全の状態変化をとらえられませんが，「心不全の状態」の目安の判断は可能です(表)。BNPの基準値は18.4 pg/mLまでになります。BNPが18.4 pg/mLより低い場合は「心不全の可能性は極めて低い」と考えます。基準値を超えていくと「BNP値の高さ」は「心不全である可能性の高さ」と相関があります。

(2) 患者さんに「BNP値の高さ」について聞かれた場合，「BNP値変動の大きさ」はどうかということにも注目して説明しましょう。また心不全の診断のための1つの有用なツールですが，これだけでは診断はできないことも伝える必要があります(症状，血圧，胸部レントゲン検査などの情報も必須です)。

Step3 BNPの値を読んでみよう

Practice ⑬　高血圧, 脂質異常症, 糖尿病で内科クリニックに通院中の78歳の男性ですが, 現在内服治療中です。自覚症状はありません。BNPは前回20 pg/mLから38 pg/mLと軽度上昇しています。この変化をどのように考えますか？

解説　BNPが軽度上昇していても必ずしもうっ血性心不全とはいえません。まずは患者の症状, 心雑音, 呼吸音, 浮腫, 酸素飽和度などの基本的な臨床指標を十分に確認して心不全の存在や重症度を判断するように努めます。BNPの測定はあくまで心不全診断や予後判定の補助手段として利用するようにすることが大切です。BNPが前回と比べて2倍以上上昇していない今回のようなケースは, 大きな問題はないでしょう。

COLUMN NT-proBNP

　BNPの前駆体であるproBNPが切断され, 生理活性のあるBNPと生理活性のないNT-proBNPが作られます。NT-proBNPは, proBNPのN末端から76個のアミノ酸を含むペプチドです。BNPとNT-proBNPは1対1の割合で生成されます。心臓に伸展ストレスがあるとBNPとNT-proBNPはともに上昇しますので, この2つの検査は心不全の診断に有用です。

　BNPと比べてNT-proBNPは心不全で鋭敏に上昇します。またNT-proBNPは血清で検査が可能であること, NT-proBNPはBNPと比べ保存しても値は変化しにくいことが知られています。一方, NT-proBNPは代謝経路が腎臓であるのでNT-proBNPは腎機能低下とともに上昇してしまいます。このためNT-proBNPは腎機能障害時に心不全の程度を正確に判断しにくい傾向があります。

14 AMY

基準値 AMY アミラーゼ　44〜132 U/L

Step1　AMYの基礎知識

　AMY（アミラーゼ）はデンプンやグリコーゲンなど多糖類を加水分解する消化酵素の1つで，主に唾液腺と膵臓に存在します。そのため，唾液腺や膵臓に何らかの障害が起こると血液中の濃度が増加しますがさまざまな疾患で上昇がみられます。

　腎臓で代謝，排泄されるため，腎機能障害でもAMYは上昇します。

　AMYは産生される場所により酵素の構造が異なり，唾液腺で産生されるS型アミラーゼと膵臓で産生されるP型アミラーゼが存在します。

　AMYは急性膵炎や慢性膵炎の診断に利用されます。また，AMYが尿中に

> **COLUMN　AMYのアイソザイム**
>
> 　AMYには膵臓で産生されるP型アミラーゼと唾液腺で産生されるS型アミラーゼが存在します。医療機関ではこのアイソザイムを測定することにより詳細な情報を得ることができます。P型とS型の数値を比較することにより，おおよその疾患を推定することができます。
>
> 〈P型が上昇する疾患〉
> 　急性膵炎，慢性膵炎，膵がん，胆道系疾患など
> 〈S型が上昇する疾患〉
> 　流行性耳下腺炎，外科手術後，外傷，ショック離脱後，肺がん，卵巣がんなど
> 〈P型とS型の両方が上昇する疾患〉
> 　腎不全，肝硬変など

排泄されるという特徴から、慢性膵炎など血液中のAMY増加が乏しい疾患の場合には尿中AMYを測定することもあります。

AMYを読むポイント

　AMYは逸脱酵素であるため、さまざまな疾患で上昇します。そのため、他の臨床検査値も参照することが必要です。また、疾患の重症度も反映するため、上昇の程度にも注意が必要です。以下の点に注意して検査値を読んでいきましょう。

(1) まずAMYがどの程度上昇しているかをみましょう。膵疾患などAMYが上昇する疾患の病状の程度と相関します。

(2) AMYが高値を示す疾患としては膵疾患（急性膵炎や慢性膵炎の急性期、膵のう胞、膵がん）や唾液腺疾患（唾石、ムンプスなどの耳下腺炎）があげられますが、その他の疾患としても膵臓以外の消化器疾患（胆嚢炎、イレウス、十二指腸潰瘍穿孔）異所性妊娠による破裂、マクロアミラーゼ血症（免疫グロブリン結合アミラーゼ），腎不全があげられます（表）。

(3) AMYは年齢による変動があります。新生児では成人の10分の1程度しか存在しませんが、おおむね10歳までに成人と同じ値になります。

(4) 肥満の人よりもやせ型の人のほうが2割ほど高値を示します。そのため、肥満の人がダイエットをするとAMYが上昇することがありますが、基本的には基準範囲に収まります。

表　AMY異常値を示す原因

高値を示す疾患	膵疾患（急性膵炎、慢性膵炎の急性増悪、膵のう胞、膵がんや膵石による膵管閉塞） 唾液腺疾患（ムンプスなどの耳下腺炎、唾液腺の炎症、唾石による唾液腺の閉塞） 膵臓以外の消化器疾患（胆嚢炎、イレウス、十二指腸潰瘍穿孔） 異所性妊娠による破裂 マクロアミラーゼ血症（免疫グロブリン結合アミラーゼ） 腎不全
低値を示す疾患	進行した慢性膵炎、膵切除後

Step 2　AMYによる患者指導

　AMYのみの情報で詳細に診断や疾患の状態は診断困難ですが，アイソザイムの測定は診断に役立つことがあります。P型アミラーゼの上昇は膵疾患をはじめ救急対応が必要な腹部疾患で上昇するからです。
　しかし一般的な病院での基本検査や健康診断ではアイソザイムの測定を行うケースはまずありません。
　AMYは逸脱酵素ですので疾患の重症度を比較的反映します。緊急性を要すると判断するほどAMY値が高い，例えば1000 U/L以上の患者が薬局に来られることはあまりありません。
　薬局で患者が健康診断などでAMY高値を発見した場合に病院受診を推奨することが必要な場合を考えましょう。AMY値が軽度上昇する患者は多いです（基準値を超える病院の外来患者は10％程度いる）。外来患者で基準値の2倍以上となることは外来患者の1％以下です。このような患者には受診勧奨をしましょう。また腹部や頚部や顎部に軽度でも症状があるアミラーゼ上昇は受診すべきでしょう。

Step 3　AMYの値を読んでみよう

Practice ⑭　心窩部の違和感が主訴で内科を受診した48歳の男性。内科にてAMY高値を指摘され，食養生をするよう指導された様子です。この男性は営業職で，取引先の接待が多く，アルコール摂取はかなり多いとのことです。
臨床検査値：AMY 180 U/L，AST 60 U/L，ALT 45 U/L，γ-GT 310 U/L，
　T-Bil 0.7 mg/dL。この患者の臨床検査値について考えてみましょう。

解説　この男性は患者背景から生活習慣の乱れが予想され，飲酒歴もあります。臨床検査値からはAMY高値と，AST高値，ALT高値，γ-GT高値が確認できます。総ビリルビンは正常ですがAST/ALT＞1のトランスフェラーゼ

上昇や γ-GT 上昇がありアルコール性肝疾患が考えられます。AMY 上昇は軽度ですが，心窩部の違和感を訴えていることから慢性膵炎の可能性があります。内科にて診療を受けていますが，薬剤師からも患者の過度の飲酒を控えるようにアドバイスしましょう。

COLUMN アミラーゼと急性膵炎

急性膵炎は，膵消化酵素が膵内で活性化されて起こることによる自己消化とサイトカイン・ケモカインの放出を伴う炎症で，膵臓の内外に障害を引き起こします。急性膵炎の原因はアルコールによるもの（アルコール性膵炎）や胆石によるもの（胆石性膵炎）が多いのですが，原因が明らかでないもの（特発性膵炎）もあります。膵炎の原因を性別でみると，男性ではアルコール性が，女性では特発性が多いことが知られています。

急性膵炎の典型的症状は上腹部の激痛発作で，アルコールや脂肪摂取で増悪することが特徴です。急性膵炎の診断には，①上腹部に急性の腹痛発作，②血中尿中の膵酵素の上昇，③膵炎の画像所見，の 3 つが重要で，このうち 2 つ以上を満たせば急性膵炎を疑い対応することになっています。このため，典型症状に加えアミラーゼの急速な上昇があれば急性膵炎の可能性が大きくなり，ただちに詳しい診察をせねばなりません。

ただしアミラーゼはさまざまな疾患で上昇します。アミラーゼ上昇の原因が膵臓なのかそれ以外なのかをみるために CT 検査などの画像診断を行います。また尿アミラーゼの上昇，膵アミラーゼやリパーゼの上昇は診断の参考になります。

15 TC, LDL-C, HDL-C

臨床判断値	LDL-C	140 mg/dL以上	高LDLコレステロール血症
	LDL-C	120～139 mg/dL	境界域高LDLコレステロール血症
	HDL-C	40 mg/dL未満	低HDLコレステロール血症

(動脈硬化性疾患予防ガイドライン2022年版　脂質異常症診断基準)

Step1　TC, LDL-C, HDL-Cの基礎知識

　臨床検査で測定する血液中脂質にはコレステロール，トリグリセライド(TG)，脂肪酸，リン脂質があります。これらの脂質は血液に溶けやすくするために，アポ蛋白(運搬蛋白)に包まれた複合体を形成します。この複合体をリポ蛋白といい，比重の違いにより，CM分画(カイロミクロン)，VLDL分画(超低比重リポ蛋白)，IDL分画(中間比重リポ蛋白)，LDL分画(低比重リポ蛋白)，HDL分画(高比重リポ蛋白)に分けられます。

　コレステロールはLDL分画，HDL分画に，TGはVLDL分画とCM分画に多く含まれます。LDL-CとはLDL分画中のコレステロール，HDL-CとはHDL分画中のコレステロールのことを指します。また，TC(総コレステロール)とはLDL-C，HDL-C，VLDL-Cの総量になります。

TC, LDL-C, HDL-Cを読むポイント

　TC，LDL-C，HDL-Cの検査値を読むときは，TGも合わせて読むことが重要です。まずは以下の点に気を付けて検査値を読んでみましょう。

(1) LDL-Cが140 mg/dL以上になると高LDL-C血症といい，HDL-Cが40 mg/dL未満になると低HDL-C血症といいます。TCが220 mg/dL以上になると高コレステロール血症とされます。

(2) 血液中のコレステロールの70～80％は肝臓で作られているため，コレステロール関連検査値がすべて低いときは，肝機能の低下が考えられます。

(3) LDLやHDLが増加すると主にTCが高値になり，CM，VLDL，IDLが増加すると主にTGが高値になります。

Step 2　TC，LDL-C，HDL-Cによる患者指導

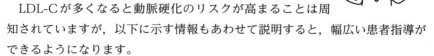

　LDL-Cが多くなると動脈硬化のリスクが高まることは周知されていますが，以下に示す情報もあわせて説明すると，幅広い患者指導ができるようになります。

(1) 食事から摂取したコレステロールはそのまま総コレステロールに反映しません。コレステロールは食事から摂取されるより多くの量を体内で合成しています。体内に存在する食事由来のコレステロールは20～30％になります。体内でのコレステロールの合成は，摂取される量にあわせて調整されています。

(2) 閉経女性は有経女性に比べ，TC，LDL-Cは高値になります[1]。閉経によるエストロゲンの低下が，肝臓のLDL受容体からのLDLの取り込みを低下させるからです。

(3) TGが基準値内で，LDL-Cが極めて高いときは家族性高コレステロール血症（FH）を疑いましょう。FHはLDL受容体関連遺伝子の変異による

> **COLUMN　家族性高コレステロール血症（FH）**
>
> 　FH（Familial Hypercholesterolemia）はLDLを細胞に取り込む際の受容体に異常がある遺伝的疾患です。この異常により，LDLは取り込めず，結果的にLDL-Cは上昇します。それにより通常の方より若年齢で動脈硬化性疾患を起こします。FHをみつけだすヒントは，①成人（15歳以上）で未治療時LDL-C 180 mg/dL以上，②皮膚黄色腫（黄色っぽいいぼ状の塊），③親族に高LDL-Cや心筋梗塞の既往歴の方がおられる，などです。健診のデータなどの相談で，特にLDL-C 180 mg/dL以上をみつけたときは，家族歴の聞き取り，顔の皮膚黄色腫の観察などでも，FHをみつけだすことができます。相談で気付かれたときは，受診勧奨をしてください。

遺伝性の疾患です。家族歴で若年の心筋梗塞患者が多いのが特徴です。成人でLDL-Cが180 mg/dL以上の場合，FHの可能性が高いといえます。ヘテロのFHは治療中の高LDL-C血症患者の約8.5%[2)]と比較的多いとされています。FHには瞼にある黄色腫を伴うことから，薬剤師がみつけることも可能です。

(4) 肝硬変，慢性肝炎，甲状腺機能亢進症，悪性腫瘍，血液疾患（貧血，急性白血病，悪性リンパ腫など）などでは，TCやLDL-Cは低く出る傾向にあります。

(5) HDL-Cが低いとき（40 mg/dL未満）は，余分なコレステロールを取り除く機能が低下し，冠動脈疾患の発症の危険度が上昇します。その際，TGも上昇することが多くみられます。

(6) HDL-Cが高いとき（100 mg/dL以上）は，コレステロールエステル転送蛋白酵素が遺伝的に欠損している「家族性CETP欠損症」のことがあります。またアルコール多飲，原発性胆汁性肝硬変，薬物投与（インスリン・脂質異常症）などでHDL-Cは高くなります。

(7) Non-HDL-Cも脂質異常症診療に用いられます。Non-HDL-Cは次の

表　脂質異常症診断基準*

LDLコレステロール	140 mg/dL以上	高LDLコレステロール血症
	120～139 mg/dL	境界域高LDLコレステロール血症**
HDLコレステロール	40 mg/dL未満	低HDLコレステロール血症
トリグリセライド	150 mg/dL以上（空腹時採血*）	高トリグリセライド血症
	175 mg/dL以上（随時採血*）	
Non-HDLコレステロール	170 mg/dL以上	高non-HDLコレステロール血症
	150～169 mg/dL	境界域高non-HDLコレステロール血症**

＊基本的に10時間以上の絶食を「空腹時」とする。ただし水やお茶などカロリーのない水分の摂取は可とする。空腹時であることが確認できない場合を「随時」とする。
＊＊スクリーニングで境界域高LDL-C血症，境界域高non-HDL-C症を示した場合は，高リスク病態がないか検討し，治療の必要性を考慮する。
●LDL-CはFriedewald式（TC－HDL-C－TG/5）で計算する（ただし空腹時採血の場合のみ）。または直接法で求める。
●TGが400 mg/dL以上や随時採血の場合はnon-HDL-C（TC－HDL-C）かLDL-C直接法を使用する。ただしスクリーニングでnon-HDL-Cを用いる時は，高TG血症を伴わない場合はLDL-Cとの差が＋30 mg/dLより小さくなる可能性を念頭においてリスクを評価する。
●TGの基準値は空腹時採血と随時採血により異なる。
●HDL-Cは単独では薬物介入の対象とはならない。

（日本動脈硬化学会　編：動脈硬化性疾患予防ガイドライン2022年版，日本動脈硬化学会，P.22，2022）

計算式で求められます。(Non-HDL-C)＝(TC)−(HDL-C)，表に示すように動脈硬化性疾患予防ガイドライン2017年度版から，動脈硬化性疾患予防のためのスクリーニングにおける脂質異常症診断基準に150～169 mg/dLを境界域高non-HDL-C血症，170 mg/dL以上を高non-HDL-C血症と設定されています。

(8) 動脈硬化性疾患予防ガイドライン2022年度版では，随時(非空腹時)のトリグリセライド(中性脂肪)の基準値がはじめて設定されました。

Step 3　TC，LDL-C，HDL-Cの値を読んでみよう

Practice ⑮　45歳男性。職場の健康診断の結果を相談されました。採血結果は，TC 285 mg/dL，LDL-C 181 mg/dL，HDL-C 33 mg/dL，TG 376 mg/dLでした。この患者にどのように説明したらよいでしょうか。

解説　脂質異常症診断基準ではLDL-C 140以上は高LDL-C血症です。さらに低HDL-C血症，高TG血症を伴っていますので，精密な検査を勧奨します。もう少し検査結果を深く読んでみましょう。(non-HDL-C)＝(TC)−(HDL-C)＝285−33＝252　170以上が高non-HDL-C血症になります。この値はLDL-Cが直接法で測定されていないときに参考になります。Non-HDL-Cは通常(LDL-C＋30)になることが多いのですが，non-HDL-C＝LDL-C＋30＝181＋30＝211となり，先の252と乖離があります。その原因は，VLDL中のコレステロールの増加が考えられます。ご本人に聞き取りしたところ，採血前日は宴席に参加していたそうです。高脂肪食，高カロリー食，深酒により，今回のような検査結果になることもあります。

●参考文献
1) Ikenoue N, Wakatuki A, Okatani Y, Small low-density lipoprotein particles in women with natural or surgically induced menopause. Obstet Gynecol 1999; 93: 566-570
2) 日本動脈硬化学会ホームページ：家族性高コレステロール血症について(https://www.j-athero.org/jp/specialist/fh_for_ms/)

16 TG

| 臨床判断値 | TG | トリグリセライド | 150 mg/dL以上（空腹時採血）
175 mg/dL以上（随時採血） | 高トリグリセライド血症 |

（動脈硬化性疾患予防ガイドライン2022年版　脂質異常症診断基準）

Step 1　TGの基礎知識

　脂質の特徴は，①他の三大栄養素と比べ1gあたりのエネルギー量が大きい（9 cal/g），②構造は一定でないが疎水性，③脂肪酸であるか脂肪酸とエステルを作る，などです。トリグリセライドは脂肪酸とグリセリンがエステル結合しており，体外から摂取する以外に炭水化物から体内で合成することもできます。

　トリグリセライドは疎水性であるため，血液中ではリポ蛋白質中に存在します。体外から摂取する場合は，脂質は小腸から吸収され，小腸上皮細胞でリポ蛋白質であるカイロミクロンを合成します。カイロミクロンはリンパ管から血管に入り，血管内でカイロミクロン中のトリグリセライドは酵素により加水分解を受け，できた遊離脂肪酸は周囲の細胞に吸収されます。一方，肝臓では食事の脂質とは関係なく，コレステロールとトリグリセライドを合成しており，VLDLとして血液中を移動します。VLDLは，カイロミクロン同様血管内で酵素によってトリグリセライドは加水分解され，遊離した脂肪酸は細胞に取り込まれます。なお，加水分解を受けたVLDLはコレステロールの割合が多いLDLとなります。

> **COLUMN　急性膵炎と高TG血症**
>
> 　高トリグリセライド血症は急性膵炎の原因となることがあります。アルコールの多量摂取などでは，TGが1000 mg/dLを超えることがあり，その場合，空腹時にもカイロミクロンが増えます。このときに急性膵炎を起こす可能性があります。

臨床検査において、トリグリセライドは「TG」あるいは「中性脂肪」と表記されます。トリグリセライドを読むときは、LCL-C、HDL-Cの数値もあわせてチェックしましょう。

> **TGを読むポイント**

TGは、食事の影響を受けやすいので検査値を読む際には、採血条件が空腹時採血（10〜12時間以上絶食したとき）の結果か、随時採血の結果かを確認した後、次の点に気を付けて検査値を読んでみましょう。

(1) 空腹時採血では150 mg/dL以上、随時採血（絶食を確認できないとき）では175 mg/dL以上を超えると「脂質異常症（高TG血症）」とされ、注意が必要になります。

(2) 血液検査で測定されるTGは、空腹時採血ではVLDLから生成されたTG（内因性TG）の値になります。随時採血では外因性TG（食後もしくはカイロミクロンの代謝が障害されているカイロミクロン由来のTG）も含まれます。

Step 2　TGによる患者指導

正確な脂質測定には、検査前日の食事内容として高脂肪食や高カロリー食を避け、禁酒して、10〜12時間以上絶食後に採血するのが原則です。大阪府内科医会の調査では、採血について早朝空腹時52.5％、食前空腹時19.9％、随時26.6％[1]と4人に1人が正しい採血をしていないことになります。

また、高TG血症の治療は55.7％の医師が積極的に行うべきと考えているにもかかわらず、実際に薬物治療を行っている患者の割合は少ないのが現状です。その理由としては、食事・運動療法で改善するほかに、食事の影響で検査結果にばらつきがあること、スタチンと高TG血症治療に用いられるフィブラート系薬剤と併用しにくいことがあげられました[1]。したがって、このような医師の考え方を理解したうえで患者指導を行う必要があります。

動脈硬化性疾患予防ガイドライン2022年度版では、随時（非空腹時）のTG

の基準値がはじめて設定されました。このことにより，健診における食後高脂血症に関する指導の重要性が高まります。

Step 3　TGの値を読んでみよう

Practice ⑯　職場の健診で脂質異常症を指摘され，内科クリニックに通院中の55歳男性。前回の検査結果は，TC 198 mg/dL，TG 235 mg/dLに対し，今回はTC 215 mg/dL，TG 344 mg/dLとなって，TC，TGともに増加しました。週3回は朝のウォーキングを続けており，食事についても気を付けているとのことです。この患者の検査結果はどのように考えたらよいでしょうか。

解説　TG値は直前の食事の影響を受けやすい検査項目です。この患者に前日の食事を聞くと，12時間絶食はしたものの前日には焼き肉を食べたとのことでした。高脂肪食を摂取した場合，カイロミクロンの代謝が軽度低下（リポ蛋白リパーゼ（LPL）活性が低下）していると，12時間の絶食後でも影響することがあります。LPLはVLDL中のTGも加水分解します。LPL活性が低下していると空腹時でもTGは高めに出ます。ちなみにこの患者は，脂質代謝の精密検査も受けており，コレステロール分画でHDL-C 16%（HDL-C 34 mg/dLに相当），LDL-C 51%（LDL-C 110 mg/dLに相当），VLDL-C 33%（VLDL-C 71 mg/dLに相当）と確認されました。VLDL-C上昇はVLDLの異化への障害を示すと考えられます。

●参考文献
1）村田秀穂，外山学，泉岡利利於，中尾治義，福田正博：大阪府内科医会会員における高中性脂肪血症の診療実態．大阪府内科医会会誌　2017；26(1)：87-91．

17 GLU, HbA1c

基準値	GLU	血糖	73〜109 mg/dL
	HbA1c	グリコヘモグロビン	4.9〜6.0%

Step 1　GLU, HbA1cの基礎知識

　摂取した炭水化物は単糖類などに分解され体内に吸収されます。単糖類のうち血液中に多く含まれるブドウ糖を測定した値が血糖値です。10時間以上の空腹時の血糖値を空腹時血糖といい，基準となる血糖値になります。

　血糖値を低下させるインスリンが絶対的もしくは相対的に不足すると高血糖になり糖尿病という代謝症候群になります。逆にインスリンが過剰に分泌されると低血糖になります。高血糖状態が長期間持続すると血管が損傷され，細小血管の障害（網膜症，腎症，神経障害）や動脈硬化などが出現します。

　血糖値は食後に上昇しますが健常人では140 mg/dLまでの上昇にとどまり，食後2〜3時間で空腹時のレベルに戻ります。糖尿病では空腹時血糖は正常でも食後血糖が高値になることも多いです。また食後に血糖値が急上昇しその後急降下することを血糖値スパイクといい，動脈硬化と関連があることが知られています。

　血糖値は変動が大きいため長期的な血糖コントロールを調べるには適しません。長期的血糖コントロールの状態を調べるには，ヘモグロビンA1c（HbA1c）を用います。赤血球中のHbは血液中でグルコースと結合しグリコヘモグロビンになります。HbA1cはHbのβ鎖にグルコースが結合したものの割合（％）を表します。この値は赤血球寿命（おおむね120日程度）に依存するため，直近1〜2カ月間の血糖コントロールの指標となります。

GLU，HbA1cを読むポイント

血糖値は食事の影響を受けますので，採血した時間との関係を考えて読むことが重要です。以下の点に気を付けて検査値を読んでみましょう。

(1) 診断や治療に使われる血糖値には，食事との関係から以下のようなものがあります。採血した時間に注目してください。

- 空腹時血糖値：これは10時間以上の絶食の血液で測定したときの血糖値です。この測定値が，一般的な血糖値で，基準値はこの条件の値になります。基準は110 mg/dL未満です。空腹時血糖値が126 mg/dLを超えると糖尿病の診断基準の１つとなります。
- 随時血糖値：食事の時間を考慮せずに採血したときの血糖値です。健常人の場合は140 mg/dLを超えることはありません。
- 食後２時間血糖値：食事を終えてから２時間後に採血した血糖値になります。健常人であれば，食後２時間でおおむね空腹時血糖値に戻ります。一方，糖尿病やいわゆる糖尿病予備群の人では，食後２時間でも高血糖の状態（140 mg以上）が続いていることが多いです。

(2) 薬局には糖尿病に至らない「境界型」（空腹時血糖が110 mg/dL以上

> **COLUMN　静脈血と毛細血管血（指頭血液）**
>
> 　血糖コントロールを良好に保ち，糖尿病合併症を防ぐために，患者が直接血糖値を測ることがあります。これを血糖自己測定（self monitoring of blood glucose；SMBG）といいます。
>
> 　SMBGをされている患者から「病院での血糖値（静脈血）と自己測定の血糖値（毛細血管血）が違う」と聞かれたことはありませんか？
>
> 　毛細血管はブドウ糖を組織に配るときの血液であるのに対し，静脈血はブドウ糖が消費された後の血液になります。そのため，採取した部位によって値は異なり，静脈血＜指頭血（毛細血管血）＜動脈血の順で血糖値は高くなります。腕からの採血は静脈血で，測定器で測る指頭血は毛細血管血ですから，一般には指先の血液で測定した値（指頭血）は，腕から採血した値（静脈血）より高くなることになります。

126 mg/dL未満または2時間後血糖値が140 mg/dL以上200 mg/dL未満)の方が来られる可能性があります。
(3) 空腹時血糖, 随時血糖, 食後2時間血糖を理解して血糖値を読むことで, 正常なのか高血糖なのか, 高血糖なら「境界型」か「糖尿病型」なのかを確認しましょう。

HbA1cは採血時の直前1〜2カ月を反映する指標とされています。患者が採血直前に頑張って食事制限してもすぐには変動しません。
(1) HbA1cは高いほど最近1〜2カ月の血糖が高いと考えられます。健常人のHbA1cは6.0％以下とされています。
(2) 糖尿病と診断されていない(治療も受けていない)患者であっても血糖値が空腹時で126 mg/dL以上(もしくは随時血糖200 mg/dL以上), HbA1c 6.5％以上なら糖尿病型の検査所見がそろっていることになります(ただし再検査で片方が基準を超えれば糖尿病型と考えられます)。

Step2　GLU, HbA1cによる患者指導

(1) 糖尿病には現在4つのタイプ(①1型糖尿病, ②2型糖尿病, ③その他の疾患によるもの, ④妊娠糖尿病)があります。このうち2型糖尿病はインスリンに対する細胞の反応性が低下して血糖が下がりにくくなることが関与しており, 発病初期にはかえって血中インスリンは高いことが多くみられます。メタボリックシンドロームと関連があり, このタイプは食事や運動など生活習慣改善のアドバイスが必要になります。
(2) HbA1cは血糖コントロールの長期指標です。日本糖尿病学会が推進する一般的なHbA1cの目標は3段階あり, ①血糖正常化を目指すときの目標値(正常値)：6.0％未満(NGSP　以下同じ), ②合併症を予防するための治療目標値：7.0％未満, ③有害事象等により治療強化が困難な場合の目標値：8.0％未満, とされています。
(3) 日常臨床では, 低血糖のリスク回避のため合併症を予防するためのHbA1c 7.0％未満を目標値にすることが多いです。しかし高齢者では状況に応じてHbA1cの目標値を高くすることもあります。

(4) 以下に解説する２型糖尿病以外の高血糖の生活指導には注意が必要で，軽々しい食事療法は厳禁です。

- １型糖尿病はインスリンを作る膵臓のランゲルハンス氏島β細胞の破壊が起こり，インスリンの分泌が極端に少なくなることにより発症します。血糖コントロールはインスリン量のコントロール優先です。
- 甲状腺機能亢進症，膵炎，肝炎，肝硬変，クッシング症候群などでも高血糖になります。これらの疾患に伴う糖尿病は原病の治療を優先します。
- 妊娠中に発症したり，診断された耐糖能異常のことを妊娠糖尿病といいます。妊娠中に血糖値が92 mg/dLを超えた場合，75ｇブドウ糖負荷検査で１時間値が180 mg/dL以上，２時間値で153 mg/dL以上の場合が診断基準になります。インスリン治療を優先します。

Step 3　GLUの値を読んでみよう

Practice ⑰　糖尿病患者の空腹時血糖値が151 mg/dLと基準値を少し上回っていました。医師には尿ケトン体が陽性（＋）といわれたそうです。この患者の血糖コントロールはどのように考えたらよいでしょうか。

解説　尿ケトン体は糖尿病の検査でもあります。ケトン体とは肝臓で脂肪を分解したときに発生する老廃物で，正確にはアセトン，アセト酢酸，β-ヒドロキシ酪酸のことをまとめたものです。このケトン体は血液で全身に運ばれ，主に心筋，骨格筋，腎臓で代謝されます。糖尿病によるインスリンの欠乏などでブドウ糖の代わりに脂肪酸がエネルギー源として使われ，その約半分が肝臓でケトン体になることにより，体内にケトン体が増加します。また，飢餓でもケトン体は増加をみます。その状態をケトーシス（ケトン症）といいます。糖尿病患者の場合，インスリンが極端に不足するとケトンが増えますので尿ケトン体が陽性ならば管理状態は不良と考えます。食事制限をしすぎてもケトンが出てきます。

18 CRP

基準値 CRP C反応性蛋白　　　　　　　　0.00〜0.14 mg/dL

Step 1　CRPの基礎知識

　CRPはC反応性蛋白(C-reactive protein)の略称で，組織傷害などによって，好中球や単球(マクロファージ)が活性化された際に放出されるサイトカインにより肝細胞で合成される蛋白質です。
　臨床現場では主に炎症マーカーとして最も広く利用されています。ただし，炎症反応や外傷だけでなく，悪性腫瘍などでも血中で増加するため，広義の腫瘍マーカーとしても有用となりえます。

CRPを読むポイント

　CRPは，炎症や細胞組織を破壊している場所までを特定することはできません。ただし，炎症や疾患の程度をある程度推測するための指標にはなります。ですから，他の血液検査の値や検査結果から総合的な判断が必要です。
　CRPは一般に炎症誘発後，24時間以内に急増し，2〜3日後にピークに達し，回復すれば減少します。風邪などの感染症や外傷で上昇しますが，これらが完治すれば数値は元に戻ります。膠原病や悪性腫瘍など治療に時間を要するものは慢性的に高値が続くことになります。
　CRP値はあくまで炎症の度合いを示す指標の1つでしかなく，CRP値は必ずしもが感染症の重症度を示すわけではありません。

Step 2　CRPによる患者指導

　日常診療においてCRPの検査の目的は，主に炎症や感染症の有無を確認することですが，先述の通り腫瘍などでも上昇します。患者に説明するときには，CRPは「炎症や感染症の有無を含めた全身状態を探る検査」であることに留意しましょう。CRPは何らかの疾患マーカーの1つと誤解している患者も少なくありませんので，十分な説明が必要となる場合があります。以下の点について理解しておきましょう。

(1) 細菌感染や外傷，細胞傷害などの侵襲が加わると，白血球（好中球など）がその部分を認識し速やかに攻撃することで，生体に発赤・腫脹・疼痛・熱感を出現させます。これがいわゆる炎症反応です。この炎症時に異物や壊死物質を貪食した好中球や単球（マクロファージ）からIL-6やTNFαなどのサイトカインが分泌され，肝細胞にある受容体に作用することでCRPやフィブリノーゲン，α_1アンチトリプシンといった急性期蛋白質の産生が促進されます。

(2) 感染症などで白血球数上昇をみますが，この上昇は数時間以内に起こり

COLUMN 赤沈とSAA

　赤沈（赤血球沈降速度）やSAA（血清アミロイドA）もCRP同様に炎症マーカーとして日常検査としてよく用いられます。赤沈は，血液中の赤血球が重力に従って沈降する速度を測る検査です。採血した血液を，クエン酸ナトリウムが含まれる指定された試験管に入れて混和後静置し，1時間後に血漿最上部から沈降した赤血球層までの距離（mm）を記録します。フィブリノーゲン，補体などの急性期反応物質や免疫グロブリンの増加を反映することから，やや経過した急性炎症〜慢性炎症の活動性を把握できますが，貧血や血漿蛋白量の異常といった多くの要因により影響を受けてしまいます。SAAは赤沈やCRPに比し高感度であり，ほとんどの炎症性病態でCRPより早期に上昇する点が特徴です。CRP，SAA，赤沈は目的がよく似ているので保険診療上は同時に行うことはあまりありません。

ます。CRPの上昇が明確になるのに少なくとも12〜24時間を要するため，発熱などはあってもCRPが上昇していないこともあります。この間は白血球数の変動が参考になります。

Step3　CRPの値を読んでみよう

Practice ⑱　39歳の女性。身長159 cm，体重48 kg。35歳時より関節リウマチ（RA）と診断され，以降ステロイドと抗RA薬による加療のために通院しています。ある日，「以前の検査値を比べていると，CRPがいつも基準値を超えたままで気になっている」と相談を受けました。関節の痛み以外は，特記すべき症状はなさそうです。血液生化学所見：BUN 18 mg/dL，Cre 0.72 mg/dL，CRP 1.5 mg/dL，RF 32 IU/mL，WBC 8600 /μL，Neut 76％。

この患者の病態はどのように考えたらよいでしょうか。

解説　この患者はRAの診断が確定されている方です。リウマトイド因子

COLUMN　CRPの新たな側面　―心筋梗塞とCRP―

CRPは循環器系疾患でも上昇することがあります。心筋梗塞のリスク予測などに高感度CRPというものが活用されています。

従来のCRPの測定方法での検出感度は，0.1 mg/dL程度とされていましたが，測定試薬などの技術開発により，より高感度に検出可能になり，高感度CRPとして測定できるようになりました。これにより，微量CRPが動脈硬化や冠動脈疾患の微小な炎症をとらえるマーカーとして有用な指標となりました[1]。

心筋梗塞以外にも高感度CRPは，がんや慢性炎症と肥満・運動不足で高くなることがわかっていますし，最近では潰瘍性大腸炎や脂質異常症，COPDなどとの関連性について検討されています。CRPの新たな側面といえるでしょう。

(RF)が高値なのはRAの診断に合致します。健常者や慢性感染症，肝疾患などでもRFは陽性になり，またRAでも2〜3割の人が陰性となるため，RFの特異度はそれほど高くないことが知られています。RFの高さは炎症の強さと必ずしも一致しません。また近年ではRAに特異度が高い抗CCP抗体を測定することが多くなってきています。

CRPも1.5 mg/dLとやや高値ですが，WBCが8600/μLと正常高値と判断されます。ステロイド服用中はWBCは少し上昇します。CRPはRAの炎症の強さの指標になりますのでCRPが持続的に上昇していることはRAの活動性が高いことを示しています。

● 参考文献
1) Ridker PM., High-sensitivity C-reactive protein: potentia adjunct for global risk assessment in the primary prevention of cardiovascular disease, Circulation 2001 103：1813-1818.

COLUMN　重症細菌感染症の診断マーカー：プロカルシトニン

CRPやIL-6などの既存の炎症性マーカーは非感染性の炎症でも増加しますが，細菌感染症のマーカーとしては特異的ではありません。細菌感染症では早期に適切な抗菌薬の投与が必須であり，とりわけ敗血症性ショックでは，ショック発現後，適切な抗菌薬投与が遅れるごとに経時的に死亡率が上昇するといわれています。プロカルシトニン(procalcitonin；PCT)は，カルシウム代謝に重要なカルシトニンの前駆物質で，甲状腺のC細胞で産生されますが，重症感染症においては甲状腺外で産生され血中に分泌されます。PCTは全身性細菌感染症時に著明に上昇しますが，ウイルス感染症では上昇しにくいという特徴があります。敗血症と他の発熱性疾患の鑑別や敗血症の重症度判断の参考になります。また，他の炎症マーカーと比べNSAIDsやステロイド投与に影響を受けにくい特徴があります。

19 白血球数，白血球分画

基準値	WBC	白血球数	$3.3\sim8.6\times10^3/\mu L$
	Neut	好中球	40～60%
	EOS	好酸球	2～4%
	BASO	好塩基球	0～2%
	MONO	単球	3～6%
	LYMP	リンパ球	26～40%

Step 1 白血球数，白血球部分画の基礎知識

　末梢血液に含まれる細胞（血球）には，赤血球，白血球，血小板の3種類があります。ヒトでは胎児期を除きすべての血球は骨髄で作られ（造血），各血球に成熟した後末梢血へと移動します。

　赤血球と血小板は1種類の血球を指しますが，白血球は実際には1つの血球ではありません。好中球，好酸球，好塩基球，単球およびリンパ球の5種類の血球をまとめて白血球と呼んでいます。白血球数は末梢血中に含まれる数で表現されますが，好中球やリンパ球は比率で表されます。したがって，例えば患者の白血球数が6000/μLで，好中球の比率が60%とすると，好中球数は3600/μLということになります。

　白血球の主な役割は，5種類の血球ごとに異なりますが，おおむね血管内や組織内で体内に侵入した病原体や異物から身体を守ることです。

　健常者の白血球で最も多い好中球は接着・遊走・貪食・殺菌といった機能を用いて感染防御や異物の除去を行います。好酸球，好塩基球，単球なども異物除去に関与します。このうち好酸球はアレルギー反応の調節機能があります。リンパ球は免疫応答に関与します。このなかには免疫グロブリン産生に関与するBリンパ球と細胞性免疫に関与するTリンパ球があります。

白血球数，白血球分画を読むポイント

　白血球数に異常を来す疾患には，血液疾患，感染症，薬物，膠原病などさまざまなものが含まれます。また，白血球数の異常には増加する場合と減少する場合があります。さらに，その白血球数の増減が，好中球・好酸球・好塩基球・単球およびリンパ球のうちのどの血球が関与しているかを考える必要があります。

　好中球が増加する原因（表1）と減少する原因（表2）を示します。好中球が増加する原因のうちよく遭遇するのは，急性細菌感染症，喫煙によるもの，薬物によるものです。一方減少する原因としては何らかの疾患によることが多いので，薬剤師としては薬物性の変動に注意をはらう必要があります。

表1　好中球が増加する原因

①急性細菌感染症（注意：ウイルス感染では白血球数が減少する）
②慢性炎症：自己免疫性疾患，慢性肝炎，気管支拡張症，心筋梗塞，外傷，熱傷　など
③ストレス：過度の運動，急性出血，術後，てんかん発作　など
④薬物：副腎皮質ホルモン，アドレナリン，リチウム，G-CSF製剤の使用
⑤内分泌疾患：クッシング症候群，褐色細胞腫，甲状腺機能亢進症
⑥固形腫瘍
⑦Sweet病，脾摘後，熱痙攣　など
⑧喫煙（軽度白血球増加の原因としては最も多い）

表2　好中球が減少する原因

①ウイルス感染症
②薬物や化学物質への曝露
③血液疾患：再生不良性貧血，骨髄異形成症候群，急性白血病，多発性骨髄腫　など
④自己免疫疾患：SLE　など
⑤先天性あるいは慢性好中球減少症

Step 2 白血球数，白血球分画による患者指導

　白血球や好中球について患者から尋ねられた場合には，白血球が増えているのか，減っているのか，また，白血球分画のうちのどの血球が白血球数の増減に最も影響を与えているか，などに注意します。

(1) 白血球増加症は，大きく分けると腫瘍性と反応性になります。腫瘍性の多くは造血器腫瘍で，急性白血病，慢性骨髄性白血病などがあります。一方，反応性で頻度が多いのは細菌性感染症であり，白血球のうち好中球が増加します。発熱の有無が参考になります。慢性的に白血球増加（10000/μL以上）の場合は白血球数の推移を一度確認しましょう。

(2) 白血球減少症のうち日常臨床で最もよく遭遇するのは薬物です。白血球数が3000/μL以下になった場合には，過去の白血球数の推移をみて，使用薬剤の確認をしましょう。抗腫瘍薬の投与では好中球減少がよくみられます。内服および点滴による投薬内容の把握が重要になります。好中球の絶対数が500/μL以下になると易感染性となり，100/μL以下になると感染症は必発すると考えられています。

COLUMN 発熱性好中球減少症（FN）

　がん薬物療法でみられる重篤な副作用の1つに骨髄抑制があります。外からの細菌などと戦うためにある血液成分の白血球や好中球などが減少することで，身体の免疫力が低下してしまい，時に発熱してしまいます。この好中球減少に伴う発熱を「発熱性好中球減少症」と呼び，強力ながん薬物療法中にしばしばみられる副作用として知られています。

　発熱性好中球減少症は，好中球数が500/μL未満，または1000/μL未満で，その後48時間以内に500/μL未満に減少すると予測される状態で，かつ腋窩温が37.5度以上（口腔内体温38度以上）の発熱を生じた場合と定義されています。発熱性好中球減少症になると死に至ることもあるため，発症後は速やかな治療が必要です。

Step 3 白血球数，白血球分画の値を読んでみよう

Practice ⑲　近所のクリニックにおいて高脂血症の治療を受けている56歳の男性が定期健康診断で白血球の増加を指摘され同医で採血を受けたそうです．本日の採血にて白血球 35000 /μL（骨髄芽球 1％，前骨髄球 1.5％，骨髄球 3％，後骨髄球 3.5％，桿状核好中球 11％，分葉核好中球 55％，好酸球 2％，好塩基 3％，単球 4％，リンパ球 16％），ヘモグロビン値 14.2 g/dL，血小板 48.2万 /μL で，主治医から大学病院を受診するように診療情報提供書をもらったとのことでした．この患者の血液検査結果をどのように考えたらよいでしょうか．

解説　本症例では白血球数の変動と白血球分画に注目するために白血球増加症を提示しています．白血球数は基準値を逸脱して増加しているのがわかりますが，同時に白血球分画にも注意してください．すでに記したように末梢血中の白血球には好中球，好酸球，好塩基球，単球およびリンパ球の5種類があります．本症例ではさらに前骨髄球，骨髄球，後骨髄球がみられています．薬剤師の立場では，白血球の増加に薬物性の原因はないかを考えることが重要です．本症例は正常では骨髄でのみみられる前骨髄球，骨髄球，後骨髄球が末梢血中に現れています．これらは末梢血中には正常では出現しません．G-CSF 製剤などの薬剤の作用でごくまれに骨髄球が出現することはありますが骨髄芽球がみられることはありません．本来骨髄でしかみられない未熟な血球が出現する疾患（例えば慢性骨髄白血病など）が考えられます．

20 赤血球数, ヘモグロビン値, 平均赤血球容積

基準値			
	RBC	赤血球数	男性：4.35～5.55×10^6/μL 女性：3.86～4.92×10^6/μL
	Hb	ヘモグロビン	男性：13.7～16.8 g/dL 女性：11.6～14.8 g/dL
	Ht	ヘマトクリット	男性：40.7～50.1% 女性：35.1～44.4%
	MCV	平均赤血球容積	83.6～98.2 fL

Step 1　赤血球数, ヘモグロビン値, 平均赤血球容積の基礎知識

　赤血球の主な役割は酸素の運搬です。これは，赤血球に含まれるヘモグロビン（血色素）の働きによるものです。肺で酸素を受け取った赤血球は，それを全身の組織に供給します。また，組織が排出する二酸化炭素を肺へと運搬します。

　赤血球が赤く見えるのは，細胞質中にヘモグロビンを含んでいるためです。酸素と結合していないヘモグロビンは暗赤色で，酸素と結合すると鮮赤血になります。すなわち，静脈血は暗赤色ですが，動脈血は鮮赤血にみえます。

　骨髄で産生された成熟赤血球は，約120日間体内を循環した後，脾臓をはじめとする肝臓，骨髄などの全身の網内系でマクロファージによって貪食され，壊れます。網内系は，異物や細菌などを貪食する単球-マクロファージ系の細胞が多数存在する生体の防御に関与する組織です。

赤血球数, ヘモグロビン値, 平均赤血球容積を読むポイント

　「末梢血中のヘモグロビン濃度が基準値以下の状態」を貧血と呼びます。貧血は診断名ではなく，症候名です。

　貧血を鑑別するときに有用なのが赤血球指数です。赤血球指数とは，赤血球の大きさとそこに含まれるヘモグロビン量・濃度を，ヘモグロビン，ヘマトク

表1 赤血球指数

	基準値	計算式	分類	
平均赤血球容積 MCV	80〜100 fL	Ht(%)/RBC(10^6/μL)×10	<80	小球性
			80〜100	正球性
			100<	大球性
平均赤血球ヘモグロビン濃度 MCHC	30〜35%	Hb(g/dL)/Ht(%)×100	<30	低色素性
			30〜35	正色素性

表2 平均赤血球容積による貧血の分類

	小球性貧血	正球性貧血	大球性貧血
MCV	<80	80〜100	100<
鑑別疾患	鉄欠乏性貧血 鉄芽球性貧血 サラセミア 慢性疾患に伴う貧血	溶血性貧血 出血性貧血 腎性貧血 再生不良性貧血 骨髄異形成症候群	巨赤芽球性貧血

リット,赤血球数を用いて計算した式です.赤血球指数を表1に示します.
　赤血球指数のなかでも重要なのが平均赤血球容積(MCV:Mean Corpuscular Volume)です.MCVによる貧血の分類を表2に示します.貧血患者の診断においては,まずMCVを計算し,分類される小球性・正球性・大球性貧血のなかから鑑別診断します.なお,貧血のなかで最も頻度が多いのが小球性貧血の1つである鉄欠乏性貧血です.

Step2 赤血球数,ヘモグロビン値,平均赤血球容積による患者指導

　赤血球数,ヘモグロビン値について患者から尋ねられた場合には,上に示したように貧血は「ヘモグロビン値が低下した状態」を指すので,ヘモグロビン値の変動に注意するように説明しましょう.
　貧血患者をみた場合まず思いつくべき貧血の原因は,出血,特に消化管出血

です。便が黒い場合は消化管からの出血が疑われます。便の色によってその後の説明が異なるので尋ねてみましょう。

貧血患者では前述のようにMCVによっておおよその疾患を推定できますので参考にしてください。

貧血患者で重要なことはヘモグロビン値の変動です。基準値以上であった患者が基準値を下回った場合はかならず原因を検索する必要があります。また，もともと貧血がある患者でもその変動が重要です。慢性貧血患者では，ヘモグロビン値が7 g/dLを下回ると赤血球輸血の是非を考えます。

Step 3　赤血球数，ヘモグロビン値，平均赤血球容積の値を読んでみよう

Practice ⑳　45歳の女性。動作時の息切れを主訴に来院。
半年前から駅の階段を上がる際に息切れと動悸を自覚し，最近，平地での早歩き程度でも動悸を感じるようになったとのことです。眼瞼結膜は貧血様。大動脈弁領域に駆出性の収縮期雑音を認めます。血液所見：RBC 300万/μL，Hb 8.1 g/dL，Ht 23％，WBC 4200/μL，PLT 40万/μL，白血球分画に異常はありません。この患者の血液検査結果をどのように考えたらいいでしょうか。

> ### COLUMN　汎血球減少症
>
> 　貧血患者の鑑別において重要なことは，貧血以外に白血球数や血小板数の減少がないかを確認することです。白血球・赤血球・血小板の3系統が減少していた場合を汎血球減少症といいます。
>
> 　汎血球減少症を呈する疾患には，全身性エリテマトーデス(SLE)，脾機能亢進症(Banti症候群，肝硬変など)，敗血症などの重症感染症といった二次性の血液異常があります。血液疾患のなかでは，再生不良性貧血(☞ P.243参照)，巨赤芽球性貧血(☞ P.242参照)，発作性夜間ヘモグロビン尿症などの良性疾患，骨髄異形成症候群(☞ P.83参照)，急性前骨髄球性白血病などの悪性疾患が疑われます。

解説 Hb 8.1 g/dLと基準値を下回る貧血患者です。貧血患者をみた場合に重要なことの1つとして白血球数と血小板数の確認です。この患者は白血球数と血小板数は正常であり，貧血のみが問題となります。貧血患者では，まずMCVを計算します。MCV＝Ht(％)/RBC(10^6/μL)×10なので，本症例ではMCV＝23/300×10^3＝76.7になります。MCVが80以下なので表2における小球性貧血に分類される4つの疾患のいずれかに該当することになります。

> **COLUMN 高齢者に多い貧血**
>
> 　高齢化に伴い悪性腫瘍を発症する患者が増えています。高齢者で貧血がある場合に最初に疑うのは消化管出血であり，胃がんや大腸がんの可能性があります。患者に便の色を尋ねることによって簡単にわかることもあります。
>
> 　血液疾患のなかでも高齢者に多いのが骨髄異形成症候群(MDS)と多発性骨髄腫です。血液細胞は骨髄にある造血幹細胞から作られますが，MDSでは後天的に造血幹細胞に異常を来し，骨髄の中で複数の系統の骨髄系細胞が異形成を呈します。異形成というのは，血液細胞の形が異常になることで，低分葉好中球，環状鉄芽球，微小巨核球などがみられます。臨床像としては，無効造血(骨髄内で異常な血球が分化・増殖するがアポトーシスする)による血球減少と，前白血病状態(約1/3が急性白血病に移行する)という2つの特徴があります。
>
> 　多発性骨髄腫も近年著明に増加している疾患です。骨髄腫という名前なので骨髄系腫瘍と間違われますが，骨髄中で形質細胞が異常増殖するリンパ系腫瘍(B細胞腫瘍)です。徐々に起こる腰背部痛から発症することが多く，高齢者の腰痛のなかに混じっていることが多いので注意が必要です。腫瘍細胞である骨髄腫細胞が増殖し，異常な単クローン性免疫グロブリンを産生し，骨病変，腎障害，貧血，高カルシウム血症などを引き起こします。

21 PLT

基準値 PLT 血小板数　　　　　　　　　15.8～34.8×10^4/μL

Step 1　PLTの基礎知識

　血小板は血球成分の1つで，骨髄中の幹細胞から分化した巨核球由来です。巨核球は細胞質で顆粒を作ってどんどん放出していきます。この顆粒が血小板です。

　血小板の働きは，外傷などで血管が傷ついたときの止血作用です。血管が損傷するとその部位に血小板が粘着し，次に血小板どうしが凝集します（一次止血）。もし血小板が減少していると，この止血が十分に行われず出血傾向を示します。おおむね5万/μL以下になると出血リスクが高いと考えられています。逆に血小板が著しく増えると，血栓を形成しやすくなります。

　血小板減少症があると出血傾向を示し，血小板数が増加していると血栓を作りやすくなります。

PLTを読むポイント

　血小板数が基準値より低ければ血小板減少といい，高ければ血小板増多といいます。

　血小板数が5万/μL以上あればまず重篤な出血を起こすことは少ないとされます。血小板数が2万/μL未満になると出血リスクが増加し何らかの治療が必要となっていきます。

　血小板数が35～60万/μLは反応性血小板増多であることが多く血栓リスクは低いですが，血小板数が60万/μL以上になれば腫瘍性の血小板増多である可能性が出てきて血栓のリスクも上昇します。

Step 2　PLTによる患者指導

　血小板について患者から尋ねられた場合には次の点に気を付けて説明しましょう。血小板の減少は疾患に起因するものが多いですが、薬物に起因するものもあることを念頭に置きましょう。薬物性の血小板減少は、原因薬の中止で改善することが多いので主治医に相談することも大切です。一方、薬物が原因で血小板が増加することはほとんどなく、血小板の増加は疾患に起因するものと考えることができます。

COLUMN　薬物性血小板減少症

　薬物性血小板減少の発現時期は発症機序によって異なりますが、目安として免疫学的に血小板が破壊されることによる血小板減少は、薬剤投与が初めての場合は、血小板の体内でのターンオーバーを反映して、7日から2週間後に症状が出やすくなります。しかし同じ薬剤によっても短期間に現れる場合と、数カ月、数年後に現れる場合があり、症例によってさまざまです。ただし、原因と考えられる薬剤を過去に投与されている場合には、その後の同一薬投与による血小板減少の発現は、数時間から5日以内に多くみられます。薬剤によって血小板減少の発現までの期間、血小板減少の重篤度、血小板減少期間、出血症状の発現頻度が異なることが報告されており、代表的なものを表にまとめました。

表　薬剤ごとの特徴

初回の薬剤投与にかかわらず投与後数時間で発症する薬剤	アブシキシマブ
投与後長期間かかる薬剤	金製剤，ペニシラミン，バルプロ酸
比較的重症の血小板減少で出血傾向の頻度が高い薬剤	金製剤，スルフイソキサゾール，スルファメトキサゾール・トリメトプリム，キニン，キニジン
軽度の血小板減少にとどまり出血傾向も軽度の薬剤	ペニシラミン，チアジド系利尿薬，バルプロ酸，カルバマゼピン
血小板減少の回復が遅延する薬剤	金製剤

「血小板数の減少」は，次のような原因があります。
- 血小板の産生に障害のある場合：再生不良性貧血，骨髄異形成症候群，白血病，悪性貧血，抗がん薬の投与など，骨髄における血小板産生の低下があるものです。
- 血小板の破壊または消費が亢進している場合：特発性血小板減少性紫斑病，全身性エリテマトーデス，DICなど，血中での血小板が何らかの原因で早期に消費され，破壊が進むことによるものです。
- 血小板の体内分布に異常がある場合：肝硬変などがあります。

「血小板数の増加」は，次のような原因があります。
- 腫瘍性に増える場合：本態性血小板血症，慢性骨髄性白血病，真性多血症では，腫瘍性に血小板が生成され続けます。
- 反応性に増える場合：出血，手術，悪性腫瘍などのため，血小板が生体反応として増えます。

薬物による血小板減少症には，薬物の薬理作用そのものに骨髄抑制作用があり，その部分症としての血小板産生抑制によって血小板減少が発症する場合（抗がん剤や骨髄抑制が明らかとなっている薬物による血小板減少症）と，本来の薬理作用とはかけ離れた有害事象として血小板減少が発症する場合があります。

COLUMN 血小板と動脈硬化

血小板は動脈のように血液の流れが速くなっている場所で活性化しやすいと考えられています。しかし，何もない状況で勝手に血小板による血栓が作られるわけではなく，動脈硬化などの要素が加わることによって血栓が作られてしまいます。動脈硬化により形成されたプラークが破裂すると，血管に傷がつき，血小板が活性化して血栓が作られます。この血栓が原因で脳梗塞や心筋梗塞が発症することがあります。そのため，動脈硬化の予防が血小板血栓症の予防に重要といえます。

Step 3 PLTの値を読んでみよう

Practice ㉑ 近所のクリニックで帯状疱疹と診断された70歳女性。バラシクロビル塩酸塩錠を処方され薬局に訪れました。今日の採血結果は血小板数9万/μL，AST 80 U/L，ALT 60 U/Lでした。血小板数が基準範囲を下回っていますが，この減少はどのように考えたらよいでしょうか。

解説 薬剤師の立場としては，血小板減少の原因が疾患によるものなのか，薬物によるものなのかを見極める必要があります。患者に使用薬剤を聴取したところ，現在使用薬剤はないとのことでした。バラシクロビルの副作用として汎血球減少が報告されていますが，本日から服用開始であることを考えると，薬物が原因であることは否定できます。血小板減少に加えてAST，ALTの上昇を認め，AST/ALT＞1でした。そこで，現病歴を聴取すると，大学病院で肝硬変の指摘を受けていることが確認され，肝硬変による可能性が高いと考えられます。

COLUMN 偽性血小板減少症

自動血球計数装置では凝集した血小板を血小板とは認識せず，実際の血小板数よりも少なく算定されます。抗凝固剤のEDTAにより血小板凝集を起こす場合がよく知られ，EDTA依存性偽性血小板減少といわれます。発生頻度は0.1～0.2％で大病院ではよくみられるものです。疾患や薬物によるものが考えられない場合は，この偽性血小板減少症を疑う必要もあります。

22 PT, PT-INR

基準値	PT秒	9〜12秒
	PT活性	80〜120%
	PT-INR	1.0±0.1

Step 1　PT, PT-INRの基礎知識

　血液は体外に出ることで凝固して止血が起こります。止血機構には血球である血小板によるもの（1次止血）と凝固因子（幾種類もの蛋白質）によるもの（2次止血）があります。プロトロンビン時間（PT）は凝固因子の働きをみる検査の1つです。

　凝固因子の関わる凝固系には大きく分けて外因系と呼ばれるものと内因系と呼ばれるものに分かれます。PTは肝臓で合成される凝固因子のなかで外因系と呼ばれる凝固因子の活性を総合的に評価する検査です。内因系をみる検査には部分トロンボプラスチン形成時間（APTT）があります。臨床的にはPTとAPTTは同時測定することが多いです。

PT, PT-INRを読むポイント

　PTは出血性疾患の評価に用いられています。また、肝機能障害の評価をする検査値の1つでもあります。PTが延長（凝固するまでの時間が延びるということ）しているときは、先天性の特定の凝固因子欠乏症・異常症を除けば、肝機能の蛋白合成能低下、ビタミンK不足は凝固異常の主な原因となりえます。以下の点に気を付けて検査値を読んでみましょう。

（1）PTの結果表示法は3つあります。①秒表示：被検血漿と正常血漿でPT時間を測定し、そのまま表示する。②活性（％）表示：肝機能検査として利用するときに用いることが多いです。③プロトロンビン時間国際基準比

COLUMN ワルファリンとPT

① ワルファリンはビタミンKエポキシド還元酵素を抑制することで間接的に凝固因子の第Ⅱ，Ⅶ，Ⅸ，Ⅹ因子の産生を減少させる抗凝固薬です。

② PTはワルファリンの効果測定に汎用されています。これはPT結果に反映する第Ⅶ凝固因子は半減期が1.5〜5時間と特に短いため，ワルファリンの効果が早く第Ⅶ因子に影響を及ぼすからです。

③ ワルファリンはビタミンKの拮抗薬です。ワルファリンの作用が強く出ていると思われるときはビタミンKが不足している状態にあるかもしれません。腸内細菌もビタミンKを産生するため，マクロライド系やニューキノロン系抗生剤の長期連用患者では腸内細菌叢の乱れにより，ビタミンKが不足する可能性があります。

④ ワルファリンはCYP2C9で代謝されますが，CYP1A2やCYP3A4も関与します。薬物相互作用によりワルファリンの作用が増強する可能性もあるため，薬歴の確認や他院への情報提供が重要になります。

⑤ ワルファリンの作用が弱いと思われるときは，納豆，クロレラなどの食べ物やサプリメントに含まれているビタミンKの過剰摂取を聞き取ります。納豆は多量のビタミンKを含んでいることに加え，腸内細菌活性化によるビタミンK産生を促しますので摂取しないようにしましょう（表）。

表　ビタミンKを多く含む食品

食品名	目安となる摂取量と含有量	
	摂取量	ビタミンK量(μg)
挽きわり納豆	1パック（約45 g）	419
糸引き納豆	1パック（約45 g）	270
こまつな　葉　ゆで	1株（約45 g）	144
ほうれんそう　葉　ゆで	1株（約30 g）	96
パセリ　葉　生	1本（約4.5 g）	38
ケール　葉　生	1枚（約175 g）	368
抹茶	1杯（約5 g）	145

（「日本食品標準成分表2015年版（七訂）」を参考に作成）

(prothrombin time-international normalized ratio；PT-INR) はPT測定値を国際間や施設間格差のない数値を臨床現場に示す目的で設定されたものです。
(2) PTに反映する凝固因子は肝臓で合成されるので肝機能障害で低下します (活性 (％) 表示で利用されます)。ワルファリンを服用している患者の場合PT-INRを利用します。延長しているときはワルファリンの作用が強く出ている可能性が高いと考えます。凝固因子合成に支障がなくても，凝固因子を消費が亢進するような病態では延長を来します。

Step 2　PT，PT-INRによる患者指導

　PTが延長するということは血液が凝固しにくいことを示し，出血リスクが高くなっています。PT延長の原因は，①凝固因子の多くを合成する肝臓の機能が悪いと凝固因子の産生低下，②凝固因子が生成されるときの補酵素として働くビタミンKの不足，③播種性血管内凝固症候群 (DIC) など凝

> **COLUMN　ワルファリンと直接作用型経口抗凝固薬**
>
> 　ワルファリンは薬の歴史が長くエビデンスがある，PT-INRによるモニタリングが可能であるというメリットがある一方で，薬物相互作用が多い，食品との飲み合わせが多い，PT-INR検査による安全性を維持するため受診回数が多いなどのデメリットもあります。近年，直接的にトロンビンを阻害するダビガトラン，直接的にⅩa因子を阻害するアピキサバン，エドキサバン，リバーロキサバンなどが使用されるようになりました。これらは比較的薬物相互作用が少なく，食品の影響も受けにくいことなどから凝固検査によるモニタリングは不要とされています。しかし，半減期が短いこと，腎機能により効果が変動することなどの理由から，PT，APTT，トロンビン時間などモニタリングの必要性も検討されています。ワルファリンのような治療域のモニタリングという観点ではなく，出血事象発現を予防するという安全性をチェックする観点で用いられています。

固因子の消費が亢進される疾患，④抗凝固薬の投与，などがあります。

PT-INRは患者のPTを正常PTで割りつけた計算式で算出(図)するため，PTの延長を来すような要因によりPT-INRも延長します。PT-INRはワルファリンによるビタミンK依存因子の活性抑制の評価に適した検査であり，1.6〜3.0を目安とします。

図　INRの算出式
※ISI：国際感受性指標
(International Sensitivity Index)

Step3　PT，PT-INRの値を読んでみよう

Practice ㉒　年齢66歳，身長163 cm，体重60 kgの男性で心房細動に対してワルファリン錠3 mgで治療が開始された患者。開始後4日目の採血結果はPT-INR 3.11でした。この患者のワルファリンの投与量はどのように考えたらよいでしょうか？

解説　ワルファリンは1日投与量1 mgから開始し適正投与量を決定する外来法や1日1〜5 mgの維持量で開始され適正用量を決定する方法(Daily dose法)があり，必要に応じてヘパリンと併用しながら投与量を決定していきます。この患者のPT-INRは3.11あり，70歳未満の場合，心房細動の目標PT-INRは2.0〜3.0ですので，ワルファリンの作用が強く出ているようです。ワルファリンは食事や薬物により相互作用があるため，まずは食事状況や処方歴のモニタリングが大切です。そのうえで，維持量を決定します。

23 APTT

基準値 APTT　活性化部分トロンボプラスチン時間　　　　30～40秒

Step1　APTTの基礎知識

　血液は，正常な場合には血管内では凝固せずに循環し，血管外に出ると凝固して止血します。したがって，血管内であるにもかかわらず凝固したり（血栓），血管外に出ても凝固しない（異常出血）のは異常な状態と考えられます。

　血液が凝固（凝固因子により止血）する機序には2種類あります。組織因子による凝固（外因系凝固活性化機序）と，異物による凝固（内因系凝固活性化機序）によるものです。活性化部分トロンボプラスチン時間（APTT）は内因系凝固活性化機序をみる検査です。また，外因系凝固活性化機序をみる検査としてはプロトンビン時間（PT）があります。

　APTTは，クエン酸ナトリウム入りの凝固専用採血管から得た血漿検体に対して，接触因子活性化剤などの異物を含むAPTT試薬とカルシウムイオンを添加して，凝固するまでの時間を計測します。

APTTを読むポイント

　APTTは延長したときに病的意義があります。多くの凝固異常時にはAPTTはPTとともに延長します。重症の肝疾患時には多くの凝固因子の合成ができずにAPTT，PTともに延長します。APTTは内因系（Ⅻ，Ⅺ，Ⅸ，Ⅷ因子）や共通系凝固因子（Ⅰ，Ⅱ，Ⅴ，Ⅹ）の欠損またはこれらの凝固因子に対するインヒビター，ヘパリン投与時，経口抗凝固薬内服時にもこれらは延長します。

　APTTのみが延長する疾患もあり，代表的な疾患・病態は以下のとおりです。
（1）血友病A（第Ⅷ因子欠損），血友病B
（2）後天性血友病（後天性第Ⅷ因子インヒビター）

表 各種疾患と凝固検査結果

疾患等	PT	APTT
血友病A・B	正常	延長
von Willebrand病	正常	延長
ビタミンK欠乏症	延長	延長
先天性第Ⅶ因子欠損症	延長	正常
肝硬変	延長	延長
ワルファリン内服	延長	延長
アスピリン内服	正常	正常

(3) von Willebrand病
(4) 抗リン脂質抗体症候群(ループスアンチコアグラントの存在)

各種疾患と凝固検査結果を表に示します。

Step 2 APTTによる患者指導

　出血傾向を来す病態としては，①血小板数の減少と機能の異常，②凝固因子の低下，があります。出血傾向を示す患者では，血小板の数や機能の測定，凝固検査(PT，APTTなど凝固因子の機能をみる検査)が必須です。APTTの延長が確認されたら前項から鑑別診断が行われます。

　APTTのみが延長する代表的な疾患は，血友病AおよびBと，von Willebrand病です。これらは先天的な疾患です。血友病Aでは第Ⅷ因子，血友病Bでは第Ⅸ因子，von Willebrand病ではvon Willebrand因子抗原および抗体などを測定します。令和3年度血液凝固異常症全国調査によると，血友病A 5,657例，血友病B 1,252例，von Willebrand病 1,490例でした。

　また，高齢者が急に筋肉内出血と皮下出血の両方を認める場合には，第Ⅷ因子に対するインヒビターが原因の後天性血友病Aの場合があります。

Step 3　APTTの値を読んでみよう

Practice ㉓　21歳の女性。抜歯後の出血が5日間続くため来院されました。数年前に鼻出血の止血困難があったそうですが，皮膚に出血斑を認めません。その他の身体所見に特記すべき異常はありません。血液所見：RBC 405万/μL，Hb 11.0 g/dL，Ht 34％，WBC 5700/μL，PLT 28万/μL。出血時間10分以上（基準7分以下），PT 11.2秒（基準対照11.3），APTT 58.1秒（基準対照32.2）。この患者の血液検査結果をどのように考えたらいいでしょうか。

解説　出血傾向を呈する女性で，APTTの延長と，血小板数が正常にもかかわらず出血時間が延長している患者です。出血時間が延長する病態は，血小板数の減少か，血小板の機能異常によります。この患者では血小板数は正常なので，血小板の機能異常が推測されます。血小板の機能異常を呈する疾患には，血小板無力症，Bernard-Soulier症候群，von Willebrand病などがあります。性別，症状，APTTの延長などから最も考えられるのがvon Willebrand病です。

COLUMN　血友病とAPTT

　出血傾向がある場合には，止血機能を調べるため，「血小板数」，「プロトロンビン時間（PT）」，「活性化部分トロンボプラスチン時間（APTT）」の3つをスクリーニングで測定します。APTTだけが正常よりも延長している場合には血友病A，Bやvon Willebrand病などが疑われます。これらの診断のために血液凝固因子活性やvon Willebrand因子を測定します。

　血液凝固のなかの第Ⅷ因子活性異常は頻度が高く，活性が40％未満であれば血友病Aと診断します。第Ⅸ因子活性が40％未満であれば血友病Bとなります。ただし第Ⅷ因子，第Ⅸ因子活性のレベルが5％以上あれば比較的症状は軽く，成人になってから，出血傾向やAPTT延長で診断されるケースもあります。

24 尿蛋白

基準値 尿蛋白 陰性（−） （尿試験紙法）

Step 1 尿蛋白の基礎知識

　腎臓の糸球体では，血液から血球と大きな蛋白質以外の小さな分子だけが濾過されて原尿を作ります。尿細管では原尿中の必要な成分を再吸収したり血中成分の一部を分泌し，最終的に原尿の約1％が尿として排泄されることになります。

　血液中の蛋白質の大部分は糸球体では濾過されませんので，尿に蛋白質が混入することはほとんどありません。しかし濾過バリアに何らかの障害があると尿に蛋白質が混入します。なお糸球体に異常がない場合も蛋白尿が出る場合があります（生理的蛋白尿，後述）。慢性腎臓病（CKD）では尿蛋白が陽性になることが多く，尿蛋白検査は「CKDの早期発見」に役立ちます。

　血液中の蛋白質には大きく分けてアルブミンとそれ以外の蛋白質（グロブリンなど）があります。糸球体に障害がある場合，尿中に出てくる蛋白の大部分がアルブミンです。尿試験紙法による尿蛋白検査は主に尿中のアルブミンを測定する検査で，結果を（−）「マイナス」，（±）「プラスマイナス」，（＋）「プラス」などで表す定性検査です。

　尿蛋白をチェックする尿試験紙は薬局等でも一般用医薬品（第2類医薬品）として扱っています。

尿蛋白を読むポイント

　定性検査における基準値は（−）（15 mg/dL未満）です。基準値を外れた場合は再検査または精密検査が必要となります。試験紙法の結果の陽性（＋）は，尿蛋白 30 mg/dLに相当します。

（1）血液中の蛋白質は糸球体からほとんど濾過されません。尿蛋白が陽性の

表　尿蛋白からみた各疾患と病態

	腎疾患	一過性
尿蛋白陽性	糸球体腎炎，ネフローゼ症候群，糖尿病性腎症，妊娠中毒症	激しい運動・過労・ストレス
尿蛋白偽反応		高アルカリ尿（pH 8.0以上）で偽陽性 高酸性尿（pH 3.0以下）で偽陰性

場合は糸球体の障害が疑われます。
(2) 激しい運動，発熱，寒さ，精神的興奮，ストレスなどによっても，尿蛋白が出ることがあります。これらは生理的蛋白尿と呼び，治療を要しないものですが，陽性が持続するときは，詳細な検査を行い，糸球体に異常がないかを確認します。
(3) 尿蛋白陽性のときは尿潜血についても，一緒に確認しておく必要があります。糸球体障害では，①尿蛋白や尿潜血がともに陽性の場合，②尿蛋白だけが陽性の場合があるからです。
(4) 尿のpHにより尿蛋白が偽陰性，偽陽性になることがありますので注意が必要です（表）。

Step2　尿蛋白による患者指導

蛋白尿が一過性，間歇性，持続性のいずれであるかを判断することが重要です。
(1) 一過性蛋白尿とは，検診時は陽性でもその後は陰性であるような尿です。Step1のいわゆる生理的蛋白尿がほとんどで，通常治療対象とはなりません。
(2) 間歇性蛋白尿とは，一時的な蛋白尿を繰り返す尿で，大部分で予後は良好です。しかしながら，持続性蛋白尿に移行する場合もありますので，長期的な観察が必要となります。
(3) 持続性蛋白尿とは，複数回の尿検査で常に陽性である尿で，治療の対象となります。

生活習慣病（高血圧症・脂質異常症・糖尿病など）の方の尿蛋白陽性は，腎機能の悪化（GFR低下など）につながりやすく注意が必要です。

Step3 尿蛋白を読んでみよう

Practice ㉔ いつも近所のクリニックで高コレステロール血症の治療薬を処方されている女性から，「子ども（中学2年男子）が学校での検尿で，尿蛋白陽性となり再検査になった」と相談を持ちかけられました。薬剤師としてどのように対応したらよいでしょう。

解説 これでは情報が不十分であり，また学校健診では対応のルールが学校保健法で決まっていますので，指示通り再検査を受けるよう勧奨してください。学校健診での尿蛋白検査の目的は，小児期の腎炎の早期診断のために実施されています。尿蛋白だけで，腎機能の状態を安易に判断することは避けるべきです。

ただし，薬局で尿試験紙を扱っていることもあり，再検査のときには以下の点に注意することを伝えます。
(1) まず，正しい採尿方法を理解しましょう。就寝前に必ず排尿し朝一番の尿（早朝尿）を採取することが重要です。
(2) 運動や体位により尿への蛋白の排泄が増えます。就寝前に排尿をしなければ，蛋白が膀胱に貯まった状態になり，朝採尿しますと蛋白が出る可能性があります。また，学校での採尿は，運動による影響を受けることがあります。

25 尿潜血

基準値 尿潜血 陰性（−）　　　　　　　　　　　　　　　　　（尿試験紙法）

Step 1　尿潜血の基礎知識

　尿潜血が陽性となった場合，血尿（尿に血液が混じっている状態）を疑います。

　測定には試験紙を用います。試験紙はヘモグロビンなどヘム蛋白に反応する試薬を染み込ませて乾燥したものです。採取した尿に試験紙を入れ，その試験紙の色で測定します。この試験紙は体外診断用医薬品であり，薬局等で扱っています。

　この試験紙法では，尿潜血（−）が基準値です。基準値外になると（±），（1＋），（2＋）などと表記されます。

　尿に赤血球が混入する「血尿」では尿潜血陽性となります。尿中に赤血球が混入する原因を臨床的に分類すると，腎臓（糸球体）における尿の生成過程の異常と，尿路（腎盂，尿管，膀胱，尿道や前立腺など）に何らかの異常があげられます（表）。

表　尿潜血からみた各疾患と状態

	腎尿路疾患	その他の疾患・状態
血尿あり 尿潜血陽性	泌尿器系疾患（腫瘍，尿路結石，膀胱炎　など） 腎疾患（急性腎炎，IgA腎症　など）	激しい運動・月経血の混入
血尿なし 尿潜血陽性		ヘモグロビン尿 ミオグロビン尿
血尿あり 尿潜血陰性		尿潜血偽陰性 ビタミンC過剰摂取
尿潜血偽陰性		白血球尿，細菌尿，精液混入

血尿に関しては，尿が明らかに赤ないし赤黒っぽくみえる場合を肉眼的血尿と呼び，肉眼的には色調の変化が分からないが尿沈渣に赤血球を認めるものを顕微鏡的血尿と呼びます。

尿沈渣検査で血尿ではないが尿潜血陽性の場合は，ヘモグロビン尿やミオグロビン尿を疑います。

尿潜血を読むポイント

基準値は(−)です。基準値を外れた場合は再検査または精密検査が必要となります。

(1) 試験紙法の結果は，試験紙の種類によって若干の違いはありますが，日本臨床検査標準化協議会により，ヘモグロビン 0.06 mg/dL（赤血球に換算すると約20個/μL）を(1+)とすることになっています。

(2) 赤血球以外にヘモグロビンやミオグロビンなどのヘム蛋白が尿に混入しても尿潜血は陽性となります。ヘモグロビンは血管内で赤血球が破壊（血管内溶血）されると尿に検出され，筋肉に存在するミオグロビンは激しい運動などで大量に筋肉から放出されると尿潜血陽性になります。

(3) アスコルビン酸（ビタミンC）は多くの食品，サプリメントなどに多く含まれる場合があります。このビタミンCには強い還元作用があるため，ビタミンCを摂取した後に尿検査を行うと，試験紙の化学反応を抑制して，偽陰性（実際には＋なのに結果は−）になることがあります。検査前にはアスコルビン酸が含まれるペットボトルのお茶などの摂取も避けるよう指導しましょう。

(4) 尿潜血＋の頻度は高く，例えば50歳以上の女性なら20％以上が陽性で

> ### COLUMN IgA腎症
>
> IgA腎症は，頻度が高い原発性糸球体障害で慢性腎炎の40％程度を占めます。蛋白尿は軽度で，血尿が優位です。免疫学的異常が原因で，糸球体にIgAの沈着とメサンギウム細胞の増殖を来すのが特徴です。その経過はゆっくりですが30年程度の経過で40％程度の人は腎不全となり人工透析が必要となる疾患です。

す。自覚症状のない尿潜血＋は，すぐに治療をする必要が少ないですが，患者に経過をよくみるように注意しましょう。また肉眼で確認できる場合はすぐに受診を推奨します。

Step 2 　尿潜血による患者指導

　尿潜血陽性が一過性か，持続性かを判断することが重要です。大きな疾患がなくても尿潜血陽性となることはありますが，持続して陽性の場合は一度専門医への受診を勧奨します。
(1) 尿潜血の持続的な陽性の場合は血尿を疑い，尿沈渣も確認します。原因としては①糸球体の障害（IgA腎症など），②感染症（腎盂腎炎，膀胱炎など），③結石（腎結石，尿路結石，膀胱結石），④膀胱がん，腎臓がんなど，があります。原因がはっきりわからない場合でも経過観察が必要です。
(2) 女性の場合は月経血の混入でも陽性になります（これは狭義の血尿ではありません）。

　尿潜血が陽性のときは，尿蛋白の結果も合わせてみましょう。

> **COLUMN 血尿診断ガイドライン（尿中有形成分定量）**
>
> 　「血尿診断ガイドライン」は，日本泌尿器科学会，日本腎臓学会などの関連5学会ならびに厚生労働省設置の研究班で共同作成されました。本ガイドラインでは，血尿判定における正確な赤血球数測定の意義が示されており，尿中赤血球数算定のための測定法の1つとしてフローサイトメトリー法（FCM法）が記載されています。サイトメトリーとは細胞やその他の生物学的な粒子の物理的な性質や化学的な性質を測定することであり，フローサイトメトリーとは細い流れの中をこれらの細胞や粒子を通過させて測定を行うための方法です。この検査法は，「尿中有形成分定量」といわれ，医療機関では簡単に測定できます。血尿と診断する基準は，ガイドラインでは尿沈渣で赤血球5個/HPF（400倍強拡大1視野）以上またはFCM法20個/μL以上です。

(1) 尿潜血が陽性で尿蛋白が陰性のときは，まず泌尿器系の疾患が考えられます。腎・尿管・膀胱の腫瘍，尿路結石，膀胱炎などです。ただし糸球体疾患のうち，このような所見をとる溶連菌感染後急性糸球体腎炎やIgA腎症の可能性は否定できません。
(2) 尿潜血が陽性で，尿蛋白も陽性（1＋以上が持続する）のときは，腎臓特に糸球体の疾患が考えられます。このような所見をとる糸球体腎炎（膜性増殖性糸球体腎炎など）の可能性があります。

Step3 尿潜血を読んでみよう

Practice ㉕ 59歳女性。検診結果でたびたび尿潜血が陽性と指摘されています。自分では，その原因がたびたび起こる膀胱炎によるものと判断しているそうです。この患者にはどのように指導したらよいでしょうか。

解説 女性は男性に比べて全年齢層で尿潜血陽性率が高くみられます。それは女性の尿道が男性に比べて短いために尿路感染症（膀胱炎）にかかりやすいことが原因とされています。膀胱炎であればその予防として，普段から疲労をためないこと，水分摂取や排尿を我慢しないことなどを心がけるよう指導しましょう。ただし，他の疾患の可能性も否定できませんので，尿潜血が持続する場合や肉眼で確認できる場合は専門医の受診を勧奨しましょう。

MEMO

> **COLUMN ヘモグロビン尿とミオグロビン尿**
>
> 　尿潜血反応は血尿をみるスクリーニング検査ですが，ヘモグロビン尿やミオグロビン尿がみられるときも陽性になります。ヘモグロビン尿はヘモグロビンが尿に含まれるもので，血液内で赤血球が壊れたときに起こります。溶血性貧血の一部（発作性夜間ヘモグロビン尿症など）や異型輸血（誤って型の違う血液を輸血すること）などでみられます。ミオグロビン尿は激しい運動後や横紋筋融解症など横紋筋のダメージがあると起こります。スタチンは壊死性ミオパチーを来し得ますが，重症になるとミオグロビン尿になります。ヘモグロビン尿やミオグロビン尿では尿沈渣検査で赤血球を認めないのが特徴になります。

26 尿糖

基準値 尿糖 陰性（−） （尿試験紙法）

Step 1 尿糖の基礎知識

　1日に約180gのブドウ糖が腎臓の糸球体で濾過され，健常人ではほとんど尿細管で再吸収されます。この再吸収が全身の糖代謝に果たす役割は大きいですが，再吸収する量には限度があり，健常人では血糖が170 mg/dLを超えるとすべては再吸収されずに，尿からブドウ糖が排泄されます。

　健常人の場合，通常は血糖値が140 mg/dLを超えることはありませんので，いかなるときも尿糖は陰性です。また，糖尿病患者でも尿糖が陰性のことはあります。

　一方，生まれつき尿細管でブドウ糖などを再吸収する能力の低い人がいます。検査結果では，血糖値が正常でも尿糖は陽性になり，腎性糖尿という病態です。

尿糖を読むポイント

(1) 試験紙法の結果は，（1＋）は100，（2＋）は250，（3＋）は500，（4＋）は1000 mg/dLのブドウ糖に相当します。

(2) 尿細管でブドウ糖を再吸収する力（再吸収極量）を超える血糖値を，「糖排泄閾値」といいます。この閾値は正常では170 mg/dLになります。つまり，尿糖が出ていなければ血糖値は170 mg/dL未満であるといえます。糖尿病では血糖がこの糖排泄閾値を超え，腎性糖尿では糖排泄閾値が低いため尿糖が出現します。

(3) ビタミンCを多量に摂取した後に尿検査を行うと，尿糖があっても試験紙の化学反応を抑制して，偽陰性（実際には＋なのに結果は−）になることがあります。

(4) 採尿のタイミングにより結果の見方が異なります。

早朝第一尿（寝る前に排尿して朝起きたときの尿）：夜間に高血糖であった場合は尿糖に反映します。早朝空腹時の血糖値が正常でも，早朝第一尿で尿糖が陽性であれば，「朝起きるまでに，血糖値が170 mg/dLを超えていた時間がある」または「食後の血糖値は170 mg/dLを超えていた可能性がある」と考えることができます。

早朝第二尿（早朝第一尿排尿後から朝食前の尿）：早朝空腹時血糖を反映し，一日で最も尿糖が少なくなります。

随時尿（一般的な尿採取）：食前・食後などの状況により尿糖結果の見方は変わります。

(5) 血糖が170 mg/dL以上で，尿にブドウ糖が排泄されるには，約30分かかります。そのため，高血糖の場合，採血したときよりも30分〜1時間後に採取した尿のほうが，尿糖は陽性になりやすくなります。このようなことから，血糖と尿糖は相関しないことがあります。

Step2 尿糖による患者指導

尿糖が陽性の場合，糖尿病，腎性糖尿，ダンピング症候群によるもののいずれであるかを判断することが重要です。

> **COLUMN ナトリウム依存性グルコース共輸送体（SGLT）**
>
> SGLT（sodium glucose transporter）とは，細胞内外のナトリウムイオンの濃度差を利用して，細胞内にブドウ糖とナトリウムイオンともに能動輸送する蛋白質です。ブドウ糖の輸送に関わるSGLTには主にSGLT1，SGLT2，SGLT3の3つが存在し，特に近位尿細管での糖の再吸収に関わる輸送体がSGLT2です。このSGLT2が，ブドウ糖の約90％の再吸収を調整しています。2型糖尿病患者では，健常者と比べSGLT2が高発現します。糖尿病患者にSGLT2阻害薬を投与すると，増加したSGLT2の働きを阻害し，再吸収が減少するため，尿へのブドウ糖の排泄が増加し，血糖は低下します。

(1) 糖尿病

高血糖のため原尿中の糖が増えて尿細管で再吸収できなくなり，尿中に糖が多く漏れ出てきます．血糖値が通常約170 mg/dLを超える（閾値を超える）と尿糖は陽性になります．

(2) 腎性糖尿

血糖が基準値内でもいつも尿糖陽性が認められる場合があります．これは先の「糖排泄閾値」が低い（近位尿細管におけるブドウ糖再吸収メカニズムの異常）ために，結果として陽性となります．特に治療の必要はありませんが，尿細管障害や間質性腎炎などで腎性糖尿になる場合もあります．

(3) ダンピング症候群

ダンピング症候群とは，胃切除者が大量の糖分を摂取したことにより，尿糖が陽性になるものです．胃切除者は，摂取した食物が急速に小腸に流入，吸収されて食後1時間以内に一時的に高血糖を来します．このため糖排泄閾値を超え尿糖が陽性となります．ダンピング症候群では一時的高血糖のためインスリンが大量に分泌されることで，食後2時間頃に低血糖となり倦怠感・冷や汗・めまいなどが起こります．

Step 3 尿糖の値を読んでみよう

Practice ㉖ 38歳男性．尿糖を調べる試薬が，薬局で販売されていることを知り，購入に来られました．健診で血糖値は問題なかったですが，尿糖は今回陽性だったことを気にされています．今まで尿糖が陽性になったことはないので，自分で再度調べたいとのことです．何かアドバイスすることはあるでしょうか？

解説 尿糖が陽性の事例を考えましょう．尿糖が陽性のときは，①血糖が170 mg/dL以上となり腎臓の糖排泄閾値を超えた場合があります．しかしこの方の血糖値は基準範囲内です．②腎臓の糖排泄閾値が低いことによる尿糖陽性も考えられます．今まで尿糖陽性と指摘されたことはないことから，先天性は考えにくく，また，糖排泄閾値を下げるSGLT2阻害薬の服薬履歴

もありません．お話を伺うと検査を受けられた日は，朝食後に排尿せずにいて6時間くらいたって採血，採尿されたとのことでした．このことから食後には高血糖を来し膀胱内にたまった尿の糖が検出され，血糖は食事6時間後の採血時には血糖が低下していたと考えられます．以上のような説明をしたうえで，尿糖試験紙を使用する際には，早朝尿で確認し，尿糖が検出された場合は食後（1～2時間）に再度検査をするように伝えます．その2回の検査結果をお薬手帳などに記載して，受診することを勧奨します．

COLUMN 腎性糖尿

　原尿に含まれるグルコース濃度が170 mg/dLまでの場合，グルコースは大部分が近位尿細管で，一部が集合管で吸収されるため尿中に排泄されることはありません．しかし近位尿細管の機能障害により高血糖を伴わないにもかかわらず尿中にグルコースが認められる病態があり，これを「腎性糖尿」といいます．

　狭義の腎性糖尿はグルコース輸送にかかわる遺伝子（Na-D-glucose cotransporter2；SGLT2）の変異によると考えられています（家族性腎性糖尿）．SGLT2遺伝子の変異の程度により，尿へのグルコース排泄量は異なることが明らかとなっています．ただし，どの遺伝子変異による腎性糖尿であっても何ら症状はなく偶然に発見されます．現時点で家族性腎性糖尿の頻度はわかっていません．報告数が少ないものの，重症型の腎性糖尿であっても予後は良好とされています．家族性腎性糖尿以外に腎性糖尿を来す疾患もあります．近位尿細管機能の広範吸収の欠陥を来すファンコニ症候群，先天性グルコース・ガラクトース吸収不全などです．

　正常血糖で尿糖陽性となる状態は，空腹時血糖が正常の糖尿病（食後血糖の上昇による）の場合でもみられます．食後にみられた測定されていない高血糖が尿糖排泄を作り出すことがあるからです．このため腎性糖尿の正確な診断のためには75 g経口ブドウ糖負荷試験において血糖値が正常範囲であることを示す必要があります．

第Ⅱ章

症例解析トレーニング

1 AST, ALT

CASE ① ★☆☆

糖尿病の治療のため近所のクリニックに通院中の患者がいつものように処方箋を持って来局しました。すると患者が不安そうに「血糖値はあまり変わらないからいつものお薬出しておきますけど，肝臓の数値が少し悪くなってきたから，血液検査の間隔を短くしましょうか」と主治医にいわれたと相談を受けました。

患者背景

56歳男性　身長168 cm　体重80 kg　来局時血圧138/82 mmHg
現病歴：高血圧（45歳），2型糖尿病（53歳），脂質異常症（54歳）にて内科に通院している。
喫煙歴：なし　　飲酒歴：なし

処方内容

Rp.1）メトホルミン塩酸塩錠 250 mg　　　　　　　　1回2錠（1日4錠）
　　　1日2回　朝・夕食後　　　　　　　　　　　　28日分
Rp.2）グリメピリド錠 1 mg　　　　　　　　　　　　1回2錠（1日2錠）
　　　アムロジピン錠（アムロジピンベシル酸塩）5 mg　1回1錠（1日1錠）
　　　1日1回　朝食後　　　　　　　　　　　　　　28日分
Rp.3）ロスバスタチン錠（ロスバスタチンカルシウム）5 mg　1回1錠（1日1錠）
　　　ラベプラゾールナトリウム錠 10 mg　　　　　　1回1錠（1日1錠）
　　　1日1回　夕食後　　　　　　　　　　　　　　28日分

※お薬手帳から約2年間処方内容は変わっていない。

臨床検査値

項目	単位	結果	項目	単位	結果	項目	単位	結果
WBC	/μL	7300	ALT	U/L	72	Alb	g/dL	4.3
Neut	%	61.9	LDH	U/L	205	TC	mg/dL	235
LYMP	%	27	ALP	U/L	91	LDL-C	mg/dL	166
MONO	%	8	γ-GT	U/L	45	HDL-C	mg/dL	41
EOS	%	2.9	ChE	U/L	531	TG	mg/dL	140
BASO	%	0.2	T-Bil	mg/dL	0.5	GLU	mg/dL	211
Hb	g/dL	15.3	BUN	mg/dL	12	HbA1c	%	7.3
PLT	$10^4/\mu$L	19.5	Cre	mg/dL	0.89	CRP	mg/dL	0.08
PT	%	94	NH₃	μmol/L	23			
AST	U/L	51	TP	g/dL	7.5			

この検査値,どう読む?

臨床検査値を読んでいくとわかる異常値として,大きく3つに分けることができます。すなわち **#1** 空腹時血糖,HbA1c高値,**#2** TC,LDL-C高値,**#3** 血清AST,ALT高値です。

どのような病態?

#1 空腹時血糖およびHbA1c高値: これらの数値は本症例の現病歴や血糖降下薬が処方されていることから,通院中の2型糖尿病によるもので糖尿病のコントロールが少し悪いと判断することができます(☞ P.68参照)。

#2 TC,LDL-C高値: 本症例のBMIを計算すると約28となり,メタボリックシンドロームがある可能性があります。メタボリックシンドロームでは高トリグリセライド血症を伴うことが多いのですが,TC,LDL-Cの異常やスタチンが処方されていることは,それ以外の脂質異常症の存在を疑います(☞ P.61参照)。

#3 血清AST，ALT高値：AST，ALTは逸脱酵素ですので，何らかの細胞が壊死していると考えられます。そこでまずはどこに異常がおきているのかを考えるために，血清AST/ALT比を利用します。本症例ではAST/ALT比は約0.7と算出できます。一般的にAST/ALT＞1の場合は繊維化が進行している慢性肝炎や肝硬変のほか，肝臓以外の臓器（筋肉，心筋，血液）の障害が原因となることがあります。一方，AST/ALT＜1の場合は主に肝細胞の障害が原因と絞ってよいことがわかっています（☞ P.9参照）。本症例は何らかの原因で肝細胞が障害されていると判断することができます。

病態をさらに読み込むと何がみえる❓

▶ AST/ALT比に関してはASTよりもALTの上昇が優位です。ALTの上昇が優位となる疾患としては慢性肝炎や脂肪肝，急性肝炎の回復期があげられます。

▶ 本症例はChEも高値です。ChEが高値となる疾患としてはネフローゼ症候群や甲状腺機能亢進症，糖尿病，脂肪肝などがあげられます。

▶ 次に，患者背景から本症例の病態を考えてみましょう。ALT優位のトランスフェラーゼ上昇，ChE高値や患者背景から糖尿病を伴う脂肪肝によるものの可能性は高そうです。もともと内臓型肥満を有する糖尿病患者はインスリン抵抗性が強く，高インスリン血症を伴っています。糖尿病薬のうちSU薬はインスリン分泌作用があり，血中インスリンはさらに高くなります。このような病態では脂肪肝が起こりやすいことが知られています。実際に脂肪肝かどうかを診断するには超音波検査が有効です。トランスフェラーゼ上昇が続くならば（ALT3ケタが続くようなら），非アルコール性脂肪肝炎（NASH）の可能性も医師は考えるかもしれません。

▶ TC，LDL-Cの高値に対してストロングスタチンで加療中であるにもかかわらずLDLコレステロールが糖尿病患者における目標値には達していません。医師は二次性の脂質代謝異常を起こす病態（甲状腺機能低下など）を考えるかもしれません。またスタチンの増量なども考慮しているかもしれません。

薬剤師は次に何をする❓

　この患者は糖尿病のコントロール不良が，肝機能異常の背景にありそうです。

◆薬剤師として気を付けたいことは薬剤の飲み忘れです。飲み忘れが糖尿病や脂質異常症のコントロール不良を招き，脂肪肝を増悪させる可能性もあるため，服薬アドヒアランスの再確認が必要です。

◆医師が脂肪肝を疑っているのかどうかは，患者からも聴取可能です。また，さらにトランスフェラーゼが高くなっていくなら，医師と治療方針に関する情報を共有することが重要です。

◆脂肪肝であることが疑われた場合，生活習慣の是正が最も重要となります。本症例の場合は，2型糖尿病，高血圧，脂質代謝異常，BMI 28でありメタボリックシンドロームがありそうですので生活習慣の是正が必要です。

専門医からのアドバイス

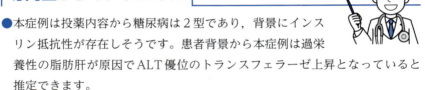

●本症例は投薬内容から糖尿病は2型であり，背景にインスリン抵抗性が存在しそうです。患者背景から本症例は過栄養性の脂肪肝が原因でALT優位のトランスフェラーゼ上昇となっていると推定できます。

●実際に脂肪肝かどうかを診断するには超音波検査が有効です。トランスフェラーゼ上昇が続くならばNASHの可能性もあり，栄養指導や運動療法を強化すべきです。

●そもそも，本症例は糖尿病コントロールが不良ですので，生活習慣を変えるためにはモチベーションを高める工夫や薬の正確な服薬指導は必要でしょう。治療薬の変更，追加も考慮すべきです。エゼチミブは小腸からの脂質吸収のみならず糖尿病患者での脂肪肝改善が報告されています。DPP Ⅳ阻害薬やSGLT2阻害薬も考慮すべきかもしれません。

●背景にある内臓肥満の改善により，糖尿病，脂質異常，ALT，AST異常が改善する可能性は大きい症例です。

本症例のまとめ

　高血圧・2型糖尿病の加療中に脂質代謝異常を発症し，脂肪肝に伴う血清AST，ALTの上昇を認めた症例です。

　糖尿病に脂肪肝を合併することはまれではありません。食事療法や運動療法などの生活習慣の是正は糖尿病に対する治療だけでなく，脂肪肝の合併を予防するうえで重要となり，さらには肝硬変や肝がんの原因となる非アルコール性脂肪肝炎（NASH）への進展予防にもつながります。

　飲酒をしている症例では同じ脂肪肝でもAST優位のトランスフェラーゼ上昇となります。γ-GT高値やChE低値を示す場合があるので注意が必要です。線維化の進行した脂肪肝でもAST優位の上昇を認めることがあります。

　血清AST，ALTの異常がどのような原因で起きているかは，他の臨床検査値や処方歴，既往歴など患者の情報を総合的に評価することが大切です。

知っておきたい知識　NAFLDの線維化と肝臓がん

　わが国の原発性肝がんはさまざまな抗ウイルス薬による治療法の効果により減少傾向にありますが，近年非アルコール性脂肪性肝疾患（NAFLD）を発生母地とする原発性肝がんが増加傾向にあります。しかしNAFLDの有病率は検診受診者を対象とした研究でも18～29％程度と高く，NAFLD全体からの発がんは年率約0.04％程度であることから，どのようなNAFLDの患者に対して肝がんの定期的なスクリーニングを行うのが適切かということが肝臓専門医の間で議論となっています。

　今のところわかっていることは，肝硬変を伴うNASHからの発がんは年率約2～3％と高いこと，糖尿病合併NAFLDの患者

は合併しない患者の2.5倍の発がんがあること，高齢男性に発がんが多いことなどです。特に肝臓の硬化(線維化)は進行すると発がんが起こりやすいことが知られており，線維化の進んだ患者のフォローアップと積極的なNAFLD治療は重要です。

本症例患者の血小板は$19.5×10^4$と基準値内です。ウイルス性肝疾患などでは肝臓の線維化が進行すれば血小板数は大きく低下し，肝硬変では$10.0×10^4$以下になることも多いです。AST/ALT比や血小板数は肝臓の線維化の指標となりますが，NAFLDの場合は血小板の低下に比較して線維化が進行している場合があり，違う指標を使う必要があると考えられています。NAFLDの肝線維化の進行を簡便にとらえる方法の1つに「FIB-4 index」というものがあります。

FIB-4 indexはAST，ALT，血小板，年齢から計算される指標で，「FIB-4 index＝年齢×AST／血小板×$\sqrt{ALT}$」で求めることが可能です。この指標は肝臓の線維化と関連があるAST/ALT比，血小板数と年齢により計算します。本患者で計算するとFIB-4 indexは1.73となります。FIB-4 indexが「1.30未満」であれば肝臓の線維化の可能性が低く，「1.30以上」になると肝臓の線維化の可能性が高まり，「2.67以上」で肝硬変かそれに近い肝線維化の可能性が高いとされています。FIB-4 indexを用いると本患者では少し肝臓の線維化が起こっている可能性があります。ただしFIB-4 indexは1つの指標ですので，正確な線維化の判定はフィブロスキャンなどの精密検査によって行われます。

▶▶ 症例解析フローチャート

ポイント1 臨床検査値の異常値をリストアップする
- #1 空腹時血糖，HbA1c高値
- #2 TC，LDL-C高値
- #3 血清AST，ALT高値

ポイント2 臨床検査値の異常と患者背景から病態を整理する
- #1 2型糖尿病
- #2 脂質異常症（肥満以外の原因も考える）
- #3 肝機能障害

ポイント3 AST，ALT高値の原因を考える
① AST/ALT比は？→約0.7
② AST/ALT＜1となる疾患は？→慢性肝炎，脂肪肝，急性肝炎の回復期がある
③ AST/ALTの変化の経過は？→ゆっくり変化しているなら急性肝炎の回復期は考えにくい

ポイント4 AST/ALT＜1となる病態と患者背景の関連について考える
（この患者は2型糖尿病，脂質代謝異常・肥満を有する）
- 慢性肝炎，急性肝炎の回復期は確認する必要があるが脂肪肝の可能性が高い
- ChE上昇も脂肪肝の存在を示唆する

知っておきたい知識　NAFL と NASH

　本症例のような脂肪肝は今日的には非アルコール性脂肪性肝疾患（nonalcoholic fatty liver disease；NAFLD）の範疇に入ると考えられています。NAFLDは組織診断あるいは画像診断で脂肪肝を認め，アルコール性肝障害など他の肝疾患を除外した病態のことです。

　NAFLDはさらに大きく以下の2つに分類されます。
- 非アルコール性脂肪肝（nonalcoholic fatty liver；NAFL）
- 非アルコール性脂肪肝炎
（nonalcoholic steatohepatitis；NASH）

　NAFLは肝細胞障害や線維化を認めませんが，NASHは病態が進行性で徐々に線維化し肝硬変や肝がんの発症を起こすこともあります。

■ NAFLDの発症要因

　単純な高度肥満，2型糖尿病（インスリン抵抗性）を含むメタボリックシンドローム，クッシング症候群などホルモン異常症，ある種の薬剤（アミオダロン，メトトレキサート，タモキシフェン，ステロイド製剤）があげられます。

■ NAFLDの診断

　各種臨床検査や画像診断を行いHBV，HCVなどによるウイルス性肝炎，自己免疫性肝炎やアルコール性肝障害などの除外を行い診断確定します。時には肝生検にてNAFLとNASHを確定診断することもあります。

■ NAFLDの治療

　減量や食事療法（低カロリー食，低脂肪食の摂取），運動療法に加えて，薬物療法としてスタチンとエゼチミブ併用やSGLT2阻害薬などがあげられます。

2　LDH

CASE②

　普段から高血圧と脂質異常症の治療を近所のクリニックで受けている患者がいつものように処方箋を持って来局しました。6週間前に逆流性食道炎と診断され，オメプラゾールが処方され，2週間前から息切れと全身倦怠感が出現し，血液検査を受けたところ貧血が認められ薬剤が中止されました。患者から「血圧は安定していて，コレステロール値も良い値でCKの上昇もないからいつものお薬を出しておきますけど，貧血を認めますので新しく始めた逆流性食道炎のお薬は中止して血液検査の経過をみましょう」と主治医にいわれたと相談を受けました。

患者背景

70歳女性　身長 154 cm　体重 48 kg　来局時血圧 134/76 mmHg
現病歴：高血圧（52歳），脂質異常症（57歳）
喫煙歴：なし
飲酒歴：なし

処方内容

Rp.1)	アムロジピン錠（アムロジピンベシル酸塩）5 mg	1回1錠（1日1錠）
	1日1回　朝食後	14日分
Rp.2)	ロスバスタチン錠（ロスバスタチンカルシウム）2.5 mg	1回1錠（1日1錠）
	オメプラゾール錠 20 mg	1回1錠（1日1錠）
	1日1回　夕食後	14日分

臨床検査値

項目	単位	結果	項目	単位	結果	項目	単位	結果
WBC	/μL	5100	ChE	U/L	298	Cl	mEq/L	107
RBC	10^6/μL	2.70	T-Bil	mg/dL	2.2	TC	mg/dL	180
Hb	g/dL	8.6	I-Bil	mg/dL	1.9	LDL-C	mg/dL	98
Ht	%	25.6	CK	U/L	100	HDL-C	mg/dL	54
PLT	10^4/μL	16.2	BUN	mg/dL	20	TG	mg/dL	138
AST	U/L	38	Cre	mg/dL	0.9	GLU	mg/dL	96
ALT	U/L	12	TP	g/dL	6.8	HbA1c	%	6.2
LDH	U/L	790	Alb	g/dL	4.1	CRP	mg/dL	0.12
ALP	U/L	75	Na	mEq/L	140			
γ-GT	U/L	28	K	mEq/L	4.2			

この検査値，どう読む？

臨床検査値からはプロブレムを抽出すると，**#1** Hb低値，**#2** T-Bil，I-Bil高値，**#3** LDH，AST高値が問題点として出てきます。

どのような病態？

#1 Hb低値：貧血について考えてみましょう。貧血をみる場合はMCV（平均赤血球容積）をみるようにしましょう。MCVが＜80は小球性貧血，81〜100は正球性貧血，101＜は大球性貧血と分類できます。本症例ではMCV＝[Ht（%）/RBC（×10^4/μL）]×1,000＝(25.6/270)×1,000≒94.8と正球性貧血であることがわかります。正球性貧血には急性出血性貧血，溶血性貧血，再生不良性貧血，腎性貧血，二次性貧血など鑑別が必要です。

#2 #3 ビリルビン，LDH，AST高値：生化学検査値をみると本症例ではLDH上昇に加え，I-Bil（間接ビリルビン），ASTの増加を認めます。これらの情報から溶血性貧血の可能性が高いことがわかりました。

第Ⅱ章　症例解析トレーニング

病態をさらに読み込むと何がみえる❓

▶LDH以外の生化学検査に注目しましょう。ALTは正常であることよりLDHとASTの上昇は肝臓由来でないことがわかります。また，CKが正常であることよりLDHとASTの上昇は心筋・骨格筋由来でないことがわかります。

▶LDH/AST比について考えてみましょう。LDH/AST＝790/38≒20.8＞20となり血液疾患や溶血性疾患の可能性があります（☞ P.13参照）。

▶LDH上昇に加えて，間接ビリルビン優位なビリルビンの上昇があることが溶血を強く示唆します。ビリルビンは，赤血球中のヘモグロビンが分解されて生じます。また，LDHはほとんどすべての細胞・臓器に存在しますが，赤

知っておきたい知識　溶血性貧血を起こす薬物

溶血性貧血の原因となりうる薬物と発生機序には以下のようなものがあります。

■ハプテン型
赤血球に薬物が結合し，それに対して抗体が産生されて脾臓で壊される。ペニシリン，セファロスポリン，テトラサイクリン。

■免疫複合体型
薬物に対して抗体が産生され，薬物と抗体，および補体が赤血球に結合して溶血する。テイコプラニン，オメプラゾール（本症例），リファンピシン。

■自己抗体型
薬物により赤血球に対する自己抗体が産生され溶血を来す。メチルドパ，フルダラビン，レボフロキサシン。

■赤血球修飾型
薬物が赤血球表面を修飾し，血清蛋白や免疫グロブリン，および補体が結合する。溶血はしないが直接クームステストが陽性になる。セファロスポリン。

血球中にも豊富に含まれますので溶血性疾患ではLDHとI-Bilが増加します。
▶このように末梢血液検査と生化学検査だけでも溶血性貧血であることがわかりますが，他に溶血を鋭敏にとらえるマーカーとしてはハプトグロビン(Hpt)があります。Hptはヘモグロビンと強固に結合し網内系に取り込まれて分解処理されます。溶血性疾患では血中Hptは消費され低下します。Hptの低下が確認されれば溶血性貧血に合致するデータといえます。

薬剤師は次に何をする？

◆溶血性貧血はさまざまな原因で起こりますが，本症例では経過から薬剤性溶血性貧血の可能性が考えられます。薬剤師として気を付けたいことは薬物によって溶血性貧血を起こすことがあることを念頭において，溶血性貧血を来す代表薬物を把握しておくことです。
◆血液データや症状から薬物による溶血や貧血を疑う場合は，溶血性貧血を起こしやすい薬物の有無を確認し，主治医と情報を共有することが重要です。本症例で使用されていたオメプラゾールは，溶血性貧血を起こすことがあるとの報告があるので，主治医は中止した可能性があります。

専門医からのアドバイス

●薬剤性溶血性貧血は，薬物によって赤血球に対する自己抗体が誘導され，この抗体と赤血球が反応し，赤血球の破壊が起こる後天性溶血性貧血です。このように免疫学的機序による溶血性貧血では，直接クームステスト(赤血球表面に結合している自己抗体の検査)が陽性となります。
●薬剤性溶血性貧血の発症時期は，薬物投与後数日の場合もあれば，数週間，数カ月の場合もありますので発症時期で薬物を特定することはできません。
●薬剤性溶血性貧血は，原因薬物を特定し中止することが重要です。

本症例のまとめ

　高血圧・脂質異常症の加療中に逆流性食道炎を発症し，オメプラゾールが処方され，薬物開始4週間後に貧血の症状が出現して，血液検査でHbの低下とI-Bil，LDH，AST上昇を認めた症例です。

　データからは溶血性貧血が考えられますが，溶血性貧血の原因は先天性のものや後天性のものといろいろあります。本症例では経過から薬剤性溶血性貧血が疑われます。

　薬剤性溶血性貧血はまれな疾患ではありますが，副作用として起こりうることを理解しましょう。

　血液検査でLDHの上昇を認めた場合，どこかの細胞・臓器に障害を受けている可能性がありますので，他の臨床検査値と組み合わせてデータを読むようにしましょう。

知っておきたい知識　採血時の溶血によるLDHの上昇

　採血時の物理的刺激により溶血が起こると，赤血球内の成分が血清中へ漏れ出てくることで血液検査にてLDHだけでなく，AST，カリウム，ALT，鉄などの値が高くなります。では，赤血球中には，これら酵素はどれぐらい多く含まれているのでしょうか。血清中に比較して，赤血中にはLDHは200倍，ASTは80倍，ALTは15倍，カリウムは20倍，鉄は97倍多く血球内に含まれています。臨床では，血清カリウム値が異常に高い場合にパニック値として報告されますが，カリウム以外にLDHやASTの上昇を伴っていることで溶血が原因とわかります。ある日突然これら酵素とカリウム値の上昇を認めた場合は，採血による物理的影響で溶血を起こしていると考えます。

▶▶ 症例解析フローチャート

ポイント 1 　臨床検査値の異常値をリストアップする
- #1 RBC, Hb, Ht 低値
- #2 T-Bil, I-Bil 高値
- #3 LDH, AST 高値

ポイント 2 　臨床検査値の異常と患者背景から病態を整理する
- #1 貧血
- #2 黄疸（溶血性黄疸・体質性黄疸・重症肝障害）
- #3 障害臓器を考える

ポイント 3 　LDH, AST 高値の原因を考える
① LDHとASTともにほとんどすべての細胞・臓器に存在するので臓器特定困難
② LDH, AST以外の酵素も吟味する→CK・ALT正常より筋・肝疾患は否定的
③ LDH/AST比は約20.8→白血病，悪性リンパ腫，溶血性貧血

ポイント 4 　LDH, ASTが高値となる病態と患者背景の関連について考える
- LDH/AST比が20を超えるのは？
  - ・白血病
  - ・悪性リンパ腫
  - ・溶血性貧血→貧血，溶血性黄疸
- 以上の3つのうちI-Bilが上昇するのは，溶血性貧血

3 ALP

CASE ③ ★★☆

　腰部脊柱管狭窄症で郊外の病院に通院中の顔なじみの患者が突然来局しました。健康診断の結果で初めて異常値を指摘されたとのことで，1週間前の血液検査の結果について相談を受けました。話を聞いてみると，「病院での血液検査でもこれまで異常値を指摘されたことはありません。顔と白目が少し黄色くなってきたので，2週間後の病院の診察まで待ってもよいかどうか迷っています」とのことです。

患者背景

68歳女性　身長168 cm　体重60 kg　来局時血圧108/67 mmHg
現病歴：腰部脊柱管狭窄症（66歳，保存的加療）で郊外の病院に通院している。
喫煙歴：なし　　飲酒歴：なし　　サプリメントなどの摂取：なし

処方内容

Rp.1）リマプロストアルファデクス錠5 μg　　　1回1錠（1日3錠）
　　　ジクロフェナクナトリウム錠25 mg　　　　1回1錠（1日3錠）
　　　レバミピド錠100 mg　　　　　　　　　　1回1錠（1日3錠）
　　　　1日3回　朝・昼・夕食後　　　　　　　35日分
Rp.2）リリカOD錠（プレガバリン）75 mg　　　1回1錠（1日2錠）
　　　　1日2回　朝・夕食後　　　　　　　　　35日分

※処方日は2週間前で，お薬手帳によると3週間前に鎮痛薬がロキソプロフェンナトリウム錠からジクロフェナクナトリウム錠に変更されている。それ以外は初来局時の2年前から継続されている。

臨床検査値

項目	単位	結果	項目	単位	結果	項目	単位	結果
WBC	/μL	6500	AST	U/L	68	TP	g/dL	7.1
Neut	%	60.5	ALT	U/L	97	Alb	g/dL	4.5
LYMP	%	26	LDH	U/L	320	TC	mg/dL	170
MONO	%	9	ALP	U/L	225	LDL-C	mg/dL	96
EOS	%	4	γ-GT	U/L	180	HDL-C	mg/dL	58
BASO	%	0.5	ChE	U/L	254	TG	mg/dL	80
Hb	g/dL	12.5	T-Bil	mg/dL	1.8	GLU	mg/dL	87
PLT	10^4/μL	31.5	BUN	mg/dL	8	HbA1c	%	5.2
PT	%	91	Cre	mg/dL	0.58	CRP	mg/dL	0.03

この検査値，どう読む？

臨床検査値を読んでいくとわかる異常値として，**#1** T-Bil高値，**#2** AST，ALT高値，**#3** γ-GT高値，**#4** ALP高値があげられます。

どのような病態？

#1 T-Bil高値：T-Bilは溶血性貧血や肝胆道疾患，体質性黄疸で上昇します。溶血性貧血に関してはHbが正常値であることから可能性は低いといえます。また，体質性黄疸はAST，ALTが通常正常です。本症例ではAST，ALT，γ-GT，ALPは異常値を示しており，何らかの肝胆道系の障害がT-Bilの上昇を起こしている可能性があります。また，来局時の所見で肉眼的眼球黄染を認めます。一般的にT-Bilが2.0 mg/dLを超えると眼球黄染を認めるとされていますので，本症例の場合は健康診断時のデータからさらにT-Bilは上昇していると推察されます（☞ P.26参照）。

#2 AST，ALT高値：血清AST/ALT比を利用します。本症例ではAST/ALT比は約0.8と算出できます。AST/ALT＜1であり，主に肝細胞障害が原因と絞ることができます。本症例は何らかの原因で肝細胞が障害されてい

ると判断することができます（☞ P.8参照）。

#3 γ-GT高値：γ-GTは胆道疾患や慢性肝炎，アルコールの過飲に加え，ある種の薬物の誘導で上昇します。患者背景から肝疾患の既往はなく，飲酒歴もないため慢性肝炎やアルコールによる可能性は否定的です。T-BilやALPの異常を認め，薬物の服用もありますので，胆道疾患や薬物による可能性はありそうです（☞ P.20参照）。

#4 ALP高値：ALPは肝細胞障害や胆道疾患，悪性腫瘍，骨関連疾患などで上昇します。 #1 ～ #3 の考察から肝臓が原因である可能性は高いですが，あえてその他の部位の可能性も考えてみましょう。本症例の場合，患者背景から腰部脊柱管狭窄症という骨の疾患を有しています。ただ，骨由来のALPの上昇は骨芽細胞の増殖と関連がありますので関連は低いかもしれません（☞ P.19 COLUMN参照）。経過が急でありT-BilやAST，ALT，γ-GTも異常値を示していることを考えると骨よりも肝細胞障害や胆道疾患を考慮すべきと考えられます。

病態をさらに読み込むと何がみえる❓

▶これまでの考察から #1 ～ #4 の原因は肝臓や胆道系にあると考えられます。

▶胆道系の疾患としては，悪性腫瘍や胆石による閉塞性黄疸の可能性があります。これらの疾患は臨床検査値や患者背景のみでの判断は困難で，画像評価などの他の検査と組み合わせて診断していく必要があるため，医師による診察が必須です。

▶肝臓についてはAST/ALT＜1であるため，慢性肝炎や脂肪肝の可能性は否定できませんが（☞ P.9参照），ALPの上昇もあり，薬歴から考えて薬物性肝障害は疑わしい症例です。原発性胆汁性胆管炎も否定できません。γ-GTは高値ですが，飲酒歴はないため，アルコール性肝炎は否定的です。

▶薬物性肝障害の可能性について掘り下げて考察してみましょう。薬物性肝障害は，①ASTやALT上昇主体でALPは基準値上限の2倍を超えることはない肝細胞障害型，②ASTやALTの上昇は軽度でALPは基準値上限の2倍を超える上昇を認める胆汁うっ滞型，③その両者の特徴をあわせた混合型，

の3つの型に分類されます。本症例の場合はALTが基準値上限の2倍を超えており、さらにALPも基準値上限を超えているため、混合型肝障害に分類されます。

薬剤師は次に何をする❓

この患者は閉塞性黄疸や薬物性肝障害などの可能性が考えられます。

◆まず気を付けたいことはこの患者が経過観察可能かどうかの判断です。本症例は顕性の黄疸になっていますので原因のいかんにかかわらず直ちに医師の診察を受ける必要があると伝えます。

◆何らかの治療が必要です。また薬物性肝障害が疑われれば原因薬物の中止が必要です。

◆薬物性肝障害が疑われる場合、原因薬物の特定は薬剤師が重要な役割を果たします。原因薬物の特定に有用なツールとして「DDW-J 2004 薬物性肝障害ワークショップのスコアリング」というものがあります（☞ P.126参照）。

〈薬物性肝障害のスコアリング〉

◆本症例が薬物性肝障害であるとすると(他の原因が否定されたとした場合)このツールを使用してスコアリングしてみましょう。

1. 本症例は混合型肝障害に分類されますので、各項目について患者背景などを加味して評価していきます。「2．経過」については投与続行しているので0点。「3．危険因子」については飲酒歴なし、妊娠なしから0点。「4．薬物以外の原因の有無」については胆道疾患以外を除外できるので0点。「6．好酸球増多(6％以上)」は6％未満なので0点。「7．DLST」は未施行なので0点。「8．偶然の再投与が行われたときの反応」は判断不能のため0点となります。よって「1．発症までの期間」と「5．過去の肝障害の報告」で各薬物を判断することができます。

2. 一般的に薬物性肝障害は原因薬物を使用後5～90日の間に発現することが多いといわれています。本症例においては来局時点で使用後5～90日経過している薬物はジクロフェナクナトリウム錠となります。それでは

表　DDW-J 2004 薬物性肝障害ワークショップのスコアリング

		肝細胞障害型		胆汁うっ滞または混合型		スコア
1．発症までの期間[1)]		初回投与	再投与	初回投与	再投与	
a．投与中の発症の場合 投与開始からの日数		5〜90日	1〜15日	5〜90日	1〜90日	+2
		<5日，>90日	>15日	<5日，>90日	>90日	+1
b．投与中止後の発症の場合 投与中止後の日数		15日以内	15日以内	30日以内	30日以内	+1
		>15日	>15日	>30日	>30日	0
2．経過		ALTのピーク値と正常上限との差		ALPのピーク値と正常上限との差		
投与中止後のデータ		8日以内に50％以上の減少		（該当なし）		+3
		30日以内に50％以上の減少		180日以内に50％以上の減少		+2
		（該当なし）		180日以内に50％未満の減少		+1
		不明または30日以内に50％未満の減少		不変，上昇，不明		0
		30日後も50％未満の減少か再上昇		（該当なし）		-2
投与続行および不明						0
3．危険因子		飲酒あり		飲酒または妊娠あり		+1
		飲酒なし		飲酒，妊娠なし		0
4．薬物以外の原因の有無[2)]		カテゴリー1，2がすべて除外				+2
		カテゴリー1で6項目すべて除外				+1
		カテゴリー1で4つか5つが除外				0
		カテゴリー1の除外が3つ以下				-2
		薬物以外の原因が濃厚				-3
5．過去の肝障害の報告		過去の報告あり，もしくは添付文書に記載あり				+1
		なし				0
6．好酸球増多（6％以上）		あり				+1
		なし				0
7．DLST		陽性				+2
		偽陽性				+1
		陰性および未施行				0
8．偶然の再投与が行われたときの反応						
単独再投与		ALT倍増		ALP（T.Bil）倍増		+3
初回肝障害時の併用薬とともに再投与		ALT倍増		ALP（T.Bil）倍増		+1
初回肝障害時と同じ条件で再投与		ALT増加するも正常域		ALP（T.Bil）増加するも正常域		-2
偶然の再投与なし，または判断不能						+0
					総スコア	

1) 薬物投与前に発症した場合は「関係なし」，発症までの経過が不明の場合は「記載不十分」と判断して，スコアリングの対象としない。
　　投与中の発症か，投与中止後の発症かにより，aまたはbどちらかのスコアを使用する。
2) カテゴリー1：HAV，HBV，HCV，胆道疾患(US)，アルコール，ショック肝
　　カテゴリー2：CMV，EBV
　　ウイルスはIgM HA抗体，HBs抗原，HCV抗体，IgM CMV抗体，IgM EB VCA抗体で判断する。
判定基準：総スコア　2点以下：可能性が低い　3,4点：可能性あり　5点以上：可能性が高い

（滝川一，恩地森一，高橋頼雪，他：DDW-J 2004ワークショップ薬物性肝障害診断基準の提案．．肝臓 2005；46(2)：85-90．）

ジクロフェナクナトリウム錠で項目1と項目5のスコアリングをしてみましょう。項目1については初回投与5日以上90日以下の間に入りますので，2点。項目5については厚生労働省作成の「重篤副作用疾患別対応マニュアル　薬物性肝障害」より，41例の報告があります。「過去の報告あり」と判断できますので，1点となります。以上から合計点は3点となり，「可能性あり」と判定することができます。その他の薬物については2年以上投与されているので，多くても1点となり，「可能性が低い」と判定できます。

◆本症例における薬剤師として適切な対応は，処方医への診察依頼と，その際にジクロフェナクナトリウム錠による薬物性肝障害の可能性を情報提供することがあげられます。また，忘れてはならないのは薬物性肝障害の診断はあくまで他の疾患による可能性を除外した後に行うことが原則です。勝手に薬物使用の中止を指示せず，処方医に確認してから判断するようにしましょう。患者にも同様に勝手に使用を中断しないよう指導することが望ましいです。

専門医からのアドバイス

- 本症例は治療の経過中に肝機能障害(肝細胞障害に加え胆汁うっ滞を伴う)を有する例です。黄疸も有していますので直ちに診断して治療する必要があります。このような症状を来す肝胆道疾患の種類は多く，医師は腹部超音波検査や採血にて追加の検査を加えることで系統だった診断手順を行い疾患を絞り込んでいきます。
- ウイルス性肝炎，閉塞性黄疸，自己免疫性肝疾患は診断が比較的容易ですが，薬物性肝障害は疑っても原因薬の絞り込みが困難なことが多く，薬剤師の方の知識をお借りしたい症例です。

知っておきたい知識　3つのタイプの薬物性肝障害

　薬物性肝障害の診断のためわが国ではDDW-J 2004 薬物性肝障害ワークショップのスコアリングを用います。ここでいう薬物性肝障害は以下のとおり3つのタイプ（肝細胞障害型，胆汁うっ滞型，混合型）があります。

　薬物性肝障害3つのタイプの判定にはALTとALPの値を参考にします。

　・肝細胞障害型：ALT＞2NかつALP≦Nまたは
　　　　　　　　　ALT比/ALP比≧5
　・胆汁うっ滞型：ALT≦NかつALP＞2Nまたは
　　　　　　　　　ALT比/ALP比≦2
　・混　合　型：ALT＞2NかつALP＞Nかつ
　　　　　　　　2＜ALT比/ALP比＜5

　　N：施設基準値上限の値
　ALT比：ALT実測値/N
　ALP比：ALP実測値/N

　DDW-J 2004ワークショップのスコアリングによる肝障害のタイプによると59％が肝細胞障害型，20％が混合型で21％が胆汁うっ滞型であったとされています。このスコアリングではこの3つに分類できる薬物性肝障害を評価していますが，特殊な薬物性肝障害には，血管障害を来すもの（シクロホスファミド，ブスルファン，アザチオプリン，エトポシドなど）や腫瘤性変化が生じるもの（蛋白同化ホルモンや経口避妊薬でみられる限局性結節性過形成や肝細胞腺腫など）もあります。

本症例のまとめ

　健康診断がきっかけで胆道疾患や薬物性肝障害の疑いが判明した症例です。ALPのみでは病態を把握することは困難で，他の臨床検査値や患者背景，自覚症状を組み合わせて病態を考察することが重要です。

　本症例のように薬物性肝障害は臨床検査値のみでは他の疾患を除外することが困難で，診察や画像評価などと組み合わせることにより初めて診断が可能となります。薬物性肝障害の診断には医師との協力体制が必須となります。

　薬物性肝障害は健康食品なども原因となりますので，薬歴の聴取だけでなく，健康食品やサプリメントの摂取状況も聴取することを忘れてはいけません。特に健康サポート薬局やかかりつけ薬局では健康診断の結果について相談される機会が多いと思われます。検査値について精査することも重要ですが，薬剤師の基本業務である薬歴管理やフィジカルアセスメントも取り入れることでより詳細に病態を把握することが可能となります。

　健康サポート薬局で重要な役割として，診察依頼や受診勧告があげられます。日常業務で遭遇する病態が精査加療を要するものか，経過観察やOTC医薬品などで対処可能なものかを判断することが重要となります。

知っておきたい知識　国際標準に合わせたALPとLDHの測定方法の変更について

　日本臨床化学会(JSCC)は，2020年4月1日からALPとLDHの測定方法を国際標準法である国際臨床化学連合(IFCC)法へと変更しました。ALPはIFCC法では小腸に存在するALPに対して検出感度が低いため基準範囲がJSCC法の約3分の1となりました。LDHは肝疾患にて上昇するLDH5型がJSCC法に比較してIFCC法で低値傾向となります。しかし測定値の低下は軽微で許容できる誤差範囲の変化であることからLDHの基準範囲は変更されませんでした。

症例解析フローチャート

ポイント 1 臨床検査値の異常値をリストアップする
- #1 T-Bil高値
- #2 AST, ALT高値
- #3 γ-GT高値
- #4 ALP高値

ポイント 2 臨床検査値の異常と患者背景から病態を整理する
- #1 肝細胞障害, 胆道疾患
- #2 肝細胞障害
- #3 胆道疾患, 薬剤
- #4 肝疾患, 胆道疾患

ポイント 3 ALP高値の原因を考える
① AST, ALT, γ-GT高値を伴うので肝胆道系の異常である
② 腹部USなどの画像や肝炎ウイルスの情報は必要である
③ 薬物やサプリメントの服用状況の聴取

ポイント 4 ALP高値となる病態と患者背景の関連について考える

薬物治療中の患者が肝機能異常を示した場合は他の肝疾患に加え薬物性も念頭に置く必要がある。薬物性肝障害とすると以下の情報を得たので医師と情報共有する。
- 薬物性肝障害のタイプは→混合型
- 原因薬剤→ジクロフェナクナトリウム錠が疑わしい
- 薬物性肝障害スコアは？→3点, 可能性あり

知っておきたい知識　肝内胆汁うっ滞

　「胆汁うっ滞」は胆汁の流れが減少する状態です。胆汁うっ滞ではALPやγ-GTのような胆汁うっ滞マーカーのみならず，AST，ALTの軽度上昇を伴うこともよくみられます。胆汁うっ滞を疑った場合は直ちに腹部超音波検査を行い，肝臓の中に異常のある「肝内胆汁うっ滞」であるか，肝臓の外の胆道に異常のある「肝外閉塞性胆汁うっ滞（閉塞性黄疸）」であるかを鑑別します（☞ P.18 COLUMN参照）。この検査で肝臓の中の胆管に拡張がなければ「肝内胆汁うっ滞」と考え対応します。

　成人で肝内胆汁うっ滞を来すよくみられる疾患としては「薬物性肝障害」や「原発性胆汁性胆管炎（PBC）」などがあります。PBCは中年女性に好発する自己免疫性の肝疾患の1つで，有病率は10万人あたり33.8人（2018年の「難治性の肝・胆道疾患に関する調査研究」班による調査）と日常よくみられます。この疾患の診断は，①胆道系酵素（ALP，γ-GTP）優位の肝機能検査異常を伴い，②「肝外閉塞性胆汁うっ滞」，ウイルス性肝疾患，薬物性肝疾患でないことが明らかで，③血清中抗ミトコンドリア抗体陽性，であれば診断できます。本症で取り上げた患者の抗ミトコンドリア抗体の結果もぜひ知りたいところです。

　PBCに対する第一選択薬はウルソデオキシコール酸で高い効果が期待されます。PBCは進行すると肝硬変となりますが，近年は早期に診断・治療されることが多くなり予後は改善しました。

4 γ-GT

CASE ④ ★☆☆

　高血圧症と高尿酸血症の治療のため近所のクリニックに通院中の患者が，いつものように処方箋を持って来局しました。患者から「血圧は安定していてよいのだけど，肝機能と中性脂肪と尿酸が今日は高いと主治医にいわれました。本当はお酒の量がかなり増えているといえませんでした」と相談を受けました。

患者背景

58歳男性　身長170 cm　体重64 kg　来局時血圧128/80 mmHg
現病歴：高血圧（47歳），高尿酸血症（52歳）
喫煙歴：なし
飲酒歴：あり（缶ビール500 mL×3本/日）

処方内容

Rp.1）　アムロジピン錠（アムロジピンベシル酸塩）2.5 mg　　1回1錠（1日1錠）
　　　　フェブリク錠（フェブキソスタット）10 mg　　　　　　1回1錠（1日1錠）
　　　　　1日1回　朝食後　　　　　　　　　　　　　　　　　28日分

臨床検査値

項目	単位	結果	項目	単位	結果	項目	単位	結果
WBC	/μL	8500	T-Bil	mg/dL	0.8	Cl	mEq/L	105
RBC	10^6/μL	5.18	AMY	U/L	110	TC	mg/dL	219
Hb	g/dL	15.5	CK	U/L	120	LDL-C	mg/dL	120
PLT	10^4/μL	16.8	BUN	mg/dL	12	HDL-C	mg/dL	44
AST	U/L	84	Cre	mg/dL	0.7	TG	mg/dL	369
ALT	U/L	52	UA	mg/dL	8.7	GLU	mg/dL	105
LDH	U/L	208	TP	g/dL	7.2	HbA1c	%	5.8
ALP	U/L	72	Alb	g/dL	4.4	CRP	mg/dL	0.2
γ-GT	U/L	362	Na	mEq/L	140			
ChE	U/L	360	K	mEq/L	4.3			

この検査値，どう読む？

臨床検査値から，**#1** AST，ALT高値，**#2** γ-GT高値，**#3** UA高値，**#4** TG高値がプロブレムとしてあがります。

どのような病態？

#1 AST，ALT高値：AST，ALTは肝細胞障害の際に上昇します。そこで，肝疾患の原因診断のため，血清AST/ALT比を利用します。本症例ではAST/ALT比は約1.6と算出できます。AST/ALT＞1の場合は，肝疾患では線維化の進行している慢性肝炎や肝硬変のほか，アルコール性肝障害や肝細胞がんが考えられます（☞ P.9参照）。

#2 γ-GT高値：本症例ではγ-GTは上昇していますが，他の胆道系酵素であるALPの上昇は認めていません。また，AST・ALTの上昇に比較してγ-GTの上昇は軽度に留まらず顕著に上昇しています。

#3 UA高値：尿酸が高値となる原因としては，プリン体を多量に含む食事やアルコールの過剰摂取以外に利尿薬内服や腎機能障害など多岐にわたりま

す．メタボリックシンドロームにおいても，食習慣だけでなく内臓脂肪蓄積やインスリン抵抗性が関与して高尿酸血症を合併する頻度が高くなります．

#4 TG高値：肥満や糖尿病に伴う高インスリン血症や，過剰なアルコール摂取や糖質摂取による肝でのVLDL合成が促進することで高トリグリセライド血症となります．

病態をさらに読み込むと何がみえる❓

▶ γ-GT以外の生化学検査に注目しましょう．本症例ではAST/ALT＞1とALTに比してAST優位な肝障害を認めますが，ビリルビンの上昇やアルブミン，コリンエステラーゼ，総コレステロール，血小板の低下もなく肝硬変は否定的です．肝細胞がんの有無に関しては，画像検査をする必要がありますが，経過からアルコールによるAST優位な肝細胞障害が考えられます．

▶ ALPの上昇を伴わないのにγ-GTの上昇は顕著であることより胆道系疾患や慢性肝炎を考えるよりは，アルコールや薬物によるγ-GTの酵素誘導が考えられます．

薬剤師は次に何をする❓

◆ γ-GTが上昇している場合，患者背景の情報としてアルコールの具体的な摂取量を聞いてみてください．本症例のように飲酒量を正直にいえない患者もおられることに注意してください．

◆ また，γ-GTが単独で上昇している場合，薬剤師として気を付けたいことはγ-GTがミクロゾーム酵素としてアルコールだけでなく，向精神薬などの薬物による酵素誘導を受けて上昇することがあることを念頭において，酵素誘導を引き起こす主な薬物を把握しておくことです．

◆ アルコール性肝障害が疑われた場合，禁酒が基本ですが将来的には肝障害の程度をみながら飲酒習慣の是正が重要となります．

◆ 何らかの薬物投与後，γ-GTの上昇だけでなく他の胆道系酵素であるALPの上昇やビリルビンの上昇を伴う場合，薬物による胆汁うっ滞型の肝障害の可能性もありますので処方内容のなかから肝障害を起こしやすい薬物の有無

を確認し，主治医と情報を共有することが重要です。薬物性肝障害だけでなく肝臓・胆道・膵臓の疾患の可能性もありますので，速やかに受診を勧めてください。

専門医からのアドバイス

- アルコール常飲者では，γ-GT単独で上昇しているということはしばしば認められます。この場合，2～3週間禁酒すると血清γ-GTは前値の約半分まで低下します。
- アルコール以外に抗てんかん薬などの薬物により，血清γ-GTの上昇が認められますので，飲酒歴の問診と服薬歴を確認してください。
- アルコール常飲者で血清γ-GTだけでなくALTに比してAST優位なトランスフェラーゼの上昇を認めることがありますが，γ-GTはミクロゾーム酵素としての誘導によってAST，ALTより上昇の程度は大きくなります。
- 胆汁うっ滞や閉塞性黄疸でも血清γ-GTは顕著に上昇することが多いですが，この場合は他の胆道系酵素であるALPも上昇します。機序としては，胆管内圧の上昇による血中への逆流や胆汁酸により細胞膜に存在するγ-GTが血中へと溶出するためと考えられます。

本症例のまとめ

　高血圧・高尿酸血症の加療中に定期血液検査でAST，ALT，γ-GT，UA，TGの上昇を認めた症例です。

　データからはAST優位のトランスフェラーゼの上昇やトランスフェラーゼの上昇よりも顕著なγ-GTの上昇，および胆道系酵素であるALPの上昇を認めないことよりアルコール性肝障害が考えられます。

　尿酸や中性脂肪は，アルコールを飲まない人でも肥満や過食などの食習慣によって上昇しますが，本症例では肥満もなく過剰なアルコール摂取による上昇が疑われます。

　以上より本症例で認められた種々の血液検査異常は，アルコール過剰摂取を疑う典型的なデータと考えられます。

　一般的には血液検査でγ-GTの上昇を認めた場合，アルコールや薬物の影響を受けている可能性だけでなく肝胆道系疾患の可能性もありますので，他の臨床検査値と組み合わせて総合的にデータを読むようにしましょう。

知っておきたい知識　γ-GTの誘導を起こす薬物

- **抗けいれん薬** … フェノバルビタール，フェニトイン，カルバマゼピン
- **鎮静薬** … バルビタール
- **抗菌薬** … リファンピシン
- **抗真菌薬** … グリセオフルビン
- **経口避妊薬** … プロゲステロン
- **抗凝固薬** … ワルファリン
- **糖尿病薬** … トルブタミド，アセトヘキサミド，クロルプロパミド

▶▶ 症例解析フローチャート

ポイント1 臨床検査値の異常値をリストアップする
- **#1** AST，ALT高値
- **#2** γ-GT高値
- **#3** UA高値
- **#4** TG高値

ポイント2 臨床検査値の異常と患者背景から病態を整理する
- **#1** AST優位な肝障害を認めるが，Alb，ChE，PLTの値が正常より肝硬変は否定的
- **#2** ミクロゾーム酵素誘導を来す薬物は内服していない
- **#3 #4** 肥満や糖尿病はなく，利尿薬も内服していない

ポイント3 γ-GT高値の原因を考える
① AST，ALTの上昇に比較して，γ-GTは顕著に上昇している
② 他の胆道系酵素であるALPの上昇は認めていないので胆道系疾患は否定的

ポイント4 γ-GT高値となる病態と患者背景の関連について考える
- AST/ALT＞1→アルコール性肝障害
- UA，TG上昇→アルコール過剰摂取
- γ-GTの顕著な上昇→アルコール過剰摂取による酵素誘導

5 ChE

CASE ⑤ ★★☆

2型糖尿病で近所の病院を通院中の患者が来局しました。HbA1c 6.9％で合併症予防の目標値は下回っていますが，この半年間に体重が3 kg増えたことでBMI 25以上になったとのことです。また，肝機能も少し悪く，脂肪肝も指摘されています。「医師からは血液検査の結果について説明を受けていますが，いつもChEが高いにもかかわらず説明がありません。ChEという言葉もわからず不安です」と相談を受けました。

患者背景

60歳男性　身長 171 cm　体重 73 kg　来局時血圧 139/80 mmHg
現病歴：脂質異常症(55歳)，2型糖尿病(55歳)
喫煙歴：なし　　飲酒歴：あり(少量のみ，機会飲酒)

処方内容

Rp.1) ザファテック錠(トレラグリプチンコハク酸塩) 100 mg　　1回1錠(1日1錠)
　　　月曜日　1日1回　朝食後　　　　　　　　　　　　　　2日分(投与実日数)
Rp.2) ベザトールSR錠(ベザフィブラート) 200 mg　　　　　　1回1錠(1日2錠)
　　　1日2回　朝・夕食後　　　　　　　　　　　　　　　　14日分

臨床検査値(空腹時)

項目	単位	結果	項目	単位	結果	項目	単位	結果
WBC	$/\mu L$	4800	ChE	U/L	598	Cl	mEq/L	109
RBC	$10^6/\mu L$	5.40	T-Bil	mg/dL	0.7	TC	mg/dL	215
Hb	g/dL	16.2	I-Bil	mg/dL	0.2	LDL-C	mg/dL	96
Ht	%	48.6	CK	U/L	100	HDL-C	mg/dL	47
PLT	$10^4/\mu L$	16.2	BUN	mg/dL	20	TG	mg/dL	317
AST	U/L	27	Cre	mg/dL	1.2	GLU	mg/dL	125
ALT	U/L	40	TP	g/dL	6.8	HbA1c	%	6.9
LDH	U/L	192	Alb	g/dL	4.3	CRP	mg/dL	0.14
ALP	U/L	84	Na	mEq/L	142			
γ-GT	U/L	63	K	mEq/L	4.5			

この検査値、どう読む？

臨床検査値を読んでいくと検査上プロブレムになるのは、**#1** ChE高値、**#2** Cre高値、**#3** TG高値、**#4** GLU、HbA1c高値です。

どのような病態？

#1 ChE高値：ChEが高い場合、その頻度から脂肪肝を思い出しましょう。ChEの高値は肝臓の予備能力(蛋白合成能力)が亢進している状態になります。ChE上昇のメカニズムは、蛋白合成以外にもあるといわれていますが不明です(☞ P.23参照)。

#2 Cre高値：Cre 1.2 mg/dLであり、基準値をわずかに超えています。ただし、Cockcroft-Gault式で推定CCr(クレアチニンクリアランス)を計算すると、67.9 mL/minであり、CKDとは判断できませんでした。

#3 TG高値：TGの臨床判断値は150 mg/dLです。検査値は明らかに高く、ベザフィブラートの効果はまだ確認できません。TGは採血前の食事の影響がでます。特に前回値と大きく違う場合は、前日の食事、空腹時間などを確

認してから，TGの経過をみるようにしましょう（☞ P.65参照）。

#4 GLU，HbA1c高値： 空腹時GLUは125 mg/dL，HbA1c 6.9％といずれも基準値よりやや高い数値です。この方は糖尿病ですので，平均血糖が上昇していることを示しています。

病態をさらに読み込むと何がみえる？

▶ ChEと相関して肝臓の予備能力（蛋白合成能力）低下を反映する検査項目として，コレステロール，アルブミンなどがあります。今回のデータではTC 215，LDL-C 96，HDL-C 47，Alb 4.3であり基準値を示しています。ChEが上昇する脂肪肝やメタボリックシンドロームでは，これらのデータに大きな変化がないこともあります。

▶ AST，ALTをみますとそれぞれは基準値内ですがALT優位です。正常ではAST，ALTとも基準値内かつASTが少し高くなります。このような所見は脂肪肝の可能性を示唆します（☞ P.9参照）。

薬剤師は次に何をする？

　ChEの活性上昇の際には肝臓以外の疾患にも留意してください。

◆脂肪肝以外でChEが高くなる疾患としては，糖尿病，肥満，ネフローゼ症候群，甲状腺機能亢進症などがあげられます。

◆ネフローゼ症候群では，アルブミンの喪失により中性脂肪やコレステロールが増え，肝臓での蛋白合成が亢進します。甲状腺機能亢進症では，甲状腺ホルモンの肝細胞毒性によって肝臓で産生される酵素（ChE）が増加します。尿蛋白のデータはありませんが血中のアルブミンは基準値内ですので，ネフローゼ症候群は関連が少ないと推察します。

専門医からのアドバイス

- 本症例は糖尿病があり脂肪肝が疑われる患者がChEの高値を気にされて薬剤師に質問されている状況です。このような場合，診察を行っている医師は血清ChEが少し基準値を超えていても病状に関連がないと考えてChE上昇について説明していないことが多い可能性があります。主治医はChEが低下しているときを重要視し，上昇しているときは軽視している可能性があります。
- この患者のように気にされる方も多いので，薬局で質問されることが多い検査値かもしれません。

本症例のまとめ

ChEのみが高い値を示す症例は，健康そうな方にも多くみられ，一見して重篤な疾患との関連は少なそうですが，脂肪肝以外に糖尿病，肥満，ネフローゼ症候群なども考えられます。服薬指導時には留意しましょう。

ChEのデータをみるときは，必ずコレステロール，アルブミンなどの変化もみるように心がけてください。

日頃からChEの変動に注意することで，患者の生活習慣の変化に気付くことができます。ChEの値が変動したときはその原因を考え，本症例のように脂肪肝によるものが疑われた場合は，薬剤師としてもChEも目安の1つにして基準値内に戻す指導をしてもよいと思います。

▶▶ 症例解析フローチャート

ポイント 1　臨床検査値の異常値をリストアップする
- #1 ChE 高値
- #2 Cre 高値
- #3 TG 高値
- #4 GLU, HbA1c 高値

ポイント 2　臨床検査値の異常と患者背景から病態を整理する
- #1 軽度のALT上昇を伴っており脂肪肝かもしれない
- #2 推定Ccrの計算で60 mL/min 以上であった
- #3 生活習慣（食事・運動）・採血前日の食事を確認する
- #4 糖尿病は薬物治療中でHbA1cは合併症予防の目標値は達成

ポイント 3　ChE高値の原因を考える
① 体重・BMIの変動→生活習慣の変化
② 他の肝予備能検査値→コレステロール・アルブミン変動なし

ポイント 4　ChE高値となる病態と患者背景の関連について考える
- 糖尿病と脂肪肝は原因である可能性は高い
- ネフローゼは尿所見なく不明だが，血清アルブミンは正常なので可能性は少ないかもしれない

MEMO

知っておきたい知識 「やる気スコア」とChE

　ChEは高齢者の「元気度」と関係があります。中山らの報告[1]によれば，ChEが要介護度，BMI，「やる気スコア」との相関を認めることがわかりました。また，アルブミンと組み合わせば，利用者の健康状態のさらに精度の高い指標になると報告しています。ChEは高齢者の元気度を客観的に確認できる1つの指標になるかもしれません。

　ご参考にしていただくと，患者との会話が盛り上がるかもしれません。

●参考文献
1) 血清コリンエステラーゼと高齢者の「元気度」の相関．中山博識，藤田委由，島根医学　27(4)：17-23，2007．

6 T-Bil

CASE ⑥ ★★☆

　高血圧と糖尿病の治療のため近所のクリニックに通院中の患者が，感冒で市販の総合感冒薬を内服して症状は回復したが，なんとなく倦怠感があり尿も黄色いと主治医に伝えたところ，一度，血液検査を受けることになりました。その結果，主治医から「黄疸と肝臓の数値が少し上がっているけど，風邪薬でもこのような異常が出ることもあるから様子をみましょう。他にはHbA1cが最近高くなってきているので食事に気を付けましょう」といわれました。その後，患者から不安そうに「薬でも黄疸になるといわれたけど他に原因はないのでしょうか」と相談を受けました。

患者背景

60歳男性　身長 168 cm　体重 61 kg　来局時血圧 126/70 mmHg
顔色不良，眼球黄染あり
現病歴：高血圧（55歳），糖尿病（60歳）
喫煙歴：なし
飲酒歴：なし

処方内容

Rp.1）オルメサルタン錠(オルメサルタン メドキソミル) 20 mg　　1回1錠（1日1錠）
　　　シタグリプチンリン酸塩水和物錠 50 mg　　　1回1錠（1日1錠）
　　　　1日1回　朝食後　　　　　　　　　　　　28日分
Rp.2）メトホルミン塩酸塩錠 250 mg　　　　　　　1回1錠（1日2錠）
　　　　1日2回　朝・夕食後　　　　　　　　　　28日分

臨床検査値

項目	単位	結果	項目	単位	結果	項目	単位	結果
WBC	/μL	7800	T-Bil	mg/dL	3.8	Cl	mEq/L	108
RBC	10^6/μL	4.42	I-Bil	mg/dL	0.5	TC	mg/dL	256
Hb	g/dL	14.4	AMY	U/L	106	LDL-C	mg/dL	164
PLT	10^4/μL	21.2	CK	U/L	110	HDL-C	mg/dL	62
AST	U/L	56	BUN	mg/dL	16	TG	mg/dL	150
ALT	U/L	48	Cre	mg/dL	0.6	GLU	mg/dL	172
LDH	U/L	186	TP	g/dL	6.8	HbA1c	%	8.2
ALP	U/L	352	Alb	g/dL	4.1	CRP	mg/dL	0.3
γ-GT	U/L	328	Na	mEq/L	142			
ChE	U/L	320	K	mEq/L	4.6			

この検査値，どう読む❓

　臨床検査値からは，末梢血算値では異常を認めません。**#1** T-Bil高値：総ビリルビンの上昇を認めますが，間接ビリルビンは基準範囲内です。**#2** AST，ALT高値：AST，ALTは軽度上昇しています．**#3** ALP，γ-GT高値：AST，ALT上昇に比較してALP，γ-GT優位な上昇を認めます。**#4** TC，LDL高値，**#5** 血糖値，HbA1c高値：糖尿病のコントロールは不良です。

第Ⅱ章 症例解析トレーニング

どのような病態❓

#1 T-Bil高値：T-Bilの上昇が認められますが，I-Bilが基準範囲内にありますので直接型優位なビリルビンの上昇であることがわかります。

#2 AST，ALT高値：AST，ALTは肝細胞障害の際に上昇します。本症例ではAST，ALTの上昇は軽度に留まり，以前には肝機能障害は指摘されたことがないそうです。

#3 ALP，γ-GT高値：本症例ではAST，ALTの上昇に比較してALP，γ-GTは顕著に上昇しています。胆道系疾患や胆汁うっ滞を疑います。

#4 TC，LDL高値：本症例は以前に脂質異常症の既往はなく，ALP，γ-GTのデータと組み合わせて考えると胆汁うっ滞と関連した高コレステロール血症の可能性が考えられます。

#5 血糖値，HbA1c高値：以前から糖尿病で通院されていますが，最近，血糖値やHbA1cが上昇してきているようです。まずは食事内容を見直す必要がありますが他に原因がないか考える必要があります。

病態をさらに読み込むと何がみえる❓

▶ 直接型優位なビリルビンの上昇でありますが，本症例ではAST，ALTに比較してALP，γ-GT優位な上昇を認めていますので胆汁うっ滞に伴う黄疸が考えられます。腹部エコーで胆管の拡張の有無や腫瘍の有無を確認する必要があります。薬物性の肝機能障害の可能性もあります。

▶ 本症例の患者背景に関しては，最近，血糖値やHbA1cが上昇してきているようで，食事内容を聞いてみて以前と変わらず気を付けているようでしたら他に血糖上昇を引き起こす原因があるかもしれません。例えば，糖尿病は膵がんの危険因子であることが知られています。膵がんが発症し血糖が悪化するケースもありますので注意深く画像検査をするなどの対応が必要となることもあります。

薬剤師は次に何をする？

◆ T-Bilが高値の場合は眼球や皮膚の黄染が出現することがあります。また尿の色が濃いあるいは黄色いなどと訴える患者もおられます。血液検査だけでなく症状も理解しておくと黄疸を早期に発見できることがあります。

◆ 本症例のように何らかの薬物投与後，直接ビリルビンの上昇と胆道系酵素の上昇を伴う場合，薬物による胆汁うっ滞型の肝障害の可能性もありますので処方内容のなかから肝障害を起こしやすい薬物の有無を確認し，主治医と情報を共有することが重要です。

◆ また本症例のように直接ビリルビンの上昇と胆道系優位な肝障害を認めた場合，胆汁うっ滞型の薬物性肝障害だけでなく，肝臓・胆道・膵臓に疾患がある可能性もありますので速やかに受診を勧めてください。

専門医からのアドバイス

● T-Bilが上昇している場合は，まずは直接優位か間接優位かをみてください。薬局でみる高ビリルビン血症で頻度が高いのは，間接ビリルビンの上昇で溶血，ジルベール症候群，長時間の絶食の影響が原因かと考えられます。直接ビリルビン優位な体質性黄疸の頻度は低く，直接ビリルビン優位な上昇では何らかの肝胆道系疾患があると考え，腹部エコーで閉塞性黄疸かどうか鑑別します。

● 間接ビリルビンが上昇していてジルベール症候群が考えられる患者では，イリノテカン塩酸塩やアセトアミノフェン（アセトアミノフェンはUGT1A6によりグルクロン酸抱合を受ける）などの薬物で代謝が遅延することにより副作用が強く出る可能性がありますので注意をしてください。

● イリノテカンに関してはUGT1A1の遺伝子多型の検査が保険適用となり，これを測定することで副作用発現の可能性を予測し投与量を調節しています。

本症例のまとめ

　高血圧・糖尿病の加療中に定期血液検査でT-Bil，AST，ALT，ALP，γ-GT，TC，LDL，血糖値，HbA1cの上昇を認めた症例です。

　データからは直接ビリルビン優位な上昇と肝細胞障害よりむしろ胆道系酵素の上昇が顕著な肝機能障害を認めます。経過からは市販の感冒薬による薬物性肝障害が考えられますが，他に胆汁うっ滞性疾患や胆道・膵臓疾患の可能性もあり腹部エコーなどの画像診断が必要となります。

　また，以前は基準範囲内であった総コレステロールやLDLコレステロールの上昇も認められます。胆汁うっ滞や閉塞性黄疸による二次性高脂血症でも上昇することがあります。

　本症例は糖尿病で通院していましたが血糖とHbA1cの悪化があり，一度，腹部エコーなどの画像検査にて膵がんの有無を確認しておく必要があります。

　一般的には血液検査で直接型優位なビリルビンの上昇を認めた場合，まずすべきは腹部エコーやCTなどの画像検査で黄疸の原因が閉塞性黄疸かどうかの鑑別が重要となります。

▶▶ 症例解析フローチャート

ポイント 1 臨床検査値の異常値をリストアップする
- #1 T-Bil高値
- #2 AST, ALT高値
- #3 ALP, γ-GT高値
- #4 TC, LDL-C高値
- #5 血糖値, HbA1c高値

ポイント 2 臨床検査値の異常と患者背景から病態を整理する
- #1 経過からは薬物性肝障害
- #2 #3 経過からは胆汁うっ滞型薬物性肝障害
- #4 以前に異常は認めていない
- #5 悪化してきているので食事以外の原因は？

ポイント 3 T-Bil高値の原因を考える
① AST, ALTの上昇は軽度なため肝細胞性黄疸や胆石の嵌頓は否定的
② ALP, γ-GT優位な上昇から肝細胞性黄疸より胆汁うっ滞や閉塞性黄疸を考える
③ TC, LDL-Cの上昇は, 肝内・肝外胆汁うっ滞で認められることがある

ポイント 4 T-Bil, D-Bil高値となる病態と患者背景の関連について考える
- ALP, γ-GT, TC, LDL-C高値→胆汁うっ滞型薬物性肝障害, 閉塞性黄疸
- 血糖値, HbA1c高値→食事以外の原因の1つに膵臓がん？→閉塞性黄疸？
- T-Bil, D-Bil高値→胆汁うっ滞型薬物性肝障害, 閉塞性黄疸

知っておきたい知識 高Bil血症を引き起こす疾患の特徴

間接ビリルビン優位の上昇の場合

■ **溶血性黄疸**

　T-Bil・I-Bil・LDH・AST・K上昇，網状赤血球数上昇を認めます。

■ **ジルベール症候群，クリグラー・ナジャー症候群**

　T-Bil・I-Bil上昇は認めるが肝胆道系酵素に異常を認めず。抱合酵素であるUGT1A1の変異による酵素活性の低下が原因です。

直接ビリルビン優位の上昇の場合

■ **劇症肝炎，進行性肝硬変**

　肝細胞障害によるD-Bilの上昇だけでなく，抱合能の低下に伴ってI-Bilも上昇してきます。D/T比が低下します。また，肝臓の合成能を表すAlbやコレステロールが低下します。

■ **急性肝炎**

　肝細胞の障害に伴ってT-Bil・D-Bilが上昇します。重症化するとI-Bilも上昇。

■ **原発性胆汁性胆管炎**

　肝内胆汁うっ滞性疾患でALP・γ-GTの上昇がメインでT-Bil・D-Bilが上昇するのは進行してからです。胆汁うっ滞によりコレステロールが上昇することがあります。

■ **原発性硬化性胆管炎**

　肝内・肝外の胆汁うっ滞性疾患でALP・γ-GTの上昇が認められますが，黄疸は消退することがあります。

■ **総胆管結石症**

　閉塞性黄疸の原因の１つでT-Bil・D-Bil・ALP・γ-GTの上昇

だけでなく，AST・ALTは結石の嵌頓にて肝内胆管内圧が急激に上昇すると一過性に顕著に上昇することがあります。また，結石が原因の膵炎を併発することもあり，アミラーゼの上昇を伴うことがあります。

■ **胆管がん，膵頭部がん，乳頭部がん**

閉塞性黄疸の原因となる。T-Bil・D-Bil・ALP・γ-GTの顕著な上昇を認めますが，通常AST・ALTは軽度上昇に留まり，総胆管結石による閉塞性黄疸との鑑別に役立ちます。

■ **デュビン・ジョンソン症候群，ローター症候群**

T-Bil・D-Bil上昇は認めるが肝胆道系酵素に異常を認めません。デュビン・ジョンソンとローター症候群は，それぞれ，抱合型ビリルビンの胆汁排泄トランスポーター(MRP2)と肝臓への取り込みのトランスポータ(OATP1B1/OATP1B3)に変異があるため，血中のD-Bilが上昇すると考えられていますが頻度はまれです。

7 BUN, Cre, eGFR

CASE ⑦ ★☆☆

　高血圧症でかかりつけのクリニックにかかっている患者が処方箋を持って来局しました。腰痛がひどくて整形外科にもかかっていたようです。数年前からロキソプロフェンナトリウム錠を処方され内服していました。いつものように体調や気になることを聞いていると「ぴりぴりとした痛みが出てきたので薬が変わったみたい。先生から腎機能が悪いし今回から痛み止めを変えてみようかといわれました」と話しました。

患者背景

79歳女性　身長152 cm　体重41 kg　来局時血圧124/81 mmHg
現病歴：高血圧（62歳）にて内科医院に通院している。
喫煙歴：なし
飲酒歴：なし

処方内容

Rp.1）エナラプリルマレイン酸塩錠 5 mg	1回1錠（1日1錠）
1日1回　朝食後	14日分
Rp.2）アセトアミノフェン錠 200 mg	1回2錠（1日6錠）
リリカカプセル（プレガバリン）25 mg	1回1 cap（1日3 cap）
1日3回　朝・昼・夕食後	14日分

※前回まではロキソプロフェンナトリウム錠 60 mg 1回1錠（1日3錠）
　1日3回（朝・昼・夕食後）で疼痛コントロールされていた。

臨床検査値

項目	単位	結果	項目	単位	結果	項目	単位	結果
WBC	/μL	6500	AST	U/L	12	eGFR	mL/min	45.9
Neut	%	63.2	ALT	U/L	10	Alb	g/dL	3.5
LYMP	%	31	T-Bil	mg/dL	0.6	HbA1c	%	5.3
Hb	g/dL	13.1	BUN	mg/dL	19	CRP	mg/dL	0.12
PLT	10^4/μL	22.3	Cre	mg/dL	0.9			

尿蛋白（－）　尿潜血（－）

この検査値，どう読む？

この患者の臨床検査からのプロブレムは，**#1** Cre，eGFRの異常です。

どのような病態？

#1 Cre，eGFRの異常：これらの検査値をみるとCreは基準範囲より少し高値を示しています。また，eGFRはCKD重症度分類ではG3aの「軽度〜中等度低下」に該当します（☞ P.33 表2参照）。蛋白尿や尿潜血は陰性ですので糸球体疾患ではなく，尿細管の障害や腎血流の低下が原因の可能性があります。腎機能は健常人でも加齢により低下します。高齢な人ほどeGFRは低下しています。本症例でもeGFRが低値である理由の1つに加齢による生理的な要因があることを理解しておく必要があります。

病態をさらに読み込むと何がみえる？

▶この症例ではeGFRが年齢に比して低く，医師から「腎機能が落ちている」といわれていることからも，薬物性の腎障害も疑う必要があります。単回の血液検査ではもともとの腎機能なのか薬物による腎障害なのかを判断することは困難です。過去何回かの血液検査値の変動から判断することが理想的です。

▶この患者はNSAIDsを数年間服用されています。NSAIDsはCOX阻害によりPGの産生抑制を来します。循環血漿量が低下している患者では腎血流量を保持するためにPG産生が亢進しているため，NSAIDsの使用によりPG産生が抑制され腎血流量低下から腎前性腎不全を起こし腎機能が低下することがあります。また，NSAIDsの長期投与により間質性腎炎を用量依存的に起こすことがあります。

薬剤師は次に何をする❓

この患者は加齢に伴うGFRの低下に加えてNSAIDsによる軽度腎障害があることが予想されます。

検査以外のプロブレムとして，プレガバリンの服薬開始があります。

◆プレガバリンはクレアチニンクリアランス（CCr）の値により投与量が設定されています。CCrを算出してみましょう。CCrは簡易的にCockcroft and Gault式で算出します。本症例は79歳，体重41 kg，Cre 0.9ですので，CCrは33 mL/minになります（eGFRより低くなりました）。

◆プレガバリンカプセル開始時の投与量は表により，初回1日量は1回25 mg 1日3回または1回75 mg 1日1回となりますので，医師の処方はこの患者の腎機能を考慮した投与量であることがわかります。ロキソプロフェンナトリウム錠の薬剤変更により腎機能が改善された場合には，効果を確認のうえ，投与量の再設計をすることも忘れないようにしましょう。

Cockcroft-Gault式

$$CCr = (140 - 年齢) \times 体重(kg) \div 72 \times 血清クレアチニン(mg/dL)$$

（女性の場合 ×0.85）

表　神経因性疼痛におけるリリカカプセルの初期用量

CCr (mL/min)	≧60	≧30−<60	≧15−<30	<15	血液透析後の補充用量
初期用量	1回75 mg 1日2回	1回25 mg 1日3回 または 1回75 mg 1日1回	1回25 mg 1日1回 もしくは2回 または 1回50 mg 1日1回	1回25 mg 1日1回	25または50 mg

専門医からのアドバイス

- 本症例のeGFR低下理由は，加齢による変化に加え，腎硬化や間質性腎炎など腎臓の糸球体以外の病変が関与している可能性があります。さらにこの患者へのプレガバリン投与量決定の際のeGFRと推定CCrの乖離が問題となっています。
- 小柄な方ではeGFRが本来のGFR(CCr)に比べて高めに出てしまうということに注意せねばなりません。
- エナラプリルなどのACE-IやARBは腎保護がありますが，腎臓の輸出細動脈を拡張させる作用により，糸球体内圧が低下することで，糸球体濾過圧や腎血流量が低下しますので，一時的なNSAIDsの使用でも注意する必要があります。

本症例のまとめ

　加齢による腎機能低下患者に対するACE阻害薬およびNSAIDsの薬物性腎障害を疑われた症例です。
　「エビデンスに基づくCKD診療ガイドライン2018」にもあるように，CKDの患者への降圧薬としてはACE阻害薬またはアンジオテンシン変換酵素阻害薬(ARB)が推奨されています。これは前述のように，腎血流量を低下させることで糸球体内圧を低下させ糸球体の負担を軽くします。高血圧の診断とeGFRの値からACE阻害薬やARBが選択されることは少なくないと思います。このような例へのNSAIDsの使用は腎臓の状態の変化を来しやすいことを認識したうえで，併用薬の選択・評価をすることが大切です。

▶▶ 症例解析フローチャート

ポイント1 臨床検査値の異常値をリストアップする
  #1 Cre，eGFRの異常

ポイント2 臨床検査値の異常と患者背景から病態を整理する
  #1 腎機能障害

ポイント3 Cre高値およびeGFR低値の原因を考える
  ① 治療薬の副作用または相互作用は？
  ② 尿蛋白や尿潜血などの尿検査の結果は？
  ③ 加齢による生理的な腎機能低下は？

ポイント4 Cre高値（eGFR低値）となる病態と患者背景の関連について考える
  ● 尿蛋白や尿潜血は陰性のため間質性腎炎や腎硬化を考える
  ● エナラプリルやNSAIDsなど薬剤による腎血流量の低下に加え年齢による生理的機能低下を考慮する
  ● 腎機能の変化により腎排泄型薬剤の投与設計についても注意が必要

知っておきたい知識　シスタチンC

　シスタチンCは血清蛋白（アミノ酸120残基）の1つであり，全身の有核細胞で産生されます。血清シスタチンCの基準値は男性0.63〜0.95（mg/L），女性0.56〜0.87（mg/L）です。クレアチニンは筋肉で産生されるため筋肉量の影響を受けます。このため男女差や年齢差がみられます。一方，シスタチンCはほとんどの細胞で恒常的に産生されているために筋肉量，性差・年齢といった腎外性因子による影響がクレアチニンより少ないことが知られています。シスタチンCは容易に糸球体で濾過されるため，腎糸球体濾過能が低下するとシスタチンCの血中濃度は上昇します。血清クレアチニンはGFR 30 mL/分前後まで低下した頃から上昇するのに対し，シスタチンC値はGFRが70 mL/分前後から上昇するため腎機能障害の早期診断に有用とされています。

　CKD診療ガイドラインにはシスタチンCを用いたeGFR（$eGFR_{CysC}$）式が記載されており，腎機能の評価，特に筋肉量が少なくCreが低値になる患者に有用です。また，$eGFR_{Cre}$と$eGFR_{CysC}$の平均値が実際のGFRに最も近いといわれています（図）。

---

①Creを用いた推算式
　男性：$eGFR_{Cre} (mL/min/1.73\ m^2) = 194 \times 年齢^{(-0.287)} \times Cr^{(-1.094)}$
　女性：$eGFR_{Cre} (mL/min/1.73\ m^2) = 194 \times 年齢^{(-0.287)} \times Cr^{(-1.094)} \times 0.739$

②シスタチンC（CysC）を用いた推算式
　男性：$eGFR_{CysC} (mL/min/1.73\ m^2) = (104 \times CysC^{-1.019} \times 0.996^{年齢}) - 8$
　女性：$eGFR_{CysC} (mL/min/1.73\ m^2) = (104 \times CysC^{-1.019} \times 0.996^{年齢} \times 0.929) - 8$

③CreとCysCのどちらも得られる場合
　$eGFR_{average} (mL/min/1.73\ m^2) = (eGFR_{Cre} + eGFR_{CysC})/2$

図　eGFR推算式

8 UA

CASE ⑧

　消化性潰瘍と高血圧にて近所のクリニックで治療中の患者が久しぶりに来局しました。「1週間前にゴルフをしてから足の甲の痛みがひどくなって，痛み止めを飲んでしのいでいましたが，今は痛みがほとんどなくなりました。今日クリニックで採血したら尿酸値が高いといわれました」とのことです。

患者背景

48歳男性　身長166.3 cm　体重60.1 kg　来局時血圧135/83 mmHg
BMI：21.7，腋窩体温：36.5℃
現病歴：消化性潰瘍(38歳)，高血圧(46歳)，高脂血症(46歳)
喫煙歴：10本/日　　飲酒歴：あり(ビール1500 mL/日)
生活歴：ゴルフ1〜2回/月程度　　単身者で1人暮らし
アレルギー歴：なし

処方内容

Rp.1) アムロジピン錠(アムロジピンベシル酸塩) 5 mg　　1回1錠(1日1錠)
　　　トリクロルメチアジド錠 2 mg　　　　　　　　　　1回1錠(1日1錠)
　　　　1日1回　朝食後　　　　　　　　　　　　　　　28日分
Rp.2) ベザフィブラート徐放錠 200 mg　　　　　　　　　1回1錠(1日1錠)
　　　　1日1回　夕食後　　　　　　　　　　　　　　　28日分
Rp.3) ファモチジン錠 20 mg　　　　　　　　　　　　　 1回1錠(1日2錠)
　　　　1日2回　朝・夕食後　　　　　　　　　　　　　28日分

〈新規処方〉

Rp.4) フェブキソスタット錠 10 mg　　　　　　1回1錠（1日1錠）
　　　 1日1回　朝食後　　　　　　　　　　　 28日分
Rp.5) ナイキサン錠（ナプロキセン）100 mg　　1回1錠
　　　 疼痛時

臨床検査値

項目	単位	結果	項目	単位	結果	項目	単位	結果
WBC	$/\mu L$	9200	ChE	U/L	308	K	mEq/L	4.5
RBC	$10^6/\mu L$	4.42	T-Bil	mg/dL	1.0	Ca	mg/dL	9.8
Hb	g/dL	13.9	AMY	U/L	70	Cl	mEq/L	103
Ht	%	42.4	CK	U/L	182	TC	mg/dL	208
PLT	$10^4/\mu L$	17.4	BUN	mg/dL	17	LDL-C	mg/dL	97
AST	U/L	20	Cre	mg/dL	1.1	HDL-C	mg/dL	64
ALT	U/L	12	UA	mg/dL	9.7	TG	mg/dL	238
LDH	U/L	182	TP	g/dL	7.3	GLU	mg/dL	104
ALP	U/L	88	Alb	g/dL	4.5	HbA1c	%	5.5
γ-GT	U/L	37	Na	mEq/L	138	CRP	mg/dL	1.71

この検査値，どう読む？

臨床検査値からは，#1 UA高値，#2 TG高値，#3 CRP高値，#4 WBC高値です。

どのような病態？

#1 UA高値：高尿酸血症の状態です。検査データから①腎負荷型（尿酸生成の増加もしくは腸管からの排泄低下）によるものか，②腎排泄の低下によるものかは不明です。

#2 TG高値：LDL-Cは基準値内なのでこの時点ではWHO分類でⅣ型高脂血症です。Ⅳ型高脂血症ではVLDLの異化が障害されますので，高VLDL

血症を来していそうです。処方薬のベザフィブラートはトリグリセリド低下に有用なもので，本症例にも処方されていますがまだ基準値より高値です。糖質の過剰摂取（高カロリー食）や内服薬の服薬アドヒアランスの状況を確認する必要があります。

#3 CRP高値，#4 WBC高値：何らかの炎症が存在している可能性があります。症状からは痛風による関節炎が疑われます。患者の発言より自覚症状は軽快に向いていると推測されます。

病態をさらに読み込むと何がみえる？

▶ 来局時には痛風の状況がかなり改善し，疼痛は落ち着いてきている状態です。そろそろ尿酸を下げる治療ができそうです。

▶ 高尿酸血症の原因を確認したいところです。尿中への尿酸クリアランス（血中と尿中の尿酸，クレアチニンから計算できます）がわかると尿酸生成の増加によるものか，腎排泄の低下かがわかりますが，今回，尿酸生成抑制薬が開始になっていることから尿酸生成の増加が関与していると主治医は判断しているようです。

▶ 高血圧・高脂血症の合併の高尿酸血症：高血圧合併時は目標尿酸値を6.0 mg/dL以下にすることが推奨されています[1]。動脈硬化性疾患や2型糖尿病の発症予防と進展防止が治療目標となります。

薬剤師は次に何をする？

◆ 高尿酸血症がある場合，食事療法（適切なエネルギー摂取，プリン体摂取制限：400 mg以下／日，飲酒制限，十分な飲水）および運動療法（BMI＜25を目標とする激しい運動は無酸素状態に陥り，逆に尿酸値を上げることがあるので留意が必要）といった非薬物療法も行い生活習慣の見直しが重要であることを伝えます。

◆ 併用薬のなかには尿酸値を上昇させる薬物もあるため，変更が可能か確認することも必要です。本症例の場合であれば，サイアザイド系利尿薬が血清尿酸値を上昇させる可能性があることを情報提供します。

専門医からのアドバイス

- 高尿酸血症は日常臨床でよくみかける状態です。本症例は高尿酸血症の患者が痛風発作を来している状態です。
- 患者は痛風と高尿酸血症を同じものと誤解されていることがあります。そもそも痛風発作はどのように起こるのかを一度考えてみましょう。
- 高尿酸血症（尿酸 7.0 mg/dL を超える状態）があると尿酸結晶の析出が起こりかけます。尿酸結晶は関節の壁に析出すると理解ください。普段は関節の壁に析出しているだけで症状はありません。この結晶が関節液中に剥がれ落ちると強い炎症が起こります。これが痛風発作です。このときはまず炎症を抑えましょう。
- 一方，尿酸を下げる薬は「関節の壁の尿酸結晶を減らすために用いる」と考えるとわかりやすいです。

本症例のまとめ

　高尿酸血症による痛風関節炎を認めた症例です。既往として高血圧や高脂血症があり生活背景から生活習慣の是正が必要です。
　高血圧合併症例では血清尿酸値を6.0 mg/dL以下を目標とします。
　生活指導は重要で，食事療法や節酒を推奨します。

●参考文献
1）日本痛風・尿酸核酸学会ガイドライン改訂委員会 編：高尿酸血症・痛風の治療ガイドライン第3版，診断と治療社，2018.

▶▶ 症例解析フローチャート

ポイント 1　臨床検査値の異常値をリストアップする
- #1　UA高値
- #2　TG高値
- #3　CRP高値
- #4　WBC高値

ポイント 2　臨床検査値の異常と患者背景から病態を整理する
- #1　高尿酸血症および関節痛があり痛風の状態
- #2　脂質異常症
- #3 #4　炎症反応

ポイント 3　UA高値の原因を考える
① 腎負荷型か？→プリン体の過剰摂取はあるか？ 腸管からの排泄が低下しているのか？
② 尿酸排泄低下か？→尿酸クリアランスの低下があるか確認する？

ポイント 4　UA高値となる病態と患者背景の関連について考える
- 患者背景より食生活の乱れによる高尿酸血症の状態
- 既往歴として高血圧や高脂血症があり，合併症がない人よりも低値の尿酸値が求められる

知っておきたい知識 尿中尿酸排泄量と尿酸クリアランス

「腎負荷型」,「尿酸排泄低下型」,「混合型」,の病型分類を正確に行うために尿中尿酸排泄量と尿酸クリアランスの測定を行うことも検討します。

(尿中尿酸排泄量と尿酸クリアランス算出の計算式)

- 尿中尿酸排泄量（mg/kg/時）＝ ［尿中尿酸濃度（mg/dL）］×［60分間尿量（mL/時）］/［体重（kg）］/100
  正常値：0.483〜0.509 mg/kg/時
- 尿酸クリアランス（mL/分）＝［尿中尿酸濃度（mg/dL）］×［1分間尿量（mL/分）］/［血清尿酸濃度（mg/dL）］×［1.73/体表面積］
  正常値：7.3〜14.7 mL/分

正確な尿中尿酸排泄量と尿酸クリアランス測定のためには，プリン体摂取制限と十分な尿量の確保が必要です。このために下記のような手順で行います。

① 3日前から高プリン食・飲酒制限をする。
② 早朝空腹時（絶食）にコップ2杯の水（300 mL）を飲水する。
③ 水300 mLを飲水30分後に完全排尿する。排尿完了時刻を0分とする。
④ 測定開始30分後に採血を行う（血中尿酸・クレアチニン測定）。
⑤ 測定開始60分後に完全排尿して正確に全尿量を測定する（尿量測定・尿中尿酸・クレアチニン測定）。

9 Alb

CASE ⑨ ★☆☆

　高血圧，脂質異常症の治療のため近所のクリニックに通院中の52歳の男性．いつものように処方箋を持って来局しました．このとき検査結果の一覧を示し，「アルブミン値が以前は4.2くらいだったらしいのが，徐々に下がってきているといわれました．コレステロールが高いからお酒をやめるように毎回いわれています．そういえば，先生にはいわなかったけど最近下半身のむくみがとれにくいです」と話しています．

患者背景

52歳男性　身長 169 cm　体重 75 kg　来局時血圧 141/83 mmHg
脈拍：71 回/min
現病歴：高血圧，脂質異常症
喫煙歴：20代の頃に喫煙経験あり．
飲酒歴：あり（日本酒にして 3〜6合/日程度　20歳前半よりほぼ毎日）
輸血歴：なし　　家族歴：特記事項なし

処方内容

Rp.1）フロセミド錠 40 mg　　　　　　　　　　1回1錠（1日1錠）
　　　アムロジピン錠（アムロジピンベシル酸塩）5 mg　1回1錠（1日1錠）
　　　　1日1回　朝食後　　　　　　　　　　14日分
Rp.2）ベザフィブラート徐放錠 200 mg　　　　　1回1錠（1日2錠）
　　　　1日2回　朝・夕食後　　　　　　　　14日分
Rp.3）ウルソデオキシコール酸錠 100 mg　　　　1回1錠（1日3錠）
　　　　1日3回　朝・昼・夕食後　　　　　　14日分

臨床検査値

項目	単位	結果	項目	単位	結果	項目	単位	結果
WBC	/μL	4500	AST	U/L	105	TP	g/dL	7.8
Neut	%	65.8	ALT	U/L	60	Alb	g/dL	3.4
LYMP	%	21.8	LDH	U/L	208	TC	mg/dL	190
MONO	%	8.4	ALP	U/L	78	LDL-C	mg/dL	83
EOS	%	3.6	γ-GT	U/L	450	TG	mg/dL	270
BASO	%	0.4	ChE	U/L	203	GLU	mg/dL	120
RBC	10^6/μL	3.00	T-Bil	mg/dL	1.4	HbA1c	%	6.1
Ht	%	35.4	BUN	mg/dL	15	CRP	mg/dL	0.1
PLT	10^4/μL	9.5	Cre	mg/dL	0.6			
PT	%	65	NH_3	μmol/L	30			

この検査値, どう読む？

#1 TG高値, **#2** AST, ALT高値, **#3** γ-GT高値, **#4** 赤血球数, Ht低値, **#5** 血小板数低値, **#6** Alb, PT, ChE低値があげられます。

どのような病態？

#1 TG高値：高TG血症を伴う脂質異常症と考えられます。ベザフィブラートは，TGを効率よく下げる効果があるため処方されているのでしょう。この患者のBMIは約26であり，肥満であることがわかりますのでメタボリックシンドロームの可能性があります。TGの上昇はアルコールの過飲でもみられます。

#2 AST, ALT高値：AST, ALTの上昇がありますので血清AST/ALT比を確認すると約1.7と算出できます。AST/ALT＞1の場合は線維化の進行している慢性肝炎や肝硬変，アルコール性肝障害，うっ血肝のほか，肝臓以外の臓器(筋肉，心筋，血液)の障害が原因となることがあります(☞ P.8参照)。

#3 γ-GT高値：胆汁うっ滞のマーカーとなる肝機能検査ですが，アルコールやある種の薬物の摂取により肝臓での合成が誘導されます。アルコール性肝障害や胆汁うっ滞にて上昇しますがメタボリックシンドロームでも上昇する傾向にあります（☞ P.20参照）。

#4 赤血球数，Ht低値：RBCとHtが低下しています。Hb値は示されていませんが，貧血はありそうです。貧血の原因検索にはMCV（平均赤血球容積）が有用です。MCVは以下の計算式で算出することができます。

$$MCV(fL) = [ヘマトクリット(Ht)値(\%) \div 赤血球(RBC)数(\times 10^4/mm^3)] \times 10^3$$

本症例では，118 fLと高値（基準値：86～98（fL））ですので大球性貧血に該当します。主に，ビタミンB_{12}や葉酸の不足が原因です。ビタミンB_{12}の不足は小腸や胃の摘出手術を受けた場合や，胃酸の分泌が減少している場合などでみられることがあります。ベジタリアンやアルコール依存症などで偏食の方では，ビタミンB_{12}や葉酸の摂取不足を起こすことがあります。

#5 血小板数低値：PLTが減少しています。PLTは血液の疾患で低下することが多いのですが，肝硬変でも脾機能亢進の状態になり，脾臓で破壊される血小板が増加するため血小板数が減少します。また，血小板産生を促進する造血因子であるトロンボポエチンは肝臓で作られるため，肝機能の低下によって血小板産生量も減少することになります。

#6 Alb，PT，ChE低値：Albが3.4 g/dLとやや低値を示しています。第Ⅰ章で述べたように，Albが低値となる原因には，低栄養状態，肝硬変，ネフローゼ症候群などがあります。検査結果に尿蛋白がありませんのでネフローゼ症候群の存在は否定しきれませんが，肝機能に異常がみられることから，Alb低下の原因は肝障害の可能性が高いと考えます。PTやChEも肝臓の合成能低下にて低値となります。

以上のことから，本症例におけるAlb低下は栄養障害，アルコール性肝障害が影響している可能性が高いと読み解くことができます。

病態をさらに読み込むと何がみえる❓

▶ アルコールによる肝障害は，アルコール性脂肪肝，アルコール性肝炎を経て，アルコール性肝硬変へ移行することがあります．本症例では，毎日日本酒3～6合を飲んでいるようですので，明らかな大酒家です．

▶ 血清Albが低いような場合，低栄養状態を疑い食事量も聞き取ることも重要です．食事量が少ないダイエット状態や低栄養状態ではAlbの絶対量が減少傾向になります．

▶ 肝硬変における重症度の指標となるChild-Pugh分類（知っておきたい知識・表）で評価しておく必要があります．本症例では，血清ビリルビン濃度（1点），血清Alb濃度（2点），PT時間（2点）で合計5点となります．脳症や腹水がなければスコアは7点となり「Grade B」となります．

▶ 検査結果を眺めていると，コリンエステラーゼ(ChE)がやや低値であることも気になります．ChE値が低値の場合，肝疾患，特に肝硬変が疑われます（☞ P.23参照）．

▶ 本症例は，大球性貧血を呈しています．患者が大酒家であることから，背景に葉酸の欠乏が起こっている可能性もあります（大酒家でもビタミンB_{12}の欠乏にはなりにくいことが知られています）．

薬剤師は次に何をする❓

◆ この患者の飲酒歴等から，アルコール性肝硬変に罹患している可能性がありますので，重症化する前に早期の禁酒をしてもらうことが重要です．大量飲酒者の禁酒は困難なので医師にも相談しましょう．

◆ また，アルコール常習者が偏食を続けていると肝障害のみならず，栄養障害を来すことが多いです．その結果葉酸欠乏を引き起こして貧血になっている可能性があります．

◆ 下肢浮腫を訴えていることから，アルブミン低下の原因は肝臓の合成の低下や偏食による低栄養に加え，ネフローゼ症候群なども鑑別にあがります．

第Ⅱ章　症例解析トレーニング

専門医からのアドバイス

- 低アルブミン血症は解説にもあるように、①低栄養、②肝臓での合成障害、③何らかの経路（尿、浸出液、消化液など）からの排泄、④希釈（顕著なうっ血）、などで起こります。どの原因が主なのか考える必要があります。
- 本症例は大酒家でありアルコール依存の可能性もあります。このような場合、①低栄養、②肝臓での合成障害の2つの原因が合わさって低アルブミン血症を来していると考えます。
- 大酒家の方に禁酒をお願いすることは診療の現場でもとても難易度が高く、薬局で禁酒を説得するのはより困難とは思いますが、常習飲酒者（1日3合以上毎日飲んでいる方）には、粘り強く禁酒のお話をする必要があります。

本症例のまとめ

　患者から提示された検査結果と生活歴から、アルコール性脂肪肝を経たアルコール性肝硬変の症例です。

　肝硬変の原因の内訳（2018年調査）として、「ウイルス性肝炎感染」が約60％（B型肝炎ウイルス11.5％、C型肝炎ウイルス48.2％）、「アルコール性」が19.9％、「その他」が約20％となっています。その他のなかには、「NASH」（非アルコール性脂肪肝炎）という、お酒を飲まない人が脂肪性肝炎を経て肝硬変に至る疾患もあることが明らかとなっています。

　低Alb血症を示す疾患は多岐にわたります。そのため、腎機能や肝機能以外にも血小板、電解質といった他の臨床検査値はもちろん、既往歴や飲酒歴、食事量などの生活習慣も含めて総合的な評価が必要となります。薬剤師として患者個々の病態・臨床検査・生活習慣といったさまざまな情報を把握することで、より効果的な薬物治療の推進、薬物適正使用の支援が期待できます。

▶▶ 症例解析フローチャート

ポイント 1 臨床検査値の異常値をリストアップする
- #1 TG高値
- #2 AST, ALT高値
- #3 γ-GT高値
- #4 赤血球数, Ht低値
- #5 血小板数低値
- #6 Alb, PT, ChE低値

ポイント 2 臨床検査値の異常と患者背景から病態を整理する
- #1 TG高値はメタボリックシンドロームに伴うもの以外にアルコールが原因のこともある
- #2 #3 AST優位のトランスフェラーゼ上昇やγ-GTの上昇はアルコール性肝障害が原因であることを示唆する
- #4 MCVは高く,大球性貧血である
- #5 血液疾患? 肝硬変?
- #6 Alb合成の低下か? Albが体外に漏れたか?

ポイント 3 Alb低値の原因を考える
① 栄養不良はあるか?
② 肝臓でのAlb合成の低下はあるか?
③ 尿,消化管,浸出液からの漏出はないか?

ポイント 4 低Alb血症となる病態と患者背景の関連について考える
- 大酒家でありアルコール性肝硬変がありそう
- 大球性貧血は肝硬変でも起こるが,栄養障害を伴っている可能性はある
- ネフローゼは尿所見から今のところ不明

知っておきたい知識　NAFLD/NASHの進行を防ぐには？

　肝臓はしばしば「沈黙の臓器」の1つといわれるように，すぐに自覚症状が現れません。特にアルコールが原因ではない過栄養による脂肪肝（NAFLD）は，自覚症状がない人がほとんどです。NAFLDの一部は脂肪性肝炎（NASH）になり，肝臓の線維化が進行し肝硬変，さらに一部の方は肝臓がんを発症します。

　NASHになっていても病状がかなり進行していないと自覚症状がほとんどないので，自覚的にNAFLやNASHを判断することはできません。NASHや線維化の程度を正確に診断するためには，肝生検による病理診断が必要ですが，AST，ALTの上昇（特に100以上の持続），血小板の低下，アルブミンの低下，フィブロスキャンなどを用いた肝臓の硬度測定が参考になります。

　NAFLDの進行に影響するリスクファクターとして，加齢と高度肥満，糖尿病等が明らかとなりました。加齢は予防できませんが，高度肥満，糖尿病などのメタボリックシンドロームに関連ある要素は改善できます。

　NAFLD/NASHの改善に最も効果がある治療法は，薬物療法ではありません。次に述べる基本的な食事療法と運動療法です。

①食べ過ぎ，糖分を多く含む清涼飲料水，果物，アルコールの過剰摂取に注意しましょう。

②飽和脂肪酸を多く含む動物性の油やトランス脂肪酸，コレステロールを多く含む食事の摂り過ぎに注意しましょう。

③多価不飽和脂肪酸を多く含む青魚等を積極的に摂るように心がけましょう。

④ウォーキングやジョギング，水泳，エクササイズなどの有酸素運動を定期的に行い代謝能力を上げましょう。

　以上の基本的な運動・食事療法をNAFLD患者指導に役立ててください。

●参考文献
1) Eguchi Y, Hyogo H, Ono M, et al : Prevalence and associated metabolic factors of nonalcoholic fatty liver disease in the general population from 2009 to 2010 in Japan : a multicenter large retrospective study. J Gastrotenterol 2012 ; 47 : 586-595
2) 日本消化器病学会 編, 日本肝臓学会 協力：患者さんとご家族のためのNAFLD/NASHガイド2016

知っておきたい知識 Child-Pugh分類

　肝障害度を評価するスコアに，Child-Pugh分類（チャイルド-ピュー分類）があります。この指標は肝硬変の重症度を表します。また，肝がん治療などの目安にもなっています。肝性脳症，腹水，血清ビリルビン濃度，血清Alb濃度，プロトロンビン（PT）時間またはPT-INRの5項目についてそれぞれ1〜3点で評価し，その5項目の合計点数により，3段階（グレード）に分類されます。スコアが高いほど生命予後が悪いことが知られています。

Grade A（軽度）：5〜6点　代償性
Grade B（中等度）：7〜9点　代償性から非代償性への過渡期
Grade C（高度）：10〜15点　非代償性

表　Child-Pugh分類

	スコア	1点	2点	3点
項目	脳症	ない	軽度（Ⅰ・Ⅱ）	時々昏睡（Ⅲ〜）
	腹水	ない	少量（1〜3L）	中等量（3L〜）
	血清ビリルビン値（mg/dL）	2.0未満	2.0〜3.0	3.0超
	血清アルブミン値（g/dL）	3.5超	2.8〜3.5	2.8未満
	プロトロンビン活性値（％）	70超	40〜70	40未満

※各ポイントを合計して，その合計点で判定する

10 Na

CASE ⑩ ★★★

　うっ血性心不全，僧帽弁閉鎖不全症の治療のためクリニックに通院中の81歳の女性患者がいつものように処方箋を持って来局しました。すると患者から「うっ血性心不全はあまり変わらないからいつものお薬出しておきますけど，Naが少し低くなってきたから，次回，胸部レントゲンと心電図をとりましょう」と医師からいわれたと相談を受けました。

患者背景

81歳女性　身長 148 cm　体重 38 kg　来局時血圧 108/62 mmHg
重症の僧帽弁閉鎖不全症を有する患者で，今までうっ血性心不全で入退院を繰り返している。
現病歴：5年前に不安定狭心症の診断で冠動脈ステント挿入治療を受けている。
喫煙歴：なし
飲酒歴：なし

処方内容

Rp.1）バイアスピリン錠（アスピリン）100 mg	1回1錠（1日1錠）
イグザレルト錠（リバーロキサバン）10 mg	1回1錠（1日1錠）
ダイアート錠（アゾセミド）60 mg	1回1錠（1日1錠）
スピロノラクトン錠 25 mg	1回1錠（1日1錠）
タナトリル錠（イミダプリル塩酸塩）2.5 mg	1回1錠（1日1錠）
クレストール錠（ロスバスタチンカルシウム）2.5 mg	1回1錠（1日1錠）
フェブリク錠（フェブキソスタット）10 mg	1回1錠（1日1錠）
サムスカ錠（トルバプタン）7.5 mg	1回1錠（1日1錠）
1日1回　朝食後	14日分

Rp.2） タケキャブ錠（ボノプラザンフマル酸塩） 10 mg　　1回1錠（1日1錠）
　　　 1日1回　夕食後　　　　　　　　　　　　　　　14日分

臨床検査値

項目	単位	結果	項目	単位	結果	項目	単位	結果
WBC	/μL	7310	CK	U/L	18	Cl	mEq/L	91
Hb	g/dL	12.9	BUN	mg/dL	54	TC	mg/dL	143
PLT	10^4/μL	31.8	Cre	mg/dL	1.28	LDL-C	mg/dL	87
AST	U/L	18	UA	mg/dL	6.9	HDL-C	mg/dL	48
ALT	U/L	14	TP	g/dL	7	TG	mg/dL	123
LDH	U/L	214	Alb	g/dL	4.1	GLU	mg/dL	94
ALP	U/L	101	Na	mEq/L	125	HbA1c	%	5.8
T-Bil	mg/dL	0.8	K	mEq/L	5.6	CRP	mg/dL	0.13

この検査値，どう読む？

臨床検査値を読んでいくとプロブレムとして **#1** Na低値（Cl低値），**#2** K高値，**#3** BUN，Cre高値，**#4** UA高値があげられます。

どのような病態？

#1 Na低値（Cl低値）：低Na血症の原因は，①細胞外液不足（hypovolemic）（欠乏性低Na血症），②水過剰（正常循環血液量性低Na血症），③細胞外液過剰（hypervolemic）（希釈性低Na血症），④偽性低Na血症，に分類されます。本症例がこのなかからいずれかを考えねばなりません。

#2 K高値：体内のKは大部分が細胞内にあり，細胞外（血液中など）に存在するのは極めてわずかです。高K血症とは血液中K濃度が5.5 mEql/L以上の場合をいいます。高K血症の原因としては，①偽性高K血症〜採血した検体の問題で，真の疾患ではありません。②細胞内から血液中へのKの移動〜血液が酸性に傾いたときなど，体の状態に応じてKが細胞の中から血液中に移動してきて生じます。③K負荷〜Kを大量に含む薬物の使用や，やけ

どや大きなけがなどで細胞が一度にたくさん破壊されたときなどに生じます。④腎臓からのK排泄障害〜腎臓や尿細管が強く侵されたとき，あるいはアルドステロンの欠乏により生じます。

#3 BUN，Cre高値：血清BUN，Cre値は腎機能を表し，腎機能障害が存在すると上昇します。BUNは蛋白質過剰摂取，大量の消化管出血，甲状腺機能亢進症，悪性腫瘍，脱水症状の場合も上昇します。クレアチニン（Cre）は筋肉で作られ，そのほとんどが腎臓の糸球体から排泄されます。血液中のクレアチニン増加は，糸球体の濾過機能が低下していることを意味します。

#4 UA高値：UAはプリン代謝の最終生成物で，老廃物として尿中に排泄されます。血液中のUAが7 mg/dLを超えた状態を高UA血症と呼びます。高UA血症は体内で尿酸の産生過剰の状態であるか，排泄機能の低下が原因です。

病態をさらに読み込むと何がみえる？

新たな検査情報が得られないので，患者情報から病態の原因を絞り込んでみましょう。

▶患者背景から本症例がうっ血性心不全を頻回に起こしていることから，細胞外液増加によって低Na血症を生じている可能性がまず考えられます。

▶高度の腎機能障害があるので高K血症，UA高値は腎機能障害によるものである可能性が高いと判断します。またスピロノラクトンやタナトリルが高K血症を起こしている可能性があります。

▶血清BUN，Cre値のいずれも上昇しています。Cre濃度は軽度上昇ですが，Cockcroft & Gaultの式からCCrを計算すると24.3 mL/分です。高度の腎機能障害と考えられます。

知っておきたい知識　うっ血性心不全で低ナトリウム血症になる理由

　うっ血性心不全では浮腫を伴う著しい体液量の増加がみられます。心不全では水の貯留とともにNaの貯留が引き起こり，水の貯留がNaの貯留を上回るので低Na血症が招来されています。ここではこのメカニズムを少し詳しく考えてみます。

　健康な状態ではADHの分泌は血漿浸透圧の増加（浸透圧刺激）に加え，血圧低下・循環血液量の減少（非浸透圧刺激）によっても圧受容器を介しADH分泌が増加することが知られています。この受容器への刺激は迷走神経を介して延髄の孤束核に伝わった後に視床下部のADH産生細胞に伝達されます。心不全では心拍出量の低下により（いわゆる有効循環血液量が減少して）圧受容器の感受性が減弱するためADHの分泌が亢進します。血漿ADH濃度が増加すると腎臓の集合管におけるAQP2発現が亢進して，水の再吸収が持続的に増加し，体内の水分は増加します。

　一方，心不全ではレニン・アルドステロン系や交感神経系も，圧受容器の感受性低下により活性化されます。交感神経系は近位尿細管に働き，アルドステロンは遠位尿細管や集合管に働くことによりNaの再吸収を増加させ，体内にNaが貯留します。

　このようにADH，レニン・アルドステロン系，交感神経系の刺激を通して，水とNa両方が貯留されて体液量の増加がみられるのですが，水貯留がNa貯留を上回るため低Na血症が出現するのです。

　心不全による低Na血症は心不全の病態と関わるため，低Na血症を伴う心不全の予後は悪いとされています。過去の報告では，心不全患者のうち135 mmol/L以下の低Na血症は全体の約20％にみられ，低Na血症をもつ心不全患者は，血清Naが正常な場合と比べ在院日数の増加，入院中の心疾患死や退院後再入院の増加などがみられることが明らかにされています。

薬剤師は次に何をする？

◆ 薬剤師として気を付けたいことは，まず服薬アドヒアランスの再確認です。薬剤の飲み忘れや飲み過ぎです。本症例は細胞外液過剰がありそうですので，特に利尿薬の内服については服薬状況確認が重要です。利尿薬は内服過多では体液の排出増加を来して，脱水を招く可能性もあります。本症例ではダイアート，スピロノラクトン，サムスカの3種類の利尿薬を内服していますので要注意です。

専門医からのアドバイス

● 本症例はうっ血性心不全を有する患者が低Na血症を来しています。このような方は細胞外液過剰型の低Na血症であることが多く，日常診療でよくみかけます。Na過剰を上回る水過剰となっていると考えられます。多くは浮腫を伴っています。
● 塩分制限，水分制限，利尿薬の投与量の再考にて改善することが多い状態と予想されます。本症例ではダイアート，スピロノラクトン，サムスカの3種類の利尿薬を内服しています。薬剤の減量や調整が必要かもしれません。主治医と相談する必要があります。

本症例のまとめ

心不全を背景にもつ細胞外液過剰希釈性低Na血症が最も考えられる症例です。このようなタイプの多くは浮腫を伴っています。細胞外液量増加型の低Na血症は体内の総Na量（細胞外液量）および体内の水の両方の増加が特徴で相対的には体内の水の増加のほうが上回る状態ということになります。

▶▶ 症例解析フローチャート

ポイント1 臨床検査値の異常値をリストアップする
- #1 低Na血症（低Cl血症）
- #2 高K血症
- #3 BUN，Cre高値
- #4 UA高値

ポイント2 臨床検査値の異常と患者背景から病態を整理する
- #1 細胞外液過剰もしくはNa，Clの不足
- #2 腎機能異常，スピロノラクトン，タナトリルの使用
- #3 腎機能異常
- #4 尿からの排泄の低下

ポイント3 Na，Cl低値の原因を考える
① Na，Cl低値→（うっ血性心不全を背景にもつので）細胞外液過剰希釈性低Na血症を考える

ポイント4 低Na血症となる病態と患者背景の関連について考える
- うっ血性心不全のため利尿薬を3種類投与中である
- 飲水制限が守れずNa過剰を上回る水過剰となっている
- 浮腫を伴っている

以上から細胞外液過剰希釈性低Na血症が最も考えられる

知っておきたい知識　抗利尿ホルモン不適合分泌症候群（SIADH）

　バソプレッシンは，脳下垂体後葉から分泌されるペプチドホルモンです。バソプレッシンは血管を収縮させて血圧を上昇させる作用のほかに，腎臓での水再吸収を促進させることにより尿量を減少させる作用をもちます。バソプレッシンはこの2つの作用により血圧と循環血液量の維持を行っています。後者の作用のため，バソプレッシンは抗利尿ホルモン（Antidiuretic hormone；ADH）とも呼ばれています。

　ADHの分泌は血漿浸透圧の上昇および血圧の低下により促進され，その逆では抑制されます。SIADHは，血漿浸透圧が低下しているにもかかわらずADHの分泌が過多か，あるいは腎臓のADHに対する感受性が高まっているために発症しています。

　ADHの過剰分泌によって腎臓における水の再吸収が亢進し，循環血液量（細胞外液量）が増加します。その結果，血液が希釈され低Na血症を来します。一方で，循環血液量の増加はNaの排泄を増加させるため，糸球体濾過量の増加や心房性Na利尿ペプチドの分泌が亢進することにより，低Na血症はさらに進行します。

MEMO

11 K

CASE ⑪

1カ月ほど前に総合感冒薬を処方された患者が，倦怠感がとれないため近所のクリニックを受診し，処方箋を持って来局しました。すると患者が「風邪は治りましたが，その後ずっとだるく，食欲もあまりありません。今まで肥満気味なのが気になり，自分で薬局で購入し漢方薬を飲んでいます。今日新たに漢方薬が処方されましたが，一緒に飲んで大丈夫でしょうか？主治医には自分で買った漢方を飲んでいることは伝えていません。漢方薬は副作用が少ないと聞きますし…」と相談を受けました。

患者背景

61歳女性　身長153 cm　体重55 kg　来局時血圧137/84 mmHg
現病歴：高血圧（56歳）
喫煙歴：なし
飲酒歴：なし

処方内容

Rp.1) アムロジピン錠（アムロジピンベシル酸塩）5 mg　　1回1錠（1日1錠）
　　　1日1回　朝食後　　　　　　　　　　　　　　　　　7日分
Rp.2) ツムラ補中益気湯エキス顆粒　　　　　　　　　　　　1回2.5g（1日7.5g）
　　　1日3回　朝・昼・夕食前　　　　　　　　　　　　　7日分

〈薬局で購入し服用している漢方〉
　　　ツムラ漢方防風通聖散エキス顆粒　　　　　　　　　　1回1包（1日2包）
　　　1日2回　朝・夕食前

臨床検査値

項目	単位	結果	項目	単位	結果	項目	単位	結果
WBC	/μL	7400	T-Bil	mg/dL	0.7	Cl	mEq/L	101
RBC	10^6/μL	4.21	AMY	U/L	84	TC	mg/dL	252
Hb	g/dL	12.9	CK	U/L	121	LDL-C	mg/dL	148
PLT	10^4/μL	30.2	BUN	mg/dL	16	HDL-C	mg/dL	46
AST	U/L	23	Cre	mg/dL	0.6	TG	mg/dL	117
ALT	U/L	16	UA	mg/dL	4.4	GLU	mg/dL	83
LDH	U/L	157	TP	g/dL	6.7	HbA1c	%	6.2
ALP	U/L	86	Alb	g/dL	4.1	CRP	mg/dL	0.1
γ-GT	U/L	21	Na	mEq/L	138			
ChE	U/L	239	K	mEq/L	3.2			

この検査値，どう読む？

臨床検査値を読んでいくとわかる異常値として，**#1** K低値，**#2** TC (LDL-C) 高値，その他として **#3** HbA1cが基準値上限値です。

どのような病態？

#1 K低値：血清K値が少し基準値より低下しています。何らかの原因で血清K値が低値になっています。原因検索しなければなりません。

#2 TC (LDL-C) 高値：総コレステロール，LDLコレステロール値が基準値を超えています。原発性脂質異常症以外に甲状腺機能低下症などの二次性の高コレステロール血症の可能性もあります。

#3 HbA1cが基準値上限値：この値は検査日よりも1～2カ月前の血糖の平均的な状態を反映します。GLUは基準値内ですが耐糖能に異常があるかもしれません。

病態をさらに読み込むと何がみえる❓

▶ 血清K値の低下の原因をチェックする必要があります（☞ P.46参照）。原因を分類すると，①腎臓からKが過剰に出る状態（ミネラルコルチコイド過剰），②消化管からのKの喪失（下痢，嘔吐など），細胞内へのKの移行（アルカローシス），などの病態を考えます。なお血清K値を低下させる薬物は①に関与するものが多いのですが，その服用の有無の確認はしておきましょう。また食欲不振によりKの摂取量が減少していないか確認することが必要です。

▶ HbA1cが基準値上限です。GLUが基準値内ですが食後高血糖があるかもしれません。本症例では，自分で防風通聖散エキス顆粒を購入し服用していることから，肥満を自覚していると考えられます。

▶ LDLコレステロールは閉経後の女性はエストロゲンの減少により上昇します。TCの異常値に対し現在は薬物治療されていませんが今後は食事療法を行い，改善されない場合は，薬物治療も考えます。

知っておきたい知識　漢方薬に含まれる甘草

甘草の含有量が多い主なツムラの医療用漢方薬と1日服用時の含有量を下記に示します。医療用と一般用漢方薬では含有量が違うため，必ず添付文書で確認することが重要です。

- 0.5 g：安中散，十味敗毒湯，清肺湯，釣藤散，六君子湯など
- 0.75 g：加味逍遙散，防已黄耆湯，補中益気湯，麻黄湯，抑肝散など
- 1 g：桂枝加竜骨牡蛎湯，小柴胡湯，麦門冬湯，防風通聖散など
- 1.25 g：半夏瀉心湯
- 1.5 g：小青竜湯，人参湯など
- 3 g：芍薬甘草湯

薬剤師は次に何をする❓

◆血清K値の低下を来す疾患は多いのですが，薬剤師としては特に血清K値を低下させる薬物を服用していないか確認することが重要です。本症例の場合は漢方薬に含まれる甘草の1日服用量に着目することが重要です。本症例では，1日量で2.5 gの甘草を服用しています（内訳として，ツムラ補中益気湯エキスには1日量で1.5 g，ツムラ漢方防風通聖散エキス顆粒 1.875 gには1日量で1 gの甘草が含まれています）。甘草に含まれるグリチルリチンにより偽アルドステロン症を発症することがあります。偽アルドステロン症とは血圧が上昇し，血清K値が減少する状態です（服用量と偽アルドステロン症の発症の関係性は☞ P.48 COLUMN参照）。患者が自分で漢方薬を買って服用していることを主治医と情報共有しましょう。血圧が上昇し，この後血清K値が下がり続けるようでしたら，偽アルドステロン症を疑い，漢方薬の服用を中止することを提案しましょう。

◆食欲不振ということなので，Kの摂取量が低下している可能性があります。優先的に果物や野菜などのKを多く含む食品の摂取を促すことも大切です。ただし，腎機能が悪い場合は注意が必要です。

専門医からのアドバイス

- 低K血症は日常よくみられる検査値異常です。他の電解質NaやClなどに比べて下痢などでも低下します。変動しやすい電解質です。
- Kの軽度の低下では症状が出ない場合もありますので検査値の確認は重要です。
- 薬物や健康食品の摂取により低K血症がみられる場合があります。薬物に関しては他の医師の処方薬や自ら服用している市販薬に関して理解していない場合があります。薬剤師の方には低K血症を薬物の副作用監視の点からみていただけると助かります。

本症例のまとめ

　病院からの漢方薬と患者が購入している漢方薬が併用され，甘草の重複による偽アルドステロン症が疑われる症例です．近年は手軽に漢方薬を購入して服用することができるため，無意識のうちに甘草の1日服用量が多くなっていることがあります．

　併用薬については必ず病院から処方される薬剤だけではなく，患者が購入して服用している薬についても確認しましょう．また，その情報を主治医と共有することが副作用の早期発見につながります．

　血清K値が基準値以下であっても，すぐに治療が必要でない場合もあります．原因を確認するようにしましょう．

知っておきたい知識　偽アルドステロン症の病態

　「偽アルドステロン症」は漢方薬に含まれる甘草により高血圧や低K血症などを来す遭遇頻度の高い疾患です．原発性アルドステロン症（アルドステロンが増加することにより症状が出る疾患）と似た所見を示しますが，「偽アルドステロン症」では血中アルドステロンは低値です．甘草に含まれるグリチルリチン酸とその水解産物は，まず腎局所で11β-hydroxysteroid dehydrogenase type 2によるコルチゾール不活性化を阻害します．腎臓の局所ではコルチゾールが過剰となります．過剰なコルチゾールは腎集合管のミネラルコルチコイド受容体（MR）に結合します．このためミネラルコルチコイド作用が増強し，病態を作ります．偽アルドステロン症にはMR拮抗薬が有効です．

▶▶ 症例解析フローチャート

ポイント1　臨床検査値の異常値をリストアップする
- #1 K低値
- #2 TC（LDL-C）高値
- #3 HbA1cが基準値上限値

ポイント2　臨床検査値の異常と患者背景から病態を整理する
- #1 薬剤性を含め原因を考える
- #2 加齢，閉経，二次性の可能性
- #3 耐糖能異常

ポイント3　K低値の原因を考える
① 食欲不振によるK摂取の減少
② 漢方薬に含まれる甘草（グリチルリチン）の1日服用量

ポイント4　K低値となる病態と患者背景の関連について考える
- 漢方薬は副作用の少ない薬とは限らないため服用している薬の情報は主治医と共有することが，副作用の早期発見につながる場合がある
- 高TC（LDL-C）血症と軽度の耐糖能異常については，日頃の食生活の乱れが将来糖尿病や動脈硬化を引き起こす原因になることを理解してもらい，食事療法や運動療法を取り入れるように指導する

12 CK

CASE ⑫

陳旧性心筋梗塞の既往があり，さらに糖尿病，高血圧の治療のため循環器専門医のいる病院に通院中の患者がいつものように処方箋を持って来局しました．すると患者から不安そうに「血圧や糖尿病は変わらないから，いつものお薬出しておきますけど，CKが高値なので，アイソザイムの検査も追加で受けました」と相談を受けました．

患者背景

64歳男性　身長168 cm　体重88 kg　来局時血圧148/72 mmHg
現病歴：高血圧（45歳），2型糖尿病（53歳），脂質異常症（54歳），心筋梗塞（64歳），で通院している．
喫煙歴：なし　　飲酒歴：なし

処方内容

Rp.1) バイアスピリン錠（アスピリン）100 mg	1回1錠（1日1錠）
プラビックス錠（クロピドグレル硫酸塩）75 mg	1回1錠（1日1錠）
メインテート錠（ビソプロロールフマル酸塩）5 mg	1回1錠（1日1錠）
アジルバ錠（アジルサルタン）40 mg	1回1錠（1日1錠）
ノルバスク錠（アムロジピンベシル酸塩）5 mg	1回1錠（1日1錠）
リバロ錠（ピタバスタチンカルシウム）2 mg	1回1錠（1日1錠）
ゼチーア錠（エゼチミブ）10 mg	1回1錠（1日1錠）
タケキャブ錠（ボノプラザンフマル酸塩）10 mg	1回1錠（1日1錠）
1日1回　朝食後	28日分

臨床検査値

項目	単位	結果	項目	単位	結果	項目	単位	結果
WBC	/μL	6740	γ-GT	U/L	45	TC	mg/dL	150
Hb	g/dL	14.2	T-Bil	mg/dL	1.2	LDL-C	mg/dL	65
PLT	10^4/μL	17.3	CK	U/L	818	HDL-C	mg/dL	40
PT	%	89	BUN	mg/dL	12	TG	mg/dL	225
AST	U/L	25	Cre	mg/dL	0.55	GLU	mg/dL	209
ALT	U/L	16	UA	mg/dL	5.1	HbA1c	%	7.6
LDH	U/L	220	TP	g/dL	6.2	CRP	mg/dL	0.12
ALP	U/L	79	Alb	g/dL	4.4			

この検査値，どう読む？

臨床検査値を読んでいくとわかる異常値として，大きく3つに分けることができます。**#1** 空腹時血糖，HbA1c高値，**#2** TG高値，**#3** CK高値です。

どのような病態？

#1 空腹時血糖，HbA1c高値：血糖降下薬が処方されていますが，まだ糖尿病のコントロールが少し悪いと判断することができます。

#2 TG高値：身長168 cm，体重88 kgでBMIを計算すると約31となり，明らかな肥満（3度）であることがわかります。高血圧，高TG血症，糖尿病を有しています。高TG血症にはインスリン抵抗性が関与していると考えられます。この患者はスタチンが処方されていますので，元々はLDL-Cも高かったのかもしれません。

#3 CK高値：患者が気にしている変化です。CKは逸脱酵素ですので，何らかの細胞が壊死していると考えられます。CKは骨格筋，心筋，平滑筋，脳などに多く含まれていますが，骨格筋に最も多く含まれています。どこ由来かを調べるためにCKアイソザイムを検査します。

病態をさらに読み込むと何がみえる❓

　アイソザイムを測定することで，どの部分の疾患が疑わしいかを推測することができます。この患者は本日追加のアイソザイム検査を受け，下記のような結果となりました。

　　CK-MM(U/L)：805　CK-BB(U/L)：0　CK-MB(U/L)：28
　　高感度心筋トロポニン-I(pg/mL(基準値26.2以下))：20.1

▶CKは2個のサブユニットと呼ばれるもので形成されています。CK-MM，CK-BB，CK-MBはアイソザイムと呼ばれます。CK-MMは骨格筋，CK-BBは脳に多く存在し，両方のサブユニットをあわせもったCK-MBは心臓に多く存在します。

▶日常生活で最もCK値に影響するのは運動です。軽い運動でもCKの値は数倍に増加し，数日間その影響が残ることがあります。

▶アイソザイム検査から今回のCK上昇はCK-MMの上昇とわかりました。CK-MMは筋肉に多いため筋肉に関連した疾患がほとんどです。CK-MMが高くなる疾患としては，筋ジストロフィー，多発性筋炎，甲状腺機能低下症などがあります。横紋筋融解症は横紋筋という筋肉が壊れる疾患です。CK-MMは顕著に(時に10000以上に)上昇します。

▶横紋筋融解症の主な原因としては，挫滅(クラッシュ)症候群(事故などで身体が車や建物の下敷きや機械に挟まれて筋肉が長時間圧迫された状態でなります)や熱射病(熱中症の1つで，高温多湿の状態に長時間いたときに発症します)，高脂血症治療薬，抗菌薬(ニューキノロン系)，抗精神病薬などの副作用として生じることがあります。アルコール依存も原因になります。

患者背景から本症例の病態を考えてみましょう。
▶本症例は，糖尿病，高血圧，高脂血症を合併した陳旧性心筋梗塞症例で，陳旧性心筋梗塞の患者はスタチン投与を受けているのが一般的です。
▶この患者もスタチン内服しております。このような症例でCKが上昇したとするとスタチンの副作用をまず考えます。

薬剤師は次に何をする❓

　この患者は薬物による副作用の可能性が高いのですが以下の点は確認しましょう。

◆まず最近の運動歴を確認しましょう。日常生活で最もCK値に影響が出るのは運動です。軽い運動でもCK値は数倍に増加し，数日間その影響が残ることがあります。

◆最近，筋肉注射を受けたことはないか確認しましょう。筋肉注射を行うとCK値が高くなることもあります。

◆遺伝的にCK値が高くなりやすい方もいます。

◆採血のときに血液が壊れて溶血状態になると，アデニル酸キナーゼにより測定結果に影響を与えてしまいCK値が高くなることもあります。

◆薬物による副作用とすれば最も可能性があるのがスタチン内服です。いったんスタチン内服を中止する必要があるかもしれません。また他の薬剤やサプリメントを服用していないか，つまりCK値が増加する原因になっていないか調べる必要があります。

知っておきたい知識　無症候性高CK血症

　CK上昇の原因は多岐にわたります。明らかな筋疾患，心筋疾患，横紋筋融解症がある場合や強い運動後，こむら返りが起こった後，筋肉注射後などであれば，それらがCK上昇の原因とわかります。しかし日常臨床では無症状で原因が明らかになっていないCK上昇は時々みられます。

　「無症候性高CK血症」は日常よく遭遇する検査値異常で，European Federation of Neurological societiesのガイドライン(Eur J Neurol. 2010；17：767-773.)ではCK値の基準値の上限値の1.5倍以上(男性なら372以上，女性なら230以上となる)が2回以上みられることとされています。すなわちCKが1.5倍未満の持続する場合で，明らかな原因のないものは一旦様子をみることになります(頻度が高く，病的意義は少ないため)。

　「無症候性高CK血症」は明らかな筋・心筋疾患，筋肉の使用，電解質/代謝異常：低K血症，低P血症，低Ca血症，低Na血症，甲状腺機能低下症/亢進症，薬剤性(スタチン(±フィブラート製剤)，コルヒチン，抗精神病薬，プロポフォール，ダプトマイシン，抗うつ薬，IFN，リチウム，キノロンなど)を否定したうえで考えられます。①明らかとされなかった筋肉の物理的圧迫(長期臥床)や筋肉の過剰使用(こむら返りなど)，②悪性高熱症保因者，③診断のつかない筋・神経疾患，④マクロCK血症，が「無症候性高CK血症」の候補となります。

　このうちマクロCKは血中半減期が長いCK活性を有する蛋白です。血中半減期が長いため，血中のCK活性が高くなります。免疫グロブリンとCKが結合したもの(マクロCK typeⅠ)とミトコンドリア内に存在するミトコンドリアCK(マクロCK typeⅡ)があり，電気泳動法では異常分画として検出されます。また免疫阻害法ではCK-MB/総CK活性が異常高値として検出されます。

専門医からのアドバイス

- CK-MMの顕著な上昇なら，前述のごとく，①最近の運動の状態確認，②筋肉注射歴，③遺伝性疾患の確認，などをしたうえでスタチンなどの薬物が原因かの吟味が必要です。
- スタチン内服の是非を伝えます。CK上昇が続くならば中止を考えなければいけません。本症例は心筋梗塞の二次予防のためにもできればスタチンは使いたいところですが，このCK上昇がスタチンが原因なら中止，薬剤変更は必要です。
- 本症例の場合は，2型糖尿病，高血圧，脂質代謝異常，BMI 31であり，メタボリックシンドロームが基盤にありますので，今後は生活習慣の是正のための指導を行う必要性があります。患者にやる気をもってもらうような指導を薬剤師として行ってもよいかもしれません。

本症例のまとめ

　本症例では心筋梗塞の既往があり，高血圧，高脂血症，糖尿病治療目的で現在内服治療中です。自覚症状はありません。CK値は818 U/Lと顕著に上昇しています。どの分画が上昇しているのかアイソザイムを測定する必要があります。

　本症例ではCK-MB 28 U/Lと10％以上の上昇がなく，CK-BB分画も0％であり，CK-MM分画が805 U/Lとほとんどを占めていることから，筋肉由来と考えられます。問診にて，血縁の方で筋肉疾患がなく，運動歴にも特記すべきことがなければ，原因としてはスタチンの可能性を考えます。内服薬の継続状況を確認する必要があります。

症例解析フローチャート

ポイント 1　臨床検査値の異常値をリストアップする
- #1 空腹時血糖，HbA1c高値
- #2 TG高値
- #3 CK高値

ポイント 2　臨床検査値の異常と患者背景から病態を整理する
- #1 2型糖尿病
- #2 脂質代謝異常（Ⅱb型かⅣ型）
- #3 CKアイソザイムの確認

ポイント 3　CK高値の原因を考える
① CKのアイソザイム→CK-MM，MB，BBの存在
② CK-MMは骨格筋，CK-BBは脳，CK-MBは心臓に多く存在する
③ 薬剤による副作用→スタチン内服の有無を確認する
④ サプリメントやそれ以外の薬剤の内服の有無を確認する

ポイント 4　CK高値となる病態と患者背景の関連について考える
　　　　　（この患者は2型糖尿病，脂質代謝異常・肥満を有する）
- 糖尿病，高脂血症，高血圧の既往
　⇒心筋梗塞を来している
- スタチン内服している⇒スタチン副作用の可能性が高い
- 横紋筋融解症に注意⇒筋肉痛と筋力低下を来すことが多い。必ず症状を確認する

MEMO

知っておきたい知識 ミオグロビン（Mb）

　ミオグロビンは，筋肉組織（骨格筋，心筋）に存在する分子量約17,000のヘム蛋白質（色素蛋白質）です。酸素との結合が極めて強く，蓄えられた酸素によってATPの合成や乳酸の分解に有効に働きます。分子量が比較的小さいので，筋崩壊だけでなく細胞膜の透過性が亢進すると血中に漏出して尿中に排泄されます。ミオグロビンの血中濃度が150 ng/mL程度までであれば，ミオグロビンは血清中のミオグロビン結合蛋白に結合するので尿中に排泄されません。しかし，皮膚筋炎や横紋筋融解症などの原因で，通常血清レベルが1,500〜3,000 ng/mLを超えると明らかなミオグロビン尿になります。尿で検出された場合，少なくとも100〜200 gの筋がダメージを受けていると考えられます。血中ミオグロビンが2,000 ng/mLを超えると腎機能障害が出現するとされます。

13 BNP

CASE ⑬ ★★★

　高血圧，脂質異常症，糖尿病で内科クリニックを通院中の58歳の男性，自覚症状はありません。患者がいつものように処方箋を持って来局しました。すると患者から「最近，血圧が少し上昇しましたが，あまり変わらないからいつものお薬出しておきます。血液検査でBNPが前回16から26と軽度上昇していますので，次回，胸部レントゲンと心電図をとりましょうと主治医にいわれました」と相談を受けました。

患者背景

58歳男性　身長 176 cm　体重 89 kg　来局時血圧 158/82 mmHg
現病歴：高血圧(45歳)，２型糖尿病(53歳)，脂質異常症(54歳)にて内科医院に通院している。なお４年前に狭心症，陳旧性心筋梗塞，うっ血性心不全で入院し，カテーテル治療を受けていた。
既往歴：狭心症，陳旧性心筋梗塞(52歳)
喫煙歴：なし
飲酒歴：なし

処方内容

Rp.1) メトホルミン塩酸塩錠 250 mg　　　　　　　　　1回3錠（1日6錠）
　　　　1日2回　朝・夕食後　　　　　　　　　　　　14日分
Rp.2) グリメピリド錠 1 mg　　　　　　　　　　　　　1回2錠（1日2錠）
　　　　アムロジピン錠（アムロジピンベシル酸塩）5 mg　1回1錠（1日1錠）
　　　　ダイアート錠（アゾセミド）30 mg　　　　　　　1回1錠（1日1錠）
　　　　1日1回　朝食後　　　　　　　　　　　　　　14日分
Rp.3) ロスバスタチン（ロスバスタチンカルシウム）錠 5 mg　1回1錠（1日1錠）
　　　　ラベプラゾールナトリウム錠 10 mg　　　　　　1回1錠（1日1錠）
　　　　1日1回　夕食後　　　　　　　　　　　　　　14日分

臨床検査値

項目	単位	結果	項目	単位	結果	項目	単位	結果
WBC	/μL	7400	γ-GT	U/L	45	LDL-C	mg/dL	144
Hb	g/dL	8.8	T-Bil	mg/dL	1.2	HDL-C	mg/dL	44
PLT	10^4/μL	26.7	BNP	pg/mL	26	TG	mg/dL	140
AST	U/L	30	BUN	mg/dL	20	GLU	mg/dL	133
ALT	U/L	34	Cre	mg/dL	1.0	HbA1c	%	6.7
LDH	U/L	214	Alb	g/dL	4.1	CRP	mg/dL	0.08
ALP	U/L	98	TC	mg/dL	226			

この検査値，どう読む❓

　臨床検査値を読んでいくとわかる異常値として，大きく4つに分けることができます。すなわち #1 空腹時血糖，HbA1c高値，#2 TC，LDL-C高値，#3 Hb低値，#4 BNP高値です。

どのような病態❓

#1 空腹時血糖，HbA1c高値：これらの数値は本症例の現病歴や血糖降下薬が処方されていることから，通院中の2型糖尿病によるものと考えられます。

#2 TC，LDL-C高値：スタチンが処方されているにもかかわらずTC，LDL-Cはやや高く，脂質異常症は明らかです。

#3 Hb低値：Hb値は基準値を大きく下回り明らかな貧血です。まずは貧血の原因は探さねばなりません。今回の血液検査のリストには赤血球数やヘマトクリット値はありませんがこれらがあれば赤血球恒数のMCVを求めることができ，貧血の原因を絞り込むことはできます。もし，小球性低色素性であれば消化管出血の可能性がありますので早めに内視鏡検査を受けるべきで

知っておきたい知識　うっ血性心不全

心不全とは簡単に言うと「心筋の障害により心臓のポンプ機能が低下し，主要臓器の酸素需要量に見合うだけの血液量を拍出できない状態」のことです。心不全にはさまざまな分類がありますが，急性心不全と慢性心不全に分けることが多いです。本症例はその経過がゆっくりなので慢性心不全です。慢性心不全とは「慢性の心ポンプ失調により肺，体静脈系または両系にうっ血や組織の低灌流が継続し，日常生活に支障を生じた病態」と定義されています。

うっ血という血液が滞る状態となりますので，日常的に臨床では（慢性の）うっ血性心不全とも呼ばれます。心不全とは状態名でそのときの状態を表す診断です。労作時呼吸困難，息切れ，尿量減少，四肢の浮腫，肝腫大などの症状の出現によりQOLの低下が生じ，日常生活に著しく支障を来します。

心不全の診断にはFramingham Heart Studyの心不全診断基準がよく用いられます。大項目にある症状，徴候はより心不全に特徴的な項目で，小項目にある症状，徴候は他の疾患でも生じる可能性が高いもので

しょう。貧血が進行すると心不全に陥り易くなります。

#4 BNP高値：患者が気にしている変化です。BNPは一般にはうっ血性心不全で上昇するといわれています。

病態をさらに読み込むと何がみえる❓

▶ この患者は過去にうっ血性心不全があるうえに，今回BNPが上昇していますのでうっ血性心不全の増悪を疑います。何らかの増悪要因（貧血や服薬コンプライアンス不良など）があるかもしれません。

す。大項目が2項目あるいは，大項目が1項目・小項目が2項目あれば心不全と診断されます。

表　Framingham Heart Studyの心不全診断基準

大項目	小項目	大項目あるいは小項目
●発作性夜間呼吸困難あるいは起座呼吸 ●頸静脈怒張 ●ラ音聴取 ●心拡大 ●急性肺水腫 ●Ⅲ音奔馬調律 ●静脈圧上昇＞16 cmH₂O ●循環時間≧25秒 ●肝頸静脈逆流	●足の浮腫 ●夜間の咳 ●労作時呼吸困難 ●肝腫大 ●胸水 ●肺活量最大量から1/3低下 ●頻脈 　(心拍≧120拍/分)	治療に反応して5日で4.5 kg以上体重が減少した場合

＊フラミンガムうっ血性心不全診断基準　大項目を2項目，あるいは大項目を1項目および小項目を2項目有するもの

(Mckee P.A. et al：The natural history of congestive heart failure：The Framingham Heart Study. N Engl J Med. 1971；285：1441-6)

薬剤師は次に何をする？

　この患者は，服薬コンプライアンス，および糖尿病のコントロールの不良がうっ血性心不全発症の背景にありそうです。

◆薬剤師として気を付けたいことは薬剤の飲み忘れです。特に利尿薬の飲み忘れは，体液の貯留を来し糖尿病や脂質異常症のコントロール不良を招き，心不全を増悪させる可能性もあります。

◆本症例の場合は，2型糖尿病，高血圧，脂質代謝異常，BMI 28.7の肥満があり，生活習慣改善の指導を行う必要があります。

◆貧血がありますから，その原因を検索します。最も多いのは消化管からの出血で，診断には便潜血検査や，内視鏡検査が必要でしょう。

◆主治医が心不全を疑っているのかどうかは，患者からも聴取する必要があります。また，さらに心不全症状が出現してBNPが高値となっていくなら，主治医と治療方針に関する情報を共有することが重要です。

専門医からのアドバイス

●既往歴から，慢性心不全とすでに診断が確定していますので，BNP値ガイド下に治療をすすめる症例です。

●BNPやNT-proBNP値をある数値以下に維持しなければいけないという絶対的な目標値はありません。個々の症例に最適なBNPやNT-proBNP値をみつけ，生活習慣の是正（禁煙，断酒，減塩，食事や運動の適正化など）と適切な薬物治療が重要です。

●心不全管理中のBNPやNT-proBNP値は過去との比較が大切です。前回に比べて2倍以上に上昇したときには，何か理由があります。

●BNP値を修飾する因子としては，肥満はBNP値を低下させ，心房細動や加齢，女性，腎機能低下はBNP値を上昇させます。NT-proBNPは腎代謝のため，軽度の腎機能低下でも影響を受けます。

本症例のまとめ

　高血圧，2型糖尿病，脂質代謝異常をもつ患者に，陳旧性心筋梗塞に伴う収縮機能低下によりBNPの上昇を認めた症例です。心不全管理中のBNPは過去との比較が大切です。前回に比べて2倍以上に上昇したときには，何か理由があります。その原因を探索し，早目の介入が必要でしょう。可能であれば薬剤を調整して心不全のコントロールを強化する必要があります。

　BNPが軽度上昇していても必ずしもうっ血性心不全とはいえません。BNPの上昇があればまずは患者の症状，心雑音，呼吸音，浮腫，酸素飽和度などの基本的な臨床指標を十分に確認して心不全の存在や重症度を判断するように努めます。BNPの測定はあくまで心不全診断や予後判定の補助手段として利用するようにすることが大切です。今回のようにBNPが前回と比べて2倍以上上昇していないなら，大きな問題はないでしょう。

▶▶ 症例解析フローチャート

ポイント1　臨床検査値の異常値をリストアップする
- #1 空腹時血糖，HbA1c高値
- #2 TC，LDL-C高値
- #3 Hb低値
- #4 BNP高値

ポイント2　臨床検査値の異常と患者背景から病態を整理する
- #1 ２型糖尿病
- #2 脂質異常症（肥満以外の原因も考える）
- #3 消化管出血疑い（それ以外の原因も考える）
- #4 うっ血性心不全の疑い

ポイント3　BNP高値の原因を考える
① BNP上昇は？→心不全の疑い。陳旧性心筋梗塞の既往があり低左心機能が予想される
② BNP数値を修飾する因子，心不全以外の疾患は？→肥満は値を低下させ，心房細動や加齢，腎機能低下は値を上昇させる

ポイント4　BNP高値となる病態と患者背景の関連について考える
- この患者は２型糖尿病，脂質代謝異常・肥満を有する。陳旧性心筋梗塞の既往があり低左心機能，および血圧の上昇から，左室後負荷の増大，左室拡張末期圧が上昇してBNPが軽度上昇した。貧血が関与しているかもしれない。

知っておきたい知識　ナトリウム利尿ペプチド

　心房性ナトリウム利尿ペプチド（ANP）と脳性ナトリウム利尿ペプチド（BNP）は，前者が主に心房から，後者が心室から分泌されます。このような違いはありますが，両者とも利尿作用や血管拡張による降圧作用があり，心臓に対する負荷を軽減します。このため心臓に負荷がかかったとき（心不全時）には，心臓はANPやBNPを分泌して心臓の負荷を軽減します。ANPやBNPとも日常臨床で慣用される検査です。両者とも心不全患者では重症度に比例して増加することから，心不全の病態把握に有用です。ANPは心房筋の進展により分泌が刺激されますので，心房の負荷を反映します。一方，BNPは心室にて産生され心室負荷を反映します。

　BNPはANPよりも心不全の病態に応じて鋭敏に反応するため，心不全の診断または病態把握に広く用いられています。さらに，症状のない心室への負荷があっても血中濃度が上昇しています。このためBNPは心不全のスクリーニング検査としても注目されています。ただし，BNPは腎不全（糸球体濾過の低下）があると上昇しますので，腎不全を伴う心不全の評価は困難です。

　一方，ANPも腎不全時には増加しますが，糸球体濾過の低下（eGFRの低下やクレアチニンの上昇）とは相関がありません。主に体液量の増加を反映しています。ANPは腎不全患者の透析前後で大きく変動します。このため腎不全患者における透析終了時体重（ドライウエイト）の設定の指標として用いられています。

　NT-proBNPは，BNPと同じくBNP前駆体から分解されて作られ，心不全患者で著明に上昇します。他の多くの検査項目と同じ血清で測定ができる（BNPは血漿と使わねばならない）のが特徴で，採血後の検体での保存安定性も良好です。しかしBNPより腎不全（糸球体濾過の低下）の影響を強く受けて上昇します。

14 AMY

CASE ⑭ ★★☆

糖尿病の治療のために近所のクリニックに通院中の患者が処方箋を持って来局しました。「今日も血液検査をしたのですが，血糖値と腎臓の数値以外にアミラーゼが高くなっています。先生からは何もいわれなかったのですけど大丈夫ですか？いつ透析になるか不安です」と相談を受けました。

患者背景

55歳男性　身長 168 cm　体重 50 kg　来局時血圧 123/79 mmHg
現病歴：2型糖尿病(48歳，内服加療)，高血圧症(48歳，内服加療)
喫煙歴：なし　　飲酒歴：なし　　サプリメント等の摂取：なし
肉眼的所見：特記すべきことなし　　自覚症状：浮腫以外は気になる点はない

処方内容

Rp.1）トラゼンタ錠(リナグリプチン) 5 mg	1回1錠(1日1錠)
1日1回　朝食後	28日分
Rp.2）グリメピリド錠 1 mg	1回2錠(1日4錠)
カルベジロール錠 10 mg	1回1錠(1日2錠)
1日2回　朝・夕食後	28日分
Rp.3）フロセミド錠 40 mg	1回2錠(1日4錠)
1日2回　朝・昼食後	28日分
Rp.4）アムロジピンOD錠(アムロジピンベシル酸塩) 5 mg	1回1錠(1日1錠)
1日1回　夕食後	28日分
Rp.5）沈降炭酸カルシウム口腔内崩壊錠 500 mg	1回2錠(1日6錠)
1日3回　朝・昼・夕食直後	28日分

臨床検査値

項目	単位	結果	項目	単位	結果	項目	単位	結果
WBC	/μL	5700	ALT	U/L	17	Alb	g/dL	4.1
Neut	%	60	LDH	U/L	212	TC	mg/dL	180
LYMP	%	26	ALP	U/L	101	LDL-C	mg/dL	110
MONO	%	9	γ-GT	U/L	35	HDL-C	mg/dL	46
EOS	%	4	ChE	U/L	250	TG	mg/dL	120
BASO	%	1	T-Bil	mg/dL	0.7	GLU	mg/dL	157
Hb	g/dL	14.3	AMY	U/L	210	HbA1c	%	7.5
PLT	10^4/μL	24.3	BUN	mg/dL	41	CRP	mg/dL	0.03
PT	%	86	Cre	mg/dL	3.1			
AST	U/L	21	TP	g/dL	6.7			

(尿検査)尿蛋白(＋＋)　尿潜血(－)

この検査値，どう読む？

臨床検査値を読んでいくとわかる異常値として，**#1** BUN, Cre高値，**#2** AMY高値，**#3** HbA1c，空腹時血糖高値があげられます。

どのような病態？

#1 BUN, Cre高値：BUN，Creは基準値を大幅に超えており，重度の腎障害があることが推察されます。また，薬歴からも経口リン吸着薬の沈降炭酸カルシウムを服用されています。また，自覚症状でも浮腫を訴えており，尿量も少ないことが推察されます。尿検査では尿蛋白陽性であり，糸球体障害の可能性があります。実際にCreからeGFR推算式を利用して腎機能を評価すると，約 $18\,\text{mL/min}/1.73\,\text{m}^2$ となり，CKD重症度分類G4に該当し，重度の腎障害に分類されます（☞ P.33　表2参照）。

#2 AMY高値：AMYが上昇する原因としては急性膵炎や慢性膵炎などの膵疾患や，ムンプスなどの耳下腺炎，唾液腺の炎症，腎不全や胆道疾患があげら

れます。本症例では自覚症状がなく，CRPも基準範囲内であり，AST，ALT，γ-GT，ALP，LDHなどの各種逸脱酵素も基準範囲内です。腹部超音波検査などで検査しなければわかりませんが，膵疾患の可能性は少ないかもしれません。

#3 HbA1c，空腹時血糖高値：既往歴からも明らかですが，空腹時血糖がやや高く，HbA1cも7.0を超えており，糖尿病のコントロールは不良と考えられます。

病態をさらに読み込むと何がみえる❓

▶ ここまでは個々の臨床検査値の異常値について考察しましたが，次のステップは #1 〜 #3 を患者背景と照らし合わせながら総合的に考えていきます。

▶ この患者の患者背景について整理してみましょう。既往歴から2型糖尿病と高血圧症に罹患しています。2型糖尿病のコントロール状況について，コントロールは決してよい状態ではなく，合併症予防のための目標値にも到達していません。罹病期間は不明ですが2型糖尿病の経過中に徐々に腎障害が進行した糖尿病性腎症による腎機能障害が考えられます。

▶ AMYについては，膵疾患をはじめさまざまな疾患で上昇することはよく知られていますが，本症例は腹部症状もなく膵疾患以外の原因での上昇のほうが考えやすいです。しかし慢性膵炎の場合は自覚症状に乏しい場合がありますし，膵がんの可能性もあるため，安易な判断は禁物です。ただし，アミラーゼが腎臓で代謝，排泄されることが知られており腎不全による尿中へのアミラーゼ排泄低下がAMY高値を起こしたと考えることができます。

薬剤師は次に何をする❓

　この患者は2型糖尿病の経過中に糖尿病性腎症を発症し，重度の腎障害に陥ったために，尿中へのアミラーゼ排泄低下が原因でAMY高値を示していると考えられます。

◆ AMY高値の原因が腎障害による可能性は高いですが，この患者はDPP-4阻害薬を服用されています。DPP-4阻害薬は急性膵炎を引き起こす場合があります（☞P.207 知っておきたい知識参照）。薬剤師としてはDPP-4阻害薬

を服用中の患者でAMY高値をみた場合にはまず急性膵炎の可能性について疑い，腹痛などの自覚症状がないかを確認する必要があります。

◆2型糖尿病のコントロール不良があり，血糖コントロールの方法について再考する余地があります。またこの患者は腎不全を起こしています。いろいろな薬の血中濃度の評価も必要ですし，経口糖尿病薬を減らしてインスリン導入が必要かもしれません。

専門医からのアドバイス

- この患者は2型糖尿病に伴う糖尿病性腎症の患者で，今後さらに腎不全が進行すると予測されます。AMY高値は尿中へのアミラーゼ排泄低下が原因と考えて矛盾しません。
- ただしAMY高値の原因として慢性膵炎や膵がんは見逃すことのできない疾患です。AMY高値検索のために腹部エコー検査などの画像診断は受けるべきでしょう。
- 2型糖尿病のコントロールに関しては現時点では不良ですが，今後腎不全の進行に伴い低血糖が起こりやすい状態ができてきます。今後は経口糖尿病薬の減量やインスリン治療への切り替えによる低血糖回避が必要になるでしょう。

本症例のまとめ

　この症例は2型糖尿病の経過中に糖尿病性腎症を発症し，腎障害の進行に伴いAMY高値を示した症例です。

　AMY高値は薬物性の急性膵炎が原因である場合もあるため，日頃から個々の薬剤の添付文書などの内容を熟読しておくことが必要です。

　AMY高値だけにとらわれず，根本的な原因について薬学的観点から対策を考えることも患者の健康管理に関与するうえで必要となります。

　AMY高値の患者のなかには膵がんなどの重大な疾患が隠れている場合がありますので，処方医とのコミュニケーションを積極的にとることが重要です。

▶▶ 症例解析フローチャート

ポイント 1　臨床検査値の異常値をリストアップする
- #1 BUN，Cre高値
- #2 AMY高値
- #3 HbA1c，空腹時血糖高値

ポイント 2　臨床検査値の異常と患者背景から病態を整理する
- #1 腎障害
- #2 ①アミラーゼの血中への逸脱増加（慢性膵炎，膵がんなど）
  　②アミラーゼの尿中排泄の低下（腎不全など）
- #3 2型糖尿病

ポイント 3　AMY高値の原因を考える
① 腹痛なく，CRPや肝胆道系マーカーは正常なので膵炎の可能性は少ない
② 腎障害により尿中へのアミラーゼ排泄低下している可能性はある

ポイント 4　AMY高値となる病態と患者背景について考える
- 糖尿病性腎症による腎機能低下
- 腎障害のため尿中へのアミラーゼ排泄低下→血中AMY高値

知っておきたい知識 薬剤性膵炎の原因薬

　薬剤性膵炎の原因には直接毒性とアレルギーによるものがありますが，多くは後者によることが知られています。薬物開始1～6週程度での発症が多いとされています。添付文書上「重大な副作用」欄に急性膵炎の記載のある主な薬剤としては以下のものがあります。このなかではバルプロ酸によるものが最も多いと報告されています。以下のような薬を服用中の患者にAMY上昇がある場合は，腹部症状の有無の確認はしておくとよいでしょう。

■ **抗悪性腫瘍薬**
　フルオロウラシル，テガフール，ゲフィチニブ，シスプラチンなど

■ **潰瘍性大腸炎治療薬**
　メサラジンなど

■ **糖尿病治療薬**
　DPP-4阻害薬（ビルダグリプチン，サキサグリプチン，シタグリプチン，アログリプチン），GLP-1作動薬（エキセナチド，リキシセナチド）など

■ **免疫抑制薬**
　シクロスポリンなど

■ **抗てんかん薬**
　バルプロ酸など

■ **アルツハイマー型認知症治療薬**
　ドネペジルなど

15 TC, LDL-C, HDL-C

CASE ⑮

　近所のクリニック（内科）にて糖尿病と脂質異常症の診断を受け，治療中の患者です。前回処方箋を持ってこられたときに，「時々胸が詰まるような感じになる」と話されていましたが，その日はまったく症状がなく，主治医からも特に指示はなかったとのことでした。その後見かけなくなり，後日別件で来局された奥様から，ご主人が来局された翌朝に心筋梗塞で大学病院に救急搬送されたと伺いました。特に糖尿病で脂質異常症もあることから，持参された血液検査値はいつも注意していた患者です。

患者背景

74歳男性　身長 177 cm　体重 78 kg　来局時血圧 139/80 mmHg　顔色良
現病歴：糖尿病，脂質異常症（54歳時に診断）
喫煙歴：あり（20本/日）
飲酒歴：あり（ビール 350 mL/日）

処方内容

Rp.1)　リバロ錠（ピタバスタチンカルシウム水和物）1 mg　　1回2錠（1日2錠）
　　　　ジャヌビア錠（シタグリプチンリン酸塩水和物）25 mg　1回2錠（1日2錠）
　　　　　1日1回　朝食後　　　　　　　　　　　　　　　　　28日分

臨床検査値(来局時　入院前日)

項目	単位	結果	項目	単位	結果	項目	単位	結果
WBC	$/\mu L$	7800	ChE	U/L	269	Cl	mEq/L	103
RBC	$10^6/\mu L$	5.26	T-Bil	mg/dL	0.5	TC	mg/dL	242
Hb	g/dL	15.8	I-Bil	mg/dL	0.1	LDL-C	mg/dL	167
Ht	%	47.5	CK	U/L	70	HDL-C	mg/dL	36
PLT	$10^4/\mu L$	15.2	BUN	mg/dL	20	TG	mg/dL	293
AST	U/L	30	Cre	mg/dL	1.0	GLU	mg/dL	121
ALT	U/L	27	TP	g/dL	6.6	HbA1c	%	6.3
LDH	U/L	98	Alb	g/dL	4.4	CRP	mg/dL	1.24
ALP	U/L	64	Na	mEq/L	145			
γ-GT	U/L	46	K	mEq/L	4.4			

この検査値，どう読む❓

　臨床検査値を読んでいくとわかる異常値として，大きく4つに分けることができます。すなわち #1 CRP高値，#2 TC，LDL-C高値，#3 TG高値，#4 HDL-C低値，#5 GLU，HbA1c高値です。

どのような病態❓

#1 CRP高値：CRPは炎症マーカーの1つです。感染症や組織破壊が起こると上昇します。また動脈硬化性疾患でも軽度の上昇が起こることが知られています。

#2 TC, LDL-C高値：LDL-Cは140 mg/dL以上で高LDL-C血症としますが，本症例のような糖尿病を有する方ではさらに低めの治療目標とするのが一般的です。

#3 TG高値：TGの臨床判断値は150 mg/dLですので，上昇傾向です。上昇にはリポ蛋白質リパーゼ(LPL)の関与が考えられます。LPLはカイロミクロンやVLDL中の中性脂肪を加水分解します。インスリン抵抗性を伴う糖

尿病の場合，この酵素活性が抑制されるためTGが増えます。TG増加時には，小型で高密度のLDL（small dense LDL；sd-LDL）が増加します。これらのsd-LDLは動脈硬化惹起性が強いと考えられています。

#4 HDL-C低値：HDL-Cの臨床判断値は40 mg/dL未満で，低い傾向です。低くなった原因は，先のTG上昇と同じ理由と考えられます。TGとHDL-Cは強く逆相関が高いことが知られています。

#5 GLU, HbA1c高値：現在ジャヌビア錠（シタグリプチン）を服用しています。基準値を超えていますが，ほぼコントロールできていると考えていいでしょう。

病態をさらに読み込むと何がみえる❓

▶ LDL-C高値に加え，TGの高値，HDL-Cの低値を伴っています。WHOの高脂血症分類ではⅡb型（コレステロール，中性脂肪とも高い）になります。TGとHDL-Cは逆相関しますが，HDL-CはTGに比べ食事などの影響は受けません。高LDL-C血症時にHDL-C低値の場合，sd-LDL高値を示唆する所見になります。このタイプの血液検査値をみたときは背景に動脈硬化がないか経過観察をしましょう。

▶ 血糖コントロールを良好に保つことが，TGの高値，HDL-Cの低値の血液検査値を正常化する1つの方策です。適正な血糖コントロールをチェックし

知っておきたい 知識　sd-LDL測定キット

　日本で開発されたsd-LDL自動分析装置用測定試薬（デンカ生研）は，米国時間2017年8月18日付けで，米国食品医薬品局（FDA）で承認を取得しました。また，日本では2021年11月には測定試薬が体外診断用医薬品として承認を受け，近い将来，医療機関にある測定機器で，簡便にsd-LDLを測定できる時代が来るものと思います。

ましょう。

▶この比較的元気そうな患者は来局翌日に心筋梗塞を発症しています。奥様のご厚意により病院入室時の採血結果をみることができました。

臨床検査値（病院入室時）

項目	単位	結果	項目	単位	結果	項目	単位	結果
WBC	$/\mu L$	12800	T-Bil	mg/dL	0.6	LDL-C	mg/dL	157
RBC	$10^6/\mu L$	5.21	I-Bil	mg/dL	0.1	HDL-C	mg/dL	31
Hb	g/dL	15.4	CK	U/L	1830	TG	mg/dL	293
Ht	%	47	BUN	mg/dL	22	GLU	mg/dL	191
PLT	$10^4/\mu L$	19.2	Cre	mg/dL	1.0	HbA1c	%	6.2
AST	U/L	67	TP	g/dL	6.4	CRP	mg/dL	3.6
ALT	U/L	31	Alb	g/dL	4.4			
LDH	U/L	298	TC	mg/dL	242			

CK-MB（IU/L）：190　トロポニンT：＋

#6 CRP，WBC高値： この患者の経過を考えるとこれらの変化は心筋梗塞による高値になります。前日の炎症反応は動脈硬化巣のプラークが不安定になっているからかもしれません。

#7 CK，AST，LDH高値： CKの上昇に加え心筋マーカーのCKのMB分画とTroponin T陽性を認めます。心筋の異常による上昇です。LDHとASTの軽度上昇もあります。急性心筋梗塞時にはトロポニン，CK，AST，LDの順で上昇することが知られています。

これらの検査結果は急性心筋梗塞に合致します。

薬剤師は次に何をする？

◆本症例はLDL-C高値に加え，TG高値，HDL-C低値を示しています。さらに糖尿病もあり，動脈硬化のリスクが極めて高い患者です。今回の「時々胸が詰まるような感じ」は心筋梗塞の前触れであった可能性があります。

◆このような患者には特に服薬コンプライアンスの向上への関与が必要です。

専門医からのアドバイス

●この患者の症状「時々胸が詰まるような感じになる」は心筋梗塞の可能性が高い症状です。この症状が安静時にみられる，頻発する，などがあれば不安定狭心症といい心筋梗塞に移行しやすいことが知られています。

●本症例は，①糖尿病，②脂質異常症，③高齢，④喫煙，⑤男性，とわかる範囲でも5つの心筋梗塞のリスクをもっています。5つのうち変更不可能な③高齢，⑤男性以外はコントロール可能と考えます。①②④に関しては心筋梗塞予防の見地から医師だけでなく，薬剤師による指導も重要です。

本症例のまとめ

　LDL-Cの管理はいうまでもなく重要ですが，本症例のように，高TG，低HDL-Cも特に耐糖能異常のある方には注意が必要です。高TGは食事の影響などがあるため，あまり注目されない医師がおられます。薬剤師として，日頃からTG，HDL-Cに注目して患者に接することが大切です。

●参考文献
1）急性心筋梗塞患者搬送直後の脂質検査値．森嶋祥之，秋山利行，医学検査　53(4)：408-408，2004．

▶▶ 症例解析フローチャート

ポイント1 臨床検査値の異常値をリストアップする（来局時）
- #1 CRP高値
- #2 LDL-C高値
- #3 TG高値
- #4 HDL-C低値
- #5 GLU，HbA1c高値

ポイント2 臨床検査値の異常と患者背景から病態を整理する
- #1 炎症のほか動脈硬化性疾患でも異常
- #2 スタチンを使用しているが不十分な効果
- #3 #4 メタボリックシンドロームの存在とsd-LDL上昇の可能性
- #5 糖尿病

ポイント3 LDL-C，HDL-C，TGの異常の原因を考える
① TC，LDL-C，HDL-C，TGの異常は不十分な脂質代謝管理が原因
② 背景には不十分な血糖コントロール
これらはデータのみでも動脈硬化のリスクがあることを示している

ポイント4 LDL-C，HDL-C，TG異常の病態と患者背景，その後の経過を考える
- 糖尿病と脂質異常症に加え喫煙歴があり動脈硬化のリスクが高い患者
- 患者の胸部症状はその後の経過から不安定狭心症であった可能性が高い
- 来局翌日のCK，AST，LDH高値は心筋梗塞による変化に合致する

16 TG

CASE ⑯

52歳の男性です。健診でトリグリセライド（TG）が「要精密検査」と判定され，近所のクリニックを受診しました。これを機会にウォーキングを始めましたが，TGの数値が改善されないため，3カ月前よりフィブラート系薬剤（ベザフィブラート）による薬物治療が開始されました。しかし，きちんと服薬しているにもかかわらずTGは150 mg/dLまでには下がらないようです。

患者背景

52歳男性　身長 170 cm　体重 69 kg　来局時血圧 130/83 mmHg　顔色良
既往歴：なし
喫煙歴：なし
飲酒歴：あり（瓶ビール大瓶 1 本/日）

処方内容

Rp. 1）ベザトールSR錠（ベザフィブラート）200 mg　　1回1錠（1日2錠）
　　　　1日2回　朝・夕食後　　　　　　　　　　　　28日分

臨床検査値（空腹時）

項目	単位	結果	項目	単位	結果	項目	単位	結果
WBC	/μL	5900	ChE	U/L	312	Cl	mEq/L	106
RBC	10^6/μL	4.47	T-Bil	mg/dL	0.6	TC	mg/dL	205
Hb	g/dL	14.5	I-Bil	mg/dL	0.2	LDL-C	mg/dL	101
Ht	%	44.8	CK	U/L	87	HDL-C	mg/dL	49
PLT	10^4/μL	24.4	BUN	mg/dL	15	TG	mg/dL	235
AST	U/L	24	Cre	mg/dL	1.0	GLU	mg/dL	106
ALT	U/L	34	TP	g/dL	7.6	HbA1c	%	5.4
LDH	U/L	169	Alb	g/dL	4.6	CRP	mg/dL	0.08
ALP	U/L	63	Na	mEq/L	141			
γ-GT	U/L	89	K	mEq/L	4.6			

この検査値，どう読む❓

　臨床検査値を読んでいくとわかる異常値として，大きく2つに分けることができます。すなわち #1 TG高値，#2 γ-GT高値です。

どのような病態❓

#1 TG高値：LDL-Cは基準値内ですが，TGはベザフィブラート投与でも基準範囲に下がっていないことがわかります。WHO分類によれば，Ⅳ型の高脂血症に分類されます。

#2 γ-GT高値：γ-GT 89 U/Lと基準値をわずかに超えています。他の肝機能検査は基準値内です。毎日瓶ビール1本の飲酒が原因の可能性はあります。

病態をさらに読み込むと何がみえる??

▶ 今回のデータはWHO分類ではIV型の高脂血症に分類されます。空腹時TGの上昇ですからVLDLが上昇している可能性があります。患者はフィブラート系の薬剤の効果は不十分と思っていますが，薬剤選択はよさそうです。

▶ 飲酒者はTGが上昇しやすいことが知られています。この患者の飲酒量を慎重に確認しましょう（うまく聞き出さねばなりません）。γ-GTが上昇していますのでかなりの飲酒量の可能性もあります。

▶ 健診結果を確認すると，ベザフィブラート投与前のγ-GT（前回値）は210 U/Lと高値であることが確認できました。ベザフィブラート投与後に低下しています。ベザフィブラートなどのある種のフィブラート系薬には，γ-GTなどの肝機能関連数値を下げる効果があることがわかっています。今回のγ-GTは基準値を超えていますが，前回値より低値を示しており，ベザフィブラートの効果が考えられます。

薬剤師は次に何をする??

◆ ベザフィブラート（フィブラート系薬剤）はTGを平均で20〜40％低下させる薬剤です。患者は服薬により検査値が基準値内に入ることを期待されていますので，薬の特性を説明し理解を促します。

◆ ベザフィブラート（フィブラート系薬剤）は腎排泄型のため，必ず腎機能検査値を確認します。異常があれば速やかに医師に疑義照会をかけ，処方変更に心がけます。フィブラート系薬剤の多くは，Creが1.5 mg/dL以上になると横紋筋融解症の発症リスクがあることから慎重に投与すべきですが，薬剤師からも筋肉痛がないか患者に確認しましょう。

◆ TGの上昇には内臓脂肪の増加が関与しています。体重増加も認めますので，食事療法や運動療法を医師が勧めている場合には，直接患者に問いかけることで，確実に遂行できるように支援します。合併症がない患者の場合は，特にこのような生活習慣の見直しが重要となります。

専門医からのアドバイス

- 中年男性ではこの患者のようなTG上昇を認める高脂血症（WHO分類でⅡbやⅣ型）が多くみられます。内臓脂肪型肥満が関与していることが多く，食事療法と運動で改善する場合があります。アルコール過飲でもTG上昇を引き起こします。
- 高TG血症に対する治療については，大阪府内科医会の調査では，積極的治療は56.6％に留まります。その理由は，「中性脂肪は食事，運動，減量で改善するため」との理由が最も多くみられました[1]。コレステロールに比べ，治療に対する医師の考え方に違いがあることは明らかです。

本症例のまとめ

本症例は高TG血症（Ⅳ型）を呈した男性患者です。来局される患者のなかでもよくみかける検査値の異常です。TG上昇は内臓脂肪型肥満と関連が多いため，薬物療法に加え生活習慣の改善が重要となります。

- 参考文献
  1）大阪府内科医会会員における高中性脂肪血症の診療実態．村田秀穂，外山　学，泉岡利利於，中尾治義，福田正博，大阪府内科医会会誌　26(1)：87-91，2017．

症例解析フローチャート

ポイント1 臨床検査値の異常値をリストアップする
#1 TG高値
#2 γ-GT高値

ポイント2 臨床検査値の異常と患者背景から病態を整理する
#1 脂質代謝異常　VLDLの増加を疑う
#2 肝機能障害や飲酒が影響している
　　これらはベザフィブラートの効果により改善

ポイント3 TG高値の原因を考える
① 体重・BMIの変動（増加）はなかったか？
② 飲酒量増加はなかったか？

ポイント4 TG高値となる病態と患者背景の関連について考える
- TG上昇は内臓肥満と関連があるので食事習慣・運動習慣を見直す
- アルコールはTGを増加させることを理解してもらう
- ベザフィブラートはTG低下に関して効果が出ていることのみならずγ-GT低下にも効果があることを理解してもらう

MEMO

知っておきたい 知識　レムナントリポ蛋白

　高TG血症は家族性複合型高脂血症，家族性Ⅲ型高脂血症，糖尿病やメタボリックシンドロームなどがその原因としてみられます。これらの病態での血清脂質の特徴は，TGに富むリポ蛋白(TG richリポ蛋白)であるカイロミクロンやVLDLの増加です。カイロミクロンは小腸で合成されたのちリンパ管から血管内へ，VLDLは肝臓で合成された後，血管内に入ります。

　これらTG richリポ蛋白は毛細血管においてリポ蛋白リパーゼ(LPL)などで粒子中のTGが加水分解されて小さくなり，リポ蛋白の中間代謝物であるレムナントリポ蛋白となります。レムナントとは「遺残物」という意味です。食後高脂血症などを来している場合，TG richリポ蛋白の異化が遅くなり，レムナントが血中に増加していることが多いことが知られています。レムナントはマクロファージに取り込まれやすいため，食後高脂血症は高レムナント血症を伴いやすく，動脈硬化発症に関わるとされています。

17 GLU, HbA1c

CASE ⑰

近所のクリニック（内科医だが消化器を専門とする医師）に永年かかっている患者が来局しました。患者から「血糖値が高くなったので，前回メトグルコが追加されましたが，血糖値が下がりません」と相談を受けました。この患者は医師の指示通りに，日頃から食事・運動には注意しています。

患者背景

70歳男性　身長 165 cm　体重 58 kg　来局時血圧 142/89 mmHg　顔色良
既往歴：なし
喫煙歴：なし
飲酒歴：なし

処方内容

Rp.1）　ジャヌビア錠（シタグリプチンリン酸塩水和物）50 mg　　1回1錠（1日1錠）
　　　　ノルバスク錠（アムロジピンベシル酸塩）5 mg　　　　　　1回1錠（1日1錠）
　　　　オルメテック錠（オルメサルタン メドキソミル）20 mg　　1回1錠（1日1錠）
　　　　　1日1回　朝食後　　　　　　　　　　　　　　　　　　28日分
Rp.2）　アマリール錠（グリメピリド）1 mg　　　　　　　　　　1回1錠（1日2錠）
　　　　メトグルコ錠（メトホルミン塩酸塩）250 mg　　　　　　 1回1錠（1日2錠）
　　　　　1日2回　朝・夕食後　　　　　　　　　　　　　　　　28日分

臨床検査値（食後時）

項目	単位	結果	項目	単位	結果	項目	単位	結果
WBC	/μL	4800	ChE	U/L	386	Cl	mEq/L	109
RBC	10^6/μL	5.40	T-Bil	mg/dL	0.7	TC	mg/dL	215
Hb	g/dL	16.2	I-Bil	mg/dL	0.2	LDL-C	mg/dL	96
Ht	%	48.6	CK	U/L	100	HDL-C	mg/dL	47
PLT	10^4/μL	18.2	BUN	mg/dL	20	TG	mg/dL	147
AST	U/L	27	Cre	mg/dL	1.5	GLU	mg/dL	280
ALT	U/L	34	TP	g/dL	6.8	HbA1c	%	6.9
LDH	U/L	192	Alb	g/dL	4.3	CRP	mg/dL	0.14
ALP	U/L	111	Na	mEq/L	142			
γ-GT	U/L	53	K	mEq/L	4.5			

尿蛋白（＋＋）　尿潜血（－）

この検査値，どう読む？

臨床検査値を読んでわかるプロブレムとしては，**#1** 食後GLU高値，**#2** 尿蛋白陽性，**#3** Cre高値があります。

どのような病態？

#1 食後GLU高値：食後血糖が高値です。前回メトグルコ錠が追加されたことからも，主治医は糖尿病のコントロールが悪いと判断していることがわかります。

#2 尿蛋白陽性：一過性，間歇性，持続性のいずれであるかを判断することが重要です（尿蛋白の項参考）。Creの異常からもすでに糸球体に障害のあることが考えられます。

#3 Cre高値：Cre 1.5 mg/dL基準値を超えています。Cockcroft-Gault式で計算すると，クレアチニンクリアランスは38 mL/分でした。

病態をさらに読み込むと何がみえる❓

▶ 糖尿病の人は，空腹時GLUが基準範囲にもかかわらず，糖質を多く含む食品を食べることで食後血糖値が一気に200〜300 mg/dLまで上昇することがあります。健康な人の場合，食後2時間もすれば血糖値は140 mg/dL未満に低下しますので，今回の食後GLU 280 mg/dLから食後高血糖と考えられます。このときの採血は，食後（食べ始めてからの時間）何時間後の採血かを患者から直接確認しましょう。この患者は「血糖値スパイク」が起こっている可能性があります。

▶ クレアチニン値は筋肉量に比例します。男性は女性よりやや高値になり，高齢者では筋肉量が減少するためやや低めの傾向になります。今回のようにCre 1.5 mg/dLの場合は70歳では，推定Ccrは38 mL/分ですが，同じCre濃度でも40歳の方では54 mL/分となります（☞ P.30参照）。この患者は蛋白尿も伴っており，糖尿病性腎症の可能性もあります。糖尿病性腎症では急速なCcrの悪化がみられることもありますので，厳重な腎機能のフォローアップが必要です。

薬剤師は次に何をする❓

　この患者は糖尿病のコントロールができていません。食後高血糖がありますので，これを抑える薬がよい適応になります。

◆ 薬剤師として気を付けたいことは，食後高血糖の可能性が高いこと，腎機能悪化傾向があることを患者と情報共有することです。

◆ 食後血糖が280 mg/dLの2型糖尿病患者にメトグルコをベースに用いることは可能ですが，本症例は腎機能障害もありますので，副作用も考えると使いにくい薬です。食後血糖を抑制するためにはαグルコシターゼ阻害薬（ベイスン錠など）が適正な処方と考えられます。

◆ 本症例は腎障害を合併していますので，メトグルコの使用の是非について医師に疑義照会（処方提案）をしてもよいと思います。

専門医からのアドバイス

- 糖尿病の治療方針は，ベースとなる血糖値やHbA1cの値，糖尿病の型，インスリンの分泌，抵抗性，合併症の状況で計画します．本症例は食後血糖が高い糖尿病の方で投薬内容から2型糖尿病が考えられる状態です．メトグルコはインスリン抵抗性のある方にはよい適応があり頻用される薬剤ですが，前述のとおり腎機能障害がありメトグルコが使いにくい症例です．
- 上段でこの患者は2型糖尿病が考えられる状態と述べましたが，2型糖尿病にみえて実は1型というタイプもあります（緩徐進行型IDDM）．この診断は抗GAD抗体が陽性となることでわかります．
- 糖尿病患者はわが国に数百万人存在しますので，すべての患者が糖尿病に詳しい医師の診察を受けていない可能性もあります．時に標準的治療から離れた処方を受けている患者もおられます．本症例のような患者に対する薬剤師からのご意見は貴重です．

本症例のまとめ

　臨床検査値を正しく読むことで，適正な薬剤の提案を医師に疑義照会する症例です．本症例のように糖尿病などの生活習慣病が専門でない医師が処方することもあり，薬剤師による処方提案が必要となります．

　GLUの検査値は，必ず採血条件を確認してください．本症例のように食後GLUが高い症例では要注意です．

▶▶ 症例解析フローチャート

ポイント1　臨床検査値の異常値をリストアップする
- #1　食後GLU高値
- #2　尿蛋白陽性
- #3　Cre高値

ポイント2　臨床検査値の異常と患者背景から病態を整理する
- #1　血糖値スパイクの可能性がある
- #2　一過性，間歇性，持続性のいずれであるかを判断，糖尿病性腎症の可能性が高い
- #3　クレアチニンクリアランスの算出，腎機能低下

ポイント3　食後GLU高値の原因を考える
- ①　インスリン抵抗性があり血糖値スパイクを起こしている

ポイント4　食後GLU上昇を起こす病態と患者背景の関連を考える「薬の専門家としての役割について考える」
- ●適正な薬物の選択
  - ・食後血糖に効果のある薬物の使用
  - ・メトグルコはインスリン抵抗性改善に効果があるが腎機能障害があると使用しにくい
  - ・医師と薬物の選択について相談したほうがよいかもしれない

MEMO

> **知っておきたい　知識　食後高血糖を発見するための簡便な方法**
>
> 　血糖検査の基本は「空腹時血糖」ですが，近年「食後高血糖」が動脈硬化性疾患と関連が深いことが明らかとなってきました．75g経口ブドウ糖負荷試験は75gのブドウ糖含有水を飲んだ後，経時的（0分，30分，60分，120分）の血糖を調べる検査で，「食後高血糖」を確認するための最も定量的な検査です．75g経口ブドウ糖負荷試験を受けると食後高血糖は確定できますが，ここでは簡便な食後高血糖発見法を考えます．1つは食後2時間経過した後に採血する「食後2時間血糖」で，もう1つは食後採尿による「尿糖検査」です．後者についてもう少し考えてみます．血糖値が160〜180 mg/dL以上になると尿糖検査が陽性になることがあります．尿糖（☞ P.103参照）検査は簡便とはいえ，陰性であっても糖尿病を完全に否定することはできません．腎性糖尿以外であれば陽性の場合糖尿病発見に役立ちます．一般的に尿検査は食事前に一度排尿して2時間程度経ってから測定します．このときに尿糖陽性の反応が出た場合は食後高血糖の疑いが強くなります．確定診断ではありませんが参考にしてください．

18 CRP

CASE ⑱ ★★☆

　近所の内科クリニックに通院中の72歳男性。健康のために、ジムで水泳をしています。ある日、処方箋を持って来局されました。その際、少し筋肉痛を自覚する程度で他の自覚症状はなく、毎月血液検査を受けており、ここ数カ月の検査結果を見比べて、「CRPが少しだけどずっと高いです。先生にいつも聞きそびれてしまって。今の病気と何か関係あるのですか？」と相談を受けました。

患者背景

72歳男性　身長169 cm　体重66.5 kg　来局時血圧151/83 mmHg
体温：36.7℃（自己申告）
現病歴：高血圧(45歳)，脂質異常症(54歳)，高尿酸血症(55歳)
既往歴：心筋梗塞に対する経皮的冠動脈形成術(PCI)で入院歴あり(65歳)
輸血歴：なし　　家族歴：特記事項なし
喫煙歴：7年程前から禁煙(それまでは10本/日，40年間)
飲酒歴：あり(缶ビール350 mL×2～3本/週。5年程前は毎日のように飲酒)

処方内容

Rp.1) バルサルタン錠80 mg　　　　　　　　　　　　1回1錠(1日1錠)
　　　タケルダ配合錠(アスピリン・ランソプラゾール)　1回1錠(1日1錠)
　　　　1日1回　朝食後　　　　　　　　　　　　　　28日分
Rp.2) ニフェジピンCR錠40 mg　　　　　　　　　　　1回1錠(1日2錠)
　　　　1日2回　朝・夕食後　　　　　　　　　　　　28日分

Rp.3) アトルバスタチン錠 10 mg　　　　　　　　1回1錠（1日1錠）
　　　ゼチーア錠（エゼチミブ） 10 mg　　　　　　1回1錠（1日1錠）
　　　　1日1回　夕食後　　　　　　　　　　　　28日分

臨床検査値

項目	単位	結果	項目	単位	結果	項目	単位	結果
WBC	/μL	7200	CK	U/L	495	LDL-C	mg/dL	145
PLT	10^4/μL	19.5	BUN	mg/dL	17	HDL-C	mg/dL	57
AST	U/L	28	Cre	mg/dL	1.02	TG	mg/dL	321
ALT	U/L	39	UA	mg/dL	5.4	GLU	mg/dL	116
LDH	U/L	191	TP	g/dL	7.8	HbA1c	%	5.1
γ-GT	U/L	50	Alb	g/dL	4.1	CRP	mg/dL	0.85
T-Bil	mg/dL	0.3	TC	mg/dL	236			

この検査値，どう読む？

　検査値からプロブレムリストを作ると，**#1** CRP高値，**#2** TC，LDL-C高値，**#3** TG高値，**#4** CK高値があげられます。

どのような病態？

#1 CRP高値：CRPは炎症マーカーの1つです。基準値より高値ですが，過去3カ月分のCRP値の推移をみていると，ほとんど変化がありませんでした。慢性的に高い状態が続いているので，長期にわたって何らかの変化（炎症や組織のダメージ）が起きている可能性があります。

#2 TC，LDL-C高値：高LDL-C血症を伴う脂質異常症です。脂質異常症の表現型分類（WHO分類）では（TGも高いので）Ⅱb型に分類されます。治療薬としてはスタチン系が使われています。140 mg/dL以下に下げる必要がありますが，冠動脈疾患の既往がありますので，さらに積極的に下げることが求められます。

#3 **TG高値**：過去の結果を確認すると，先月の採血結果までは基準値内を推移していました。TGは食事の影響を受けやすいので，検査値を評価する前に採血タイミングとして空腹時（10時間以上の絶食）での結果であるのか確認が必要です。また，前日に飲酒や高脂肪食を摂取していると高値となりますので食事内容の確認もしておきたいです。

#4 **CK高値**：CK値がやや高値であるのが気になります。CKは急性心筋梗塞で上昇します。また激しい運動や使用している薬（フィブラートやスタチン）によっても影響を受けるため，直近の運動の有無や投与薬剤について確認しておきましょう。

病態をさらに読み込むと何がみえる❓

▶ CRPが高い場合，まず感染症を疑う方が多いと思います。しかしながら，発熱もなく，他の検査値をみると，WBCも基準範囲内です。何らかの炎症が体内でくすぶっているのかもしれませんが，残念ながらこれだけで特定することはできません。動脈硬化などでもわずかに上昇することが知られています（☞P.74 COLUMN参照）。

▶ 脂質検査は食事の影響を強く受けます。検査前日の夕食の内容を聞くと，友人との食事会があり，なかなか抜け出せず夜遅くまで飲食をしていたようです。前日の食事がTGに影響した可能性はありそうだということがわかりました。

▶ CK上昇の原因となる薬物として，HMG-CoA還元酵素阻害薬（スタチン系）があります。スタチン系によるCK上昇の好発時期として，一般に1年以内がほとんどで，4カ月以内が50％以上と報告されていますので，可能性としては検査前に何らかの運動をしている可能性があります。この患者の場合，水泳をしているようですので，その影響の可能性が高そうです。多くは1週間以内に低下します。

薬剤師は次に何をする？

◆ CRPの意味をきちんと理解してもらうことです。感染症だけでなく組織や細胞の損傷が起きたとき，例えばケガや動脈硬化や膠原病でも上昇します。したがって，CRPだけで病態を判断することができません。

◆ CRPは，身体の中で炎症が起きているときに血液中で上昇する蛋白質です。細菌感染ではWBCとともに上昇しますが，ウイルス感染症では細菌感染症ほど上昇しません。

◆ 心筋梗塞が既往にあり，心筋由来のCK上昇は心配なところです。ただし，筋肉痛を伴っていますので，運動による可能性もありますが，多発性筋炎やリウマチ性疾患なども鑑別にあがります。CK上昇からもスタチンによる横紋筋融解症の可能性も否定できません。

◆ 普通の生活により変動する検査値もありますので，検査前の生活の注意をすることです。TGは食事の影響を，CKは運動の影響を受けますので，激しい運動を避け，かつ10〜12時間以上の絶食を守るよう検査値と生活習慣の関係について理解してもらいましょう。

専門医からのアドバイス

● 本症例は心筋梗塞の既往もあり，動脈硬化が強い可能性があります。CRP上昇の他の原因がなければ，動脈硬化病変の存在がCRP上昇を引き起こしている可能性があります。

● この患者は冠動脈疾患の既往がありますので，心筋梗塞の二次予防の観点からLDL-C管理目標値として100 mg/dL未満を目指し，達成した場合にはnon HDL-Cとして130 mg/dL未満を目指す必要があります。そのため，スタチンの増量，小腸コレステロールトランスポーター阻害薬や場合によってはPCSK9阻害薬等の併用によりさらにLDL-C値を積極的に下げる必要があります。

本症例のまとめ

　軽度のCRP上昇を起こした可能性の1つとして，動脈硬化が考えられます。動脈硬化の進展は脳心血管疾患の発症リスクを増加させますので，生活習慣の改善はもちろん，コレステロールのコントロールを積極的に行う必要があります。ただしCRP上昇が他の疾患の可能性も否定できず，薬剤師として断定することはできませんので，主治医へ相談することを促すべきでしょう。また，血液検査前の生活習慣にも問題がありました。検査値を正しく評価するために，検査前の食生活や飲み物などの注意事項についても指導しておくことも重要です。

知っておきたい知識　血中CRP濃度が高いほどがん罹患リスク増大？

　感染などで引き起こされる炎症反応では，その一連の反応のなかで活性酸素等が産生されます。この活性酸素は細胞にダメージを与えます。このため炎症反応はがんの発症リスクを上昇させるとされています。国立がん研究センターの研究チームらは，健診などで提供された40～69歳の男女約3万4,000人の血液について，高感度CRP検査により血中CRP濃度とがん罹患リスクとの関連を調べた結果，血中CRP濃度の上昇でがんの罹患リスクが統計学的に有意に高くなることを発表しました。したがって，CRPの軽度上昇は，感染症による発熱等の症状は現れない慢性微小炎症の遷延に加え，発がんと関連があることが示唆されました。

●参考文献

1) S. Suzuki et al：Association between C-reactive protein and risk of overall and 18 site-specific cancers in a Japanese case-cohort. British Journal of Cancer 126(10)：1481-1489, 2022.

▶▶ 症例解析フローチャート

ポイント1 臨床検査値の異常値をリストアップする
- #1 CRP高値
- #2 TC，LDL-C高値
- #3 TG高値
- #4 CK高値

ポイント2 臨床検査値の異常と患者背景から病態を整理する
- #1 全身の炎症や感染症の可能性
- #2 脂質異常症
- #3 リポ蛋白質代謝異常，採血前日の高脂肪食・飲酒
- #4 運動後の筋肉細胞破壊に伴う漏出，スタチン系による横紋筋融解症の可能性

ポイント3 CRP高値の原因を考える
① 血管内皮障害を伴う動脈硬化
② 運動による筋肉ダメージによる上昇の可能性
③ その他（炎症，腫瘍，膠原病など）

ポイント4 CRP高値となる病態と患者背景の関連について考える
- 心筋梗塞の既往→動脈硬化が強いのでCRP上昇の原因の可能性は高い
- 運動による筋肉ダメージ→持続的に強い運動をしているか確認する

知っておきたい知識：抗炎症作用を期待した冠動脈疾患治療

　動脈硬化性疾患に有用なさまざまな薬物が明らかとなってきました。冠動脈疾患に対する低用量アスピリン療法はすでに確立されたものですが，多くの大規模臨床試験の結果で心血管イベントの一次予防効果を有することが報告されています[1]。このアスピリンは抗血小板作用を期待したものですが，長期投与による抗炎症効果も期待されています。

　またスタチンは，本来の脂質低下作用だけでなく，抗炎症作用により動脈硬化に対する予防効果があるといわれています。このように脂質低下作用とは別に，血管内皮細胞の機能を保護する効果を有するスタチンの効果をpleiotropic effect（多面的作用）と呼ばれています。

　その他，同様の抗炎症作用を有するものとして，アンジオテンシン受容体拮抗薬（ARB），チアゾリジン系血糖降下薬などが知られ，これらも冠動脈疾患の予防効果が期待されています。

●参考文献
1) Hayden M, et al：Aspirin for primary prevention of cardiovascular events：a summary of the evidence for the U.S. Preventive Services Task Force. Ann Intern Med. 136：161-172, 2002.

MEMO

19 白血球数，白血球分画

CASE ⑲ ★★☆

　地域がん診療連携拠点病院に通院中の患者が来局しました。現在抗がん剤を用い胃がん治療中です。「先週，入院して抗がん剤の点滴を受け，今は飲み薬の抗がん剤を飲んでいますが，体がだるくてしんどいです。検査したら，副作用で白血球が少ないといわれました。どの数字をみればいいのでしょうか？」と相談を受けました。現在の治療計画はCDDPとTS-1の併用療法1クール35日で3クールを予定とのことでした。6日前にCDDP点滴を受け，現在はTS-1を内服しています。本日外来診療を受けましたが主治医は学会出張のため不在で違う医師がいつもの薬を1週間分処方されたそうです。

患者背景

56歳男性　身長162 cm　体重58.7 kg　来局時血圧110/75 mmHg
現病歴：高血圧（47歳），胃がん（56歳）
喫煙歴：10本/日×15年
飲酒歴：あり（ハイボール4〜5杯/日）

処方内容

Rp. 1) EEエスワン配合錠T20 (テガフール・ギメラシル・オテラシルカリウム)　　1回3錠（1日6錠）
　　　　1日2回　朝・夕食後　　　　　　　　　　　　　7日分
Rp. 2) イルベサルタン錠100 mg　　　　　　　　　　　　1回1錠（1日1錠）
　　　　タケキャブ錠（ボノプラザンフマル酸塩）20 mg　　1回1錠（1日1錠）
　　　　1日1回　朝食後　　　　　　　　　　　　　　　7日分
Rp. 3) モサプリドクエン酸塩錠5 mg　　　　　　　　　　1回1錠（1日3錠）
　　　　1日3回　朝・昼・夕食後　　　　　　　　　　　7日分

臨床検査値

項目	単位	結果	項目	単位	結果	項目	単位	結果
WBC	/μL	810	Hb	g/dL	14.3	T-Bil	mg/dL	0.6
Neut	%	37.1	PLT	$10^4/\mu$L	11.3	BUN	mg/dL	15
LYMP	%	60.5	AST	U/L	17	Cre	mg/dL	0.89
MONO	%	0	ALT	U/L	26	TP	g/dL	5.9
EOS	%	1.2	LDH	U/L	197	Alb	g/dL	4.1
BASO	%	1.2	ALP	U/L	87	CRP	mg/dL	0.04

この検査値，どう読む？

この患者の検査値上のプロブレムは #1 白血球数，好中球数低値，#2 血小板数低値です。

どのような病態？

この患者は胃がんであり抗がん剤の投与中ですので，#1 **白血球数，好中球低値**，#2 **血小板数低値**は，抗がん剤の影響と容易に予測がつきます。このような状態を抗がん剤による「骨髄抑制」といいます。

がん化学療法剤は分裂の盛んな細胞を標的にするため，髪・爪・皮膚・粘膜・骨髄（血液を作るところ）などの正常な細胞まで攻撃してしまいます。その影響により，全身倦怠感が生じていることが考えられます。通常，化学療法は何クールかを繰り返して行われるため，骨髄能力の回復が低下してしまいます。そのため，白血球数や血小板数が低下します。赤血球はその寿命が白血球や血小板よりも長いので短期間で貧血にはなりません。

白血球数低下時には感染症などの合併症を発症すると重篤になりやすく，感染症の予防が大切なポイントです。

病態をさらに読み込むと何がみえる？

▶ **白血球数，好中球，血小板数の推移の確認**

まず以前の検査値を確認しましょう。過去のデータの推移を患者から聴取します。それぞれが急激な低下なら危険な兆候ですし，そうでなくても白血球数 810/μL は感染症リスクが高い危険な値です。G-CSFの投与が必要かもしれません。

▶ **骨髄抑制からの回復のパターン**

化学療法後の骨髄抑制からの回復に伴って，白血球分画は特徴的なパターンを示すことがしばしばみられます。通常，強い骨髄抑制があるときはリンパ球がほぼ100％を占めますが，骨髄抑制から回復するにしたがって，まず単球が増えてきます。続いて，好中球が増加してきます。多くの場合，血小板数や赤血球数（ヘモグロビン）の回復は，通常好中球の回復よりもやや遅れて回復します。白血球分画も一緒に確認しましょう。

薬剤師は次に何をする？

◆ まず処方した医師に投薬すべきか直ちに確認してください。医療安全上も各部署がゲートキーパーとなって治療方針に関与すべきデータです。おそらく検査部からもパニック値（生命の危機に関わる値）として主治医に連絡がある例です。

◆ 本症例は抗がん剤をいったん中断すべき事例です。何らかの処置により白血球数が上昇すると，症状の改善がみられると考えられます。低下がみられる間は，感染しやすい時期になります。感染経路を遮断するためにも，手洗い・うがい・清潔な行動を心がけ，また，感染症状について知り，早めに対処することで重篤な感染症を防止することが重要であることを患者に伝えましょう。

◆ 骨髄抑制の主な指標は，白血球数ですが，前項の記載とおり，白血球分画をみることで，今後の経過を予測することができます。患者にも伝えることで，副作用症状を覚悟しておくことができます。副作用対策に加え，検査値の見方も指導するように努めましょう。

専門医からのアドバイス

- 本症例は白血球数が810/μL，好中球比率が37.1％ですので，好中球数は243個と顕著な好中球減少がみられます。好中球の絶対数が500/μL以下になると易感染性となるため，この状態で化学療法を継続することは特別な理由がない限り好ましくありません。
- 主治医が学会出張で不在ですが，代診医によって十分な確認を行わずに安易に継続投与することが重大な過誤につながります。薬剤師として再度の注意を喚起し，処方の中止を促すことが重要です。
- 発熱の有無の記載はありませんが，敗血症を発症し，ショック状態になる可能性もあります。代診医に対して，検温の確認やG-CSFの投与も提案する必要があるかもしれません。

本症例のまとめ

　抗がん剤治療に伴う副作用症状であり，顕著な骨髄抑制を認めた症例です。白血球数は治療中断を考慮すべき値なので直ちに疑義照会が必要です。
　抗がん剤治療による白血球減少では，好中球の減少による易感染性が特に問題となります。好中球減少中に感染症を発症すると，好中球数が正常の場合に比べて急速に進行し，敗血症などの重篤な感染症に発展する危険性が高いため，日頃から感染予防，感染症発症時の迅速な治療が重要になります。

▸▸ 症例解析フローチャート

ポイント1 臨床検査値の異常値をリストアップする
- #1 白血球数，好中球数低値
- #2 血小板数低値

ポイント2 臨床検査値の異常と患者背景から病態を整理する
- #1 #2 抗がん剤投与による骨髄抑制

ポイント3 白血球数，好中球数，血小板数低値の原因を考える
- ① 抗がん剤投与中であり，骨髄抑制が進行していることが考えられる

ポイント4 白血球数，好中球数，血小板数低値となる病態と患者背景の関連について考える
- 胃がん抗がん剤治療→副作用対策
- 発熱などを伴う敗血症発生に注意を払う

知っておきたい知識　発熱性好中球減少症における抗菌薬の選択

　本症例のような抗がん剤による骨髄抑制時には，感染症を発症するおそれがあります。なかでも発熱性好中球減少症（FN：☞ P.78参照）を生じた際は適切な抗菌薬の投与が重要なポイントになります（図）。

　一般的に医師がどのように抗菌薬を選択しているのかも理解しておきましょう。

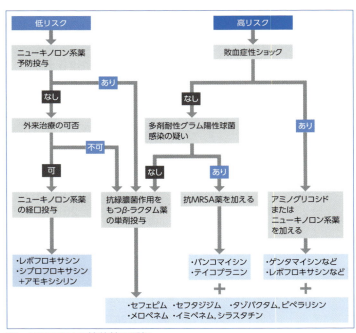

図　FNにおける抗菌薬の選択
（医療情報科学研究所：薬がみえる〈vol.3〉，メディックメディア，P.425，2016より一部抜粋）

20 赤血球数, ヘモグロビン値, 平均赤血球容積

CASE ⑳

「最近, 忙しくて, 体調がすぐれなくて。病院で貧血といわれました」と, 患者が来局しました。顔色も悪く, 血圧も低いようです。検査結果を示しながら相談を受けました。

患者背景

24歳女性　身長 162 cm　体重 50 kg　来局時血圧 86/62 mmHg
既往歴：なし
喫煙歴：なし
飲酒歴：なし

処方内容

Rp.1）クエン酸第一鉄ナトリウム錠 50 mg　　　1回2錠（1日4錠）
　　　1日2回　朝・夕食後　　　　　　　　　　28日分

臨床検査値

項目	単位	結果	項目	単位	結果	項目	単位	結果
WBC	$/\mu L$	5200	MCHC	%	32	K	mEq/L	3.6
RBC	$10^6/\mu L$	2.98	PLT	$10^4/\mu L$	28	Cl	mEq/L	102
Hb	g/dL	6.2	LDH	U/L	210			
MCV	fL	62	Na	mEq/L	138			

この検査値，どう読む？

　臨床検査値のプロブレムは，**#1** RBC，Hb，MCV低値です。これらの所見から小球性貧血であることがわかります。頻度的には鉄欠乏性貧血が最も考えられます。

どのような病態？

#1 RBC，Hb，MCV低値

- 赤血球の数やヘモグロビン(Hb)の濃度が低い状態ですので貧血は間違いありません。Hbは赤血球中に存在し，酸素と結合する性質があります。体内で酸素濃度の高い組織では酸素と結合し，酸素濃度の低い組織では酸素を手放すことにより，肺で取り込んだ酸素を体の隅々に運んでいきます。このHbを作るには鉄が不可欠です。頻度の多い貧血である鉄欠乏性貧血では，鉄分の不足によってHbの合成が障害され貧血が起こります。
- 本症例はMCVから典型的な小球性貧血です。鉄欠乏性貧血ならば血清鉄は低くなります。
- 鉄欠乏性貧血になる原因として，①胃や十二指腸の潰瘍・炎症・痔・がんなどによる消化管からの出血，月経による出血，②偏食による食事からの鉄分の摂取不足，③胃切除などによる吸収障害，④体の成長や妊娠に伴う鉄需要量の増大，などがあります。若い男性では胃や十二指腸の潰瘍や痔，若い女性では月経やダイエットによる鉄の摂取不足，中年女性では子宮筋腫による月経過多が原因となることが多くなります。男性女性ともに中高年以降では胃がんや大腸がんが原因となることがあります。

病態をさらに読み込むと何がみえる❓

▶ 患者に伺うと血清鉄の結果もあるとのことでした．その結果は以下のとおりです．血清鉄 9 μg/dL，TIBC 450 μg/dL，血清フェリチン値 5 ng/mL，トランスフェリン飽和率2％

▶ 血清鉄，トランスフェリン飽和率の低下，TIBCの高値です．健常人では血清中鉄結合蛋白質であるトランスフェリンのうち全体の約35％が鉄と結合しています．このトランスフェリンと結合している鉄が血清鉄で，鉄欠乏性貧血では血清鉄が顕著に低下しています．トランスフェリン量増加による総鉄結合能(TIBC)の高値がみられることも鉄欠乏性貧血の特徴です．血清

知っておきたい知識　いろいろな貧血

本症例では鉄欠乏性貧血を取り上げましたが，貧血にはさまざまな種類があります．それぞれの疾患の原因を理解し，疾患に応じた服薬指導を行いましょう．よくみられる貧血をあげておきます．

■ 鉄欠乏性貧血

貧血のなかで，およそ80％を占める鉄欠乏性貧血は，偏食や欠食，ダイエット目的の食事制限など，食生活の乱れにより鉄分が不足しHbが作られなくなった結果，貧血症状を示す疾患です．また，月経過多や痔，がんなどによる消化管からの出血が原因の場合もあるので，男性で貧血の症状がある場合には消化管に異常がある可能性を考えます．

■ 巨赤芽球性貧血

赤血球が作られるために不可欠なビタミンB_{12}や葉酸が不足することで生じる貧血です．不足している成分ごとに，ビタミンB_{12}欠乏性貧血や葉酸欠乏性貧血に分類されます．

・ビタミンB_{12}欠乏性貧血はビタミンB_{12}の欠乏が原因で貧血症状が現れる疾患です．本来，ビタミンB_{12}は，胃で吸収されて赤血球生成

フェリチン値も低下しています。フェリチンは鉄と結合することで鉄貯蔵に関連する蛋白質です。血清フェリチン値は鉄欠乏の状態を反映する指標になります。鉄欠乏ではまず貯蔵鉄の減少から始まり血清フェリチン値の低下がみられます。その次に進行するとHb中の鉄の減少，血清鉄の低下がみられます。

▶食事の状態や若い女性なら月経の状態(デリケートな内容なので慎重に)を患者から聴取しましょう。

の材料になり，胃がんなどで胃が切除された場合などには，ビタミンB$_{12}$は体に吸収される機会が失われてしまいます。その結果貧血になります。

・葉酸欠乏性貧血は，体内の葉酸が失われて貧血が発症する疾患です。基本的に，葉酸は通常の食生活を送っていれば不足することはあまりないといわれていますが，ダイエットや偏食，アルコールの取りすぎなどにより不足すると赤血球が作り出せなくなります。その結果，貧血になった症状をさします。

■ 溶血性貧血

健康な人の赤血球の寿命は120日程度であり溶血性貧血では，この寿命が短くなっています。外的な刺激などで赤血球が壊れることもあり，マラソン選手や長距離歩行のスポーツ選手に起きることがあります。

■ 再生不良性貧血

再生不良性貧血は，血液を作るために重要な役割をもつ骨髄の働きが低下することで，赤血球を含む血球が作られなくなる疾患のことです。難病に指定されている疾患であり，医師の指示に従って治療を行う必要があります。

薬剤師は次に何をする❓

◆鉄剤内服で経時的にどのような貧血改善があるのかお話しします。開始して1～2週間で網状赤血球が増加，3～4週間でヘモグロビンが増加し，2～4カ月の治療でヘモグロビンが正常値になります。その間は定期的に通院し，フェリチンの値が正常化してからさらに数カ月，鉄剤の内服を続けることが一般的です。医師の指示に従い，薬剤の飲み忘れのないよう指導しましょう。

◆鉄剤の副作用は吐き気，腹痛，便秘，下痢などの消化器症状があること，鉄剤を内服すると吸収されなかった分の鉄が排泄され，便は黒色となりますが心配はないことなどを説明します。

◆鉄剤の服用に加え，生活習慣の改善も不可欠であり，バランスのとれた食生活が大切であることを伝えます。食品に含まれる鉄分には，肉や魚など動物性食品に含まれる「ヘム鉄」と，緑黄色野菜・穀類・海藻など植物性食品に含まれる「非ヘム鉄」があり，その構造の特性からヘム鉄のほうが，より効率よく吸収されますので偏った食事の是正を提案します。コーヒーや紅茶に含まれているタンニンと呼ばれる成分は鉄の吸収率を下げてしまうので，貧血の症状が気になる人は，これらの飲み物を食後に飲まないように心がけるよう指導しましょう。

◆鉄剤と併用すると効果が低下する薬剤があります。一部の抗菌剤は鉄分に限らず一部のミネラルと結合すると吸収が阻害されます。感染病治療薬として副作用の少ないニューキノロン系抗菌剤はよく処方される薬ですが，これはアルミニウム・マグネシウム・鉄分などと結合してしまい抗菌剤としての効果が十分ではなくなってしまうため，飲む時間をずらすか抗菌剤の種類を換える必要があります。また，甲状腺ホルモン剤も鉄分によって吸収が低下してしまうため，同じような対策が必要です。お薬手帳などを参考に，患者の服薬状況を確認しましょう。

専門医からのアドバイス

前の項目でも触れていますが，強調したいことは2つです。
- 鉄剤の服用によって便が黒くなることをあらかじめ患者に伝えましょう。消化管出血でも便が黒くなるため，鉄剤の服用と消化管からの出血で同様の結果になることを理解してもらいます。
- もう1つは内服の期間です。ヘモグロビン値が正常化しても飲み続ける必要があります。鉄剤は吐き気，胃痛，便秘，下痢などの消化器症状の副作用がよくみられます。そのため患者はあまり飲みたがりませんが，フェリチン値が正常化するまで内服を続けることをあらかじめ伝えておきましょう。

本症例のまとめ

　鉄欠乏性貧血による，RBC，Hb，MCVの低下を認めた症例です。
　偏食による食事からの鉄分の摂取不足による鉄欠乏性貧血が考えられる症例であり，鉄剤の服薬指導に加え，生活習慣の改善も指導する必要があります。食事で鉄分を補給し，1日3回，バランスのよい食事を心がけるよう指導しましょう。また，妊娠・授乳中や成長期の女性，激しいスポーツをする方は特に鉄分が失われやすいので，意識して鉄分を摂取しましょう。
　鉄剤には飲み合わせに注意する薬があるため，併用薬の確認を忘れないようにしましょう。

▶▶ 症例解析フローチャート

ポイント1 臨床検査値の異常値をリストアップする
#1 RBC, Hb, MCV低値

ポイント2 臨床検査値の異常と患者背景から病態を整理する
#1 小球性貧血
（鉄欠乏性貧血, 慢性炎症による貧血, サラセミアなどが考えられる）

ポイント3 RBC, Hb, MCV低値の原因を考える
① 追加検査で血清鉄, トランスフェリン飽和率の低下, TIBC増加が確認され, 鉄欠乏であることがわかった

ポイント4 RBC, Hb, MCV低値となる病態と患者背景の関連について考える
- 鉄欠乏性貧血の原因は何かを考える
  ・栄養のかたより
  ・鉄の喪失（出血などによる）による鉄不足

知っておきたい知識　真性赤血球増加症（真性多血症）

　赤血球数，ヘモグロビン（Hb）値の変動をみるとき，貧血に目が行きがちですが，逆にHb値が上昇する場合があり，赤血球増加症といわれます。赤血球増加症には，純粋に赤血球が増加している絶対的赤血球増加症と，嘔吐や下痢などによって脱水状態となる相対的赤血球増加症があります。絶対的赤血球増加症には，高地滞在や心疾患などによって赤血球数が増加する二次性赤血球増加症と，腫瘍性に赤血球数が増加する真性赤血球増加症があります。

　古くから①白血球数が増加する慢性骨髄性白血病，②赤血球数が増加する真性赤血球増加症，③血小板が増加する本態性血小板血症，④骨髄が線維化を来す骨髄線維症の4疾患をあわせて慢性骨髄増殖性疾患と呼んでいましたが，慢性骨髄性白血病以外の3疾患に共通する遺伝子異常（JAK2遺伝子変異）がみつかったことから，これら4疾患は腫瘍性の増殖と考え，骨髄増殖性腫瘍と呼ばれるようになりました。

　JAK2遺伝子は，赤血球や血小板造血に必須の分子で，エリスロポエチン（EPO）やトロンボポエチン（TPO）が受容体に結合するとJAK2が活性化し，細胞内に増殖シグナルが送られます。JAK2遺伝子に変異があると，EPOやTPOの結合とは無関係にJAK2が活性化し，常に増殖のアクセルがかかった状態となるため，赤血球や血小板などが異常増殖します。

　真性赤血球増加症では，脳梗塞や心筋梗塞などの血栓症を発症するため予防が必要です。抗血小板療法として低用量アスピリンと，過剰な赤血球を除去する瀉血（ヘマトクリット値を45％以下に保つのが望ましい）が行われます。瀉血のみで不十分な場合には，ハイドロキシウレアによる細胞減少療法が行われます。さらに効果が不十分な場合にはJAK阻害薬であるルキソリチニブが用いられます。

21 PLT

CASE ㉑

　近所の病院において心筋梗塞に対する経皮的冠動脈形成術を行い，その後のフォローをされている患者がいつものように処方箋を持って来局しました。主治医からは説明がありませんでしたが，普段より血小板数が少ない（普段は20万/μL以上あるという）のに今気が付いたようです。

患者背景

63歳男性　身長168 cm　体重62 kg　来局時血圧 136/81 mmHg
現病歴：高血圧（50歳），心筋梗塞（63歳）にて近所のクリニック（内科）に通院している。
喫煙歴：なし　　飲酒歴：なし

処方内容

Rp.1）アスピリン腸溶錠 100 mg	1回1錠（1日1錠）
クロピドグレル錠 75 mg	1回1錠（1日1錠）
アムロジピンOD錠(アムロジピンベシル酸塩) 5 mg	1回1錠（1日1錠）
ランソプラゾールOD錠 15 mg	1回1錠（1日1錠）
1日1回　朝食後	28日分
Rp.2）ロスバスタチン錠(ロスバスタチンカルシウム) 5 mg	1回1錠（1日1錠）
1日1回　夕食後	28日分

※アムロジピンOD錠以外は2カ月前から服用開始となっているとのこと。

臨床検査値

項目	単位	結果	項目	単位	結果	項目	単位	結果
WBC	/μL	7300	AST	U/L	27	TP	g/dL	7.5
Neut	%	61.9	ALT	U/L	21	Alb	g/dL	4.3
LYMP	%	27	LDH	U/L	156	TC	mg/dL	167
MONO	%	8	ALP	U/L	102	LDL-C	mg/dL	98
EOS	%	2.9	γ-GT	U/L	27	HDL-C	mg/dL	41
BASO	%	0.2	ChE	U/L	300	TG	mg/dL	140
Hb	g/dL	14.2	T-Bil	mg/dL	0.5	GLU	mg/dL	115
PLT	10^4/μL	8.4	BUN	mg/dL	12	HbA1c	%	4.9
PT	%	94	Cre	mg/dL	1.29	CRP	mg/dL	0.08

この検査値,どう読む?

臨床検査値のプロブレムとしては,**#1** Cre高値,**#2** PLT低値があがります。

どのような病態?

#1 Cre高値: 本症例のクレアチニンクリアランスをCockcroft-Gaultの計算式により算出すると51.4 mL/minとなります。CKD重症度分類によれば軽度から中等度腎機能障害(GFR 45〜59)であることがわかります。

#2 PLT低値: 血小板が基準値より低下しています。血小板減少を来す疾患として,特発性血小板減少性紫斑病や再生不良性貧血の初期などさまざまな病気があります。本症例は比較的最近に血小板の減少を認めており,薬物性による可能性があることも忘れてはいけません。

病態をさらに読み込むと何がみえる？

▶血小板減少だけからその原因をつきとめるのは困難です。まず血小板数の経過をみます。この患者は普段基準範囲内の血小板数があり，急速に下がっている可能性があります。
▶通院中の患者が血小板減少を起こした場合は薬剤による可能性はないかまず調べます。処方薬剤のなかで血小板減少を起こす可能性がある薬剤を調べてみると，発現頻度が高い順に，ランソプラゾールOD錠（0.1～5％未満），ロスバスタチン錠（0.1％未満），アスピリン腸溶錠，クロピドグレル錠，アムロジピンOD錠（いずれも頻度不明）といずれも血小板減少を来す可能性があることがわかりました。

薬剤師は次に何をする？

◆血小板減少の原因が疾患によるものなのか，薬剤によるものなのかを考えます。そのためには，血小板減少の発現時期や推移の確認が有用となります。
◆患者に過去の検査結果はわかりますか？と質問したところ，入院時（2カ月前）の検査結果を得ることができました。入院時，つまり処方薬剤が開始となったときの血小板数は23万/μLでした。このことから，今回の血小板減少は急速に進行していることがわかります。このことは薬剤が原因である可能性があることを示唆しています。
◆血小板減少の原因が薬剤によるものと思われる場合は，該当する薬剤の中止，あるいは他剤への変更を医師に提案する必要があります。
◆患者には出血リスクを説明することも必要です。

専門医からのアドバイス

- 本症例は特に自覚症状のない外来患者に血小板減少が出現した事例です。血小板減少を来す疾患の種類は多いので，比較的高い頻度で遭遇します。
- 外来通院されている患者の場合，多くは従来からの疾患による血小板減少であることが多いと思われます。血小板減少はあっても以前と血小板数が変わらなければ薬局で介入する必要はありません。以前と比べて急速に血小板減少を来した場合には原因検索に介入しましょう。
- 本症例は，主治医がどのように血小板数を評価しているか不明ですが，薬物性の血小板減少の可能性もあります。また患者が血小板数について医師からの説明がなかったとすると，EDTA依存性偽性血小板減少症である場合や主治医が見逃している可能性は否定しきれません。医療安全の観点からも一度医療機関に問い合わせてみる必要がある症例と思います。

知っておきたい知識　ヘパリン起因性血小板減少症 (heparin-induced thrombocytopenia ; HIT)

血栓の予防・治療のために投与されたヘパリンにより血小板が刺激されてヘパリン依存性の自己抗体(HIT抗体)が産生され，血小板の減少，さらに新たな血栓症や塞栓症の発症につながる疾患をヘパリン起因性血小板減少症(HIT)といいます。ヘパリン投与中の患者にみられますので外来通院中の患者ではあまりみられません(透析患者，循環器疾患急性期の患者などでよくみられます)。

HITでは血液凝固が亢進しており，血小板減少とともに血栓症を起こします。HITにいち早く気付くためには，よく使われるヘパリンに対して「副作用がある」という認識をもつことが大切です。

本症例のまとめ

　心筋梗塞に対する経皮的冠動脈形成術後に血小板減少を認め，薬物が原因であることを疑った症例です。

　血小板減少の原因が何らかの疾患によるものなのか，あるいは使用薬剤によるものなのかを考えます。薬剤の追加や変更間もない患者の場合，薬物性を疑います。原因薬を突き止める場合は服薬している薬剤の副作用の発現頻度を参考にします。

　薬剤が原因であると考えた場合は，原因薬剤の中止あるいは他剤への変更を提案する必要があります。本症例はランソプラゾールOD錠をラベプラゾール錠10 mgに変更することにより血小板数が回復傾向になりました。このことからランソプラゾールOD錠が血小板減少の原因であったことがわかりました。

知っておきたい知識　医薬品リスク管理計画

　本症例のように薬剤による副作用として有害事象が出現することは少なくありません。薬剤によるリスクをゼロにすることはできませんが，これを可能な限り低減するための方策を講じ，適切に管理していくことが重要です。この方策として医薬品リスク管理計画（RMP：Risk Management Plan）が2013年から作成されています。RMPでは個別の薬剤ごとに重要な関連性が明らか，又は疑われる副作用や不足情報（安全性検討事項）も集めています。

▶▶ 症例解析フローチャート

ポイント 1 臨床検査値の異常値をリストアップする
- **#1** Cre 高値
- **#2** PLT 低値

ポイント 2 臨床検査値の異常と患者背景から病態を整理する
- **#1** Ccr から軽度の腎機能障害
- **#2** 原因を考える
  ① 血小板減少を来す疾患
  ② 薬物性の可能性

ポイント 3 PLT 低値の原因を考える
① 血小板減少を来す疾患としては特発性血小板減少性紫斑病や再生不良性貧血などがある
② 使用薬剤による PLT 減少の頻度は必ずしも低くなく，いずれも血小板減少の報告がある．各々の薬物による発生頻度を確認する
患者に聴取することでいつから PLT 低下したかを確認する

ポイント 4 PLT 低値となる病態と患者背景の関連について考える
- 血小板減少に関して医師と情報共有する
- 検査結果の推移から使用薬剤との関連を評価する
- 薬物投与後週単位や月単位の低下→薬物性血小板減少の可能性を医師と情報共有する

22 PT, PT-INR

CASE ㉒ ★★☆

　数年前から心房細動の治療でワルファリンを継続服用中の患者が来局しました。2カ月前に結腸がんの手術を受けて抗がん剤による治療が開始されています。「PT-INRが高いからワルファリンを減らしましょう」と医師にいわれたようです。「食事は頑張って食べています。ワルファリンが減ったことで不整脈が悪化しないか心配です」と相談を受けました。

患者背景

72歳男性　身長163 cm　体重53 kg　体表面積1.56 m^2
既往歴：結腸がん手術　　喫煙歴：なし　　飲酒歴：なし

処方内容

＜前回処方内容＞

Rp.1）ワーファリン錠（ワルファリンカリウム）1 mg　　1回3錠（1日3錠）
　　　　1日1回　朝食後　　　　　　　　　　　　　　　21日分
Rp.2）ゼローダ錠（カペシタビン）300 mg　　　　　　　1回6錠（1日12錠）
　　　　1日2回　朝・夕食後　　　　　　　　　　　　　14日分

＜今回処方内容＞

Rp.1）ワーファリン錠（ワルファリンカリウム）1 mg　　1回2錠（1日2錠）
　　　　1日1回　朝食後　　　　　　　　　　　　　　　21日分
Rp.2）ゼローダ錠（カペシタビン）300 mg　　　　　　　1回6錠（1日12錠）
　　　　1日2回　朝・夕食後　　　　　　　　　　　　　14日分

※前回まではワルファリンカリウム錠1 mg　1回3錠（1日3錠）朝食後で，
　INR 1.8〜2.5でコントロールされていた。

臨床検査値

項目	単位	結果	項目	単位	結果	項目	単位	結果
WBC	/μL	3600	APTT	秒	33	Cre	mg/dL	0.8
Neut	%	54.2	D-dimer	μg/mL	0.9	eGFR	mL/min	72.6
Hb	g/dL	13.7	AST	U/L	33	Alb	g/dL	3.3
PLT	10^4/μL	21.5	ALT	U/L	30	CRP	mg/dL	0.18
PT	%	14.6	T-Bil	mg/dL	0.5			
PT-INR		2.8	BUN	mg/dL	17			

この検査値，どう読む？

臨床検査値のプロブレムは，**#1** PT-INR延長，**#2** Alb低値です。

どのような病態？

#1 PT-INR延長：70歳以上の心房細動におけるPT-INR目標値は1.6～2.6であり，今回の検査値は少し高値になっています。PT-INRはワルファリンを維持量で投与中にフッ化ピリミジン系抗がん剤の使用を開始した場合，1週間程度でPT-INRの上昇が認められるといわれています。今回のPT-INRの上昇はカペシタビンによるものかもしれません。いくつかの臨床研究ではワルファリンの維持投与量が抗がん剤併用前の1/2～1/3程度に調節されていることも報告されています。

#2 Alb低値：肝臓での合成低下，尿などへのAlb漏出などで低下します。本症例は2カ月前に手術を受けていることから栄養不良があるのかもしれません。

病態をさらに読み込むと何がみえる？

▶ ワルファリンとフッ化ピリミジン系抗がん剤との相互作用の確認のため，PT-INRの変動に注意が必要です。併用開始1週間程度でのPT-INRの上昇，平均29.2日（12～77日）で最大値となる報告があるため，併用開始後1～2週のPT-INRの測定を行うことが望ましく，1カ月前後は血液凝固能の変化に気を付けて投与量の調節を行う必要があると考えられます。

▶ カペシタビン錠など抗がん剤の副作用により吐き気や食欲不振が起こります。食事量の変化や体調・病状の変化によりビタミンKが不足するとワルファリンの作用が強く現れる可能性があるので，PT-INRによるモニタリングと食事やサプリメントの摂取状況の確認は重要です。

薬剤師は次に何をする？

PT-INRを用いたワルファリンのモニタリングと抗がん剤治療による副作用との関係について考えてみましょう。

◆この患者はPT-INRの値からワルファリンが減量になっています。PT-INRの値と薬の相互作用について説明をします。

◆食事の量や種類について確認しましょう。また，がん患者のなかにはさまざまな種類のサプリメントを摂られている人がいます。ビタミンKを多く含んだサプリメントもありますので，摂取状況など情報収集しておくことが望ましいでしょう。

専門医からのアドバイス

- 心房細動は年齢とともに罹患頻度が上昇し高齢者においてはよくみられます。心房細動の治療の根幹はレートコントロールとワルファリンなどの抗凝固薬による血栓コントロールです。
- 近年，PTによる用量調節が不要の直接作用型の抗凝固薬の使用が多くなりましたが，腎機能障害などのためにワルファリンを使用している方も多いのが現状です。特に高齢者の場合，血栓形成と出血リスクはともに若年層に比べ高く，こまめな用量調節が必要です。
- 高齢者は複数の薬剤を併用していることが多く，本症例のような併用薬との相互作用に留意せねばならないケースも多いので薬剤師の方の患者指導や疑義照会に期待します。

本症例のまとめ

　化学療法の進歩により抗がん剤治療を受けられる患者が増えています。また，吐き気などの副作用に対する支持療法の進歩により，外来で実施できる抗がん剤治療が増えてきました。本症例では1種類の経口抗がん剤治療とワルファリンの相互作用についてでしたが，点滴抗がん剤や分子標的治療薬などを組み合わせることも多いです。ワルファリンはPT-INRでモニタリングできることがメリットの1つですので，他の検査値や患者からの情報を総合的に考えて治療に関与することが大切です。

▶▶ 症例解析フローチャート

ポイント 1 臨床検査値の異常値をリストアップする
- #1 PT-INR延長
- #2 Alb低値

ポイント 2 臨床検査値の異常と患者背景から病態を整理する
- #1 ワルファリン使用中でPT-INRはコントロールされていたが今回予想以上に延長していた
- #2 栄養不良はないか？

ポイント 3 PT-INR延長の原因を考える
① 治療薬の変更や追加の情報
② 食事内容やサプリメントの使用を聞く

ポイント 4 PT-INR延長となる病態と患者背景の関連について考える
- 今回のPT-INRの上昇→カペシタビンが原因の可能性がある

MEMO

知っておきたい知識 ワルファリン効果の遺伝的背景

　ワルファリンの投与量と抗凝固効果の関係には大きな個人差が認められています。ワルファリンを代謝するCYP2C9の遺伝子多型はこの酵素活性に影響を及ぼし，ワルファリンの凝固効果を遺伝的に決めています。抗がん剤のうちフッ化ピリミジン系薬は肝臓でのDNA合成阻害やRNA機能障害を通してCYP2C9の蛋白発現量を減らすことが知られています。このためCYP2C9の代謝活性が低下し，ワルファリンの血中濃度上昇，抗凝固作用の増強を引き起こします。またワルファリンの主要な標的蛋白質であるビタミンKエポキシド還元酵素（VKORC1）の遺伝子多型がワルファリン必要投与量に影響を与えることがわかっています。

　ワルファリンの効果には人種差があります。一般的には日本人は欧米人，アフリカ人などと比較してワルファリン使用量が少量で効果があり，ワルファリンの投与量が少量で効果が得られるVKORC1H1型，H2型の頻度は日本人では高いことが知られています。一方，酵素活性の低いCYP2C9変異（CYP2C9＊3）は日本人では5％未満と他の人種と比べて高いというわけではありません。

23 APTT

CASE ㉓ ★★★

　以前から高血圧と不整脈にて近所のクリニックで治療を受けていた患者が久しぶりに来局しました。「太もものつけ根に大きな内出血がみられたので病院に行ったら，血が止まらなくなっているといわれ，そのまま大学病院で検査と治療を受けていました。やっと退院になって，今回が退院後初めての外来診察日でした」と検査結果をみせてくれました。診断名は聞きなれない病名でメモしたが覚えていないということです。

患者背景

66歳男性　身長168 cm　体重72 kg　来局時血圧132/90 mmHg
現病歴：不整脈，高血圧（48歳）
喫煙歴：なし
飲酒歴：あり（缶ビール350 mL 1本/日）

処方内容

Rp. 1 ）　イミダプリル塩酸塩錠 2.5 mg　　　　　　　1回1錠（1日1錠）
　　　　　ビソプロロールフマル酸塩錠 5 mg　　　　 1回2錠（1日2錠）
　　　　　プレドニゾロン錠 5 mg　　　　　　　　　　1回4錠（1日4錠）
　　　　　　1日1回　朝食後　　　　　　　　　　　　14日分
Rp. 2 ）　ファモチジン錠 20 mg　　　　　　　　　　 1回1錠（1日2錠）
　　　　　　1日2回　朝・夕食後　　　　　　　　　　14日分

臨床検査値

項目	単位	結果	項目	単位	結果	項目	単位	結果
WBC	/μL	5800	PT-INR		0.85	K	mEq/L	4.7
RBC	10^6/μL	3.39	APTT	秒	66.2	Cl	mEq/L	102
Hb	g/dL	9.6	BUN	mg/dL	20	CRP	mg/dL	0.13
Ht	%	30	Cre	mg/dL	1.01			
PT	秒	9.9	Na	mEq/L	139			

この検査値，どう読む？

臨床検査値を読んでいくと，**#1** APTT延長，**#2** RBC，Hb，Ht低値が考えられます。

どのような病態？

#1 APTT延長：凝固系の異常がありますが外因系凝固を示すプロトロンビン時間(PT)は正常です。一方，内因系の凝固能を示すAPTTは延長しています。APTT延長，PT正常を来す疾患は先天性疾患である血友病A，血友病B，von Willebrand病と後天性疾患である抗リン脂質抗体症候群，後天性血友病です。

#2 RBC，Hb，Ht低値：貧血を示しています。MCVを計算すると88.5ありますので，正球性貧血となります。

病態をさらに読み込むと何がみえる❓

▶得られた情報から病態を推理します。

本症例は，①高齢発症の，②太もものつけ根に大きな内出血を来して貧血をみる，③APTT延長を来す，④プレドニゾロンが治療に用いられる疾患であることがわかります。

1. 検査データから血友病A，血友病B，von Willebrand病と抗リン脂質抗体症候群，後天性血友病の可能性があります。
2. 出血性疾患ですので血栓性疾患である抗リン脂質抗体症候群の可能性は低いといえます。
3. 血友病A，血友病B，von Willebrand病は先天性疾患ですのでこの年齢で診断されることは少ないと考えられます。
4. 得られた情報で矛盾しないのは後天性血友病となります。

薬剤師は次に何をする❓

◆出血のリスクの評価

この患者にとって最も重要な情報ですので，医師からの説明もあったでしょうが再度確認しましょう。強い衝撃を受けた覚えがないにもかかわらず広範囲にあざがみられたり，血尿が出たり，手足の広範囲に赤黒い腫れがみられたりと，さまざまな症状がみられます。このような場合は主治医に連絡を取ることが重要です。出血のリスクが高いことを念頭においた日常生活の必要性があることを改めて説明します。

◆この患者は副腎皮質ステロイドの長期にわたる服用が必要です。副腎皮質ステロイド薬の副作用を説明しましょう。短期的には消化性潰瘍の発生がリスクですので併用しているファモチジンの継続投与が重要です。また感染症にかかりやすいことなどさまざまな情報を提供しましょう。

◆副腎皮質ステロイドが処方されており自己判断で内服中止をしないよう指導します。副腎皮質ステロイド薬の急激な中止や減量は強い倦怠感，関節痛，吐き気，頭痛，血圧低下などのステロイド離脱症候群を起こします。

専門医からのアドバイス

- なかなか治らない皮下出血は，高齢の方に時にみられる状態で救急外来にもよく受診されます。後天性血友病は(先天性)血友病と症状は似ており，高齢者には多くみられます。ただし救急外来での止血困難例には時に存在します。無症状でたまたまAPTTの延長でみつかる例もあります。
- 治療はプレドニゾロンを主とする免疫抑制で，治療に難渋する場合シクロスポリンの併用を行うこともあります。

本症例のまとめ

　凝固機能検査は，二次止血(血小板の作用による止血反応の次の止血機構でフィブリンの生成により血栓を固くする作用)をみる検査です。凝固機能の検査にはPT，APTTがあります。通常PT，APTTはセットで行われます。

　APTT，PTともに延長する疾患や状態はよくみかけます。ただPT正常でAPTTのみ延長する疾患は先天性疾患である血友病A，血友病B，von Willebrand病と後天性疾患である抗リン脂質抗体症候群，後天性血友病です。これらをみかける頻度は低いですがAPTTのみ延長するのはまれな病態と覚えておきましょう。

第Ⅱ章　症例解析トレーニング

▶▶ 症例解析フローチャート

ポイント 1　臨床検査値の異常値をリストアップする
　#1　APTT 延長（PT は正常）
　#2　RBC，Hb，HCT 低値

ポイント 2　臨床検査値の異常と患者背景から病態を整理する
　#1　血友病，von Willebrand 病，抗リン脂質抗体症候群，後天性血友病
　#2　貧血

ポイント 3　APTT 延長と貧血の原因を考える
　①　APTT 異常の原疾患は後天性血友病の可能性がある
　②　RBC，Hb，HCT の低下→皮下出血の影響

ポイント 4　APTT，Hb，HCT 異常となる病態と患者背景の関連について考える
●後天性血友病：自己免疫現象が関与しプレドニゾロンによる免疫抑制を行っている。副作用や継続服用の必要性を説明する
●貧血：出血の可能性がある

知っておきたい知識　PT正常でAPTTのみ延長する疾患

■ **血友病A，B**

先天性出血素因のなかで最も頻度が高く（男子出生1万人に約1人），生涯にわたり皮下血腫，関節出血，筋肉出血などの出血症状を繰り返す疾患です。血友病A（第Ⅷ因子欠乏症）と，血友病B（第Ⅸ因子欠乏症）の2種類があります。血友病Aと血友病Bでは大きな症状の違いはありません。出血したときに血が止まりにくい・固まりにくい（血液が凝固しにくい）疾患です。関節内や筋肉内など，体の深部の出血も多いことが特徴です。血小板は正常であるため一次止血は可能ですが二次止血が困難となります。第Ⅷ因子，第Ⅸ因子は内因系凝固反応に関わりますのでAPTTが延長します。

■ **von Willebrand病**

血小板粘着に関与するvon Willebrand因子が欠損します。血友病に似た出血傾向を示す疾患です。von Willebrand因子には血中の第Ⅷ因子の安定化作用がありますのでAPTTが延長します。

■ **抗リン脂質抗体症候群**

女性に多くみられる血栓を作る疾患です。抗リン脂質抗体がAPTTの試験管内での測定系を阻害してAPTTが延長します。出血傾向は示しません。

■ **後天性血友病**

多くは第Ⅷ因子に対する自己抗体（インヒビター）を発現する後天性血友病Aです。後天性血友病Aでは第Ⅷ因子の遺伝子は正常ですが，患者の免疫系が自身の第Ⅷ因子に対する抗体を産生し，その働きを阻止してしまう高齢者に多い自己免疫疾患の1つです。

24 尿蛋白

CASE ㉔ ★★☆

　現在，近所のクリニック(内科)において糖尿病と高血圧で治療中の患者です。「先月からむくみがひどくなり利尿薬(ダイアート)を飲み始めて，むくみは少しましになりました。今日の診察で初めて尿蛋白が出ているのが原因と医師から説明を受けました」とのことです。この患者は3年前にたまたま，市の特定健診で高血圧と糖尿病が発覚し，現在服薬治療中です。

患者背景

55歳女性　身長 159 cm　体重 62 kg　来局時血圧 154/87 mmHg　顔色良
現病歴：高血圧，糖尿病(52歳)
喫煙歴：なし
飲酒歴：あり(缶ビール 350 mL × 2本/日)

処方内容

Rp.1) グラクティブ錠(シタグリプチンリン酸塩水和物) 50 mg　　1回1錠(1日1錠)
　　　ノルバスクOD錠(アムロジピンベシル酸塩) 5 mg　　　　　1回1錠(1日1錠)
　　　　1日1回　朝食後　　　　　　　　　　　　　　　　　　28日分
Rp.2) メトグルコ錠(メトホルミン塩酸塩) 250 mg　　　　　　　1回1錠(1日2錠)
　　　ダイアート錠(アゾセミド) 30 mg　　　　　　　　　　　1回2錠(1日4錠)
　　　　1日2回　朝・夕食後　　　　　　　　　　　　　　　　28日分

臨床検査値

項目	単位	結果	項目	単位	結果	項目	単位	結果
WBC	/μL	5200	γ-GT	U/L	127	K	mEq/L	4.4
RBC	10^6/μL	4.57	ChE	U/L	521	Cl	mEq/L	105
Hb	g/dL	13.7	T-Bil	mg/dL	0.6	TC	mg/dL	245
Ht	%	41.1	I-Bil	mg/dL	0.1	LDL-C	mg/dL	157
PLT	10^4/μL	18.8	BUN	mg/dL	9	HDL-C	mg/dL	67
AST	U/L	30	Cre	mg/dL	0.4	TG	mg/dL	140
ALT	U/L	22	TP	g/dL	6.1	GLU	mg/dL	132
LDH	U/L	195	Alb	g/dL	3.2	HbA1c	%	6.8
ALP	U/L	78	Na	mEq/L	142	CRP	mg/dL	0.11

尿蛋白(3+) 尿潜血(-)

この検査値,どう読む？

臨床検査値を読んでいくとわかるプロブレムとして以下のものがあがってきます。#1 Alb低値,#2 ChE高値,#3 γ-GT高値,#4 TC,LDL-C高値,#5 GLU,HbA1c高値,#6 尿蛋白(3+)です。

どのような病態？

#1 **Alb低値**：血液中のアルブミン低下は,低栄養や肝硬変に加えネフローゼ症候群など尿へのアルブミンの排泄などで起こります。低アルブミン血症は血液の膠質浸透圧を下げ,血管内の水分保持能力を低下させ,浮腫(むくみ)を引き起こしている可能性があります。

#2 **ChE高値**：ChEは,肝臓で合成される酵素です。肝硬変など肝臓の合成能が下がっていると低下します。一方で,脂肪肝やネフローゼ症候群ではChEが増加します。

#3 **γ-GT高値**：γ-GTは,胆汁うっ滞や飲酒でも上昇します。本症例は飲酒歴があることからアルコールの影響が考えられます。ただし非アルコール

性脂肪肝(NAFLD)，薬物性肝障害，慢性肝炎などの他の肝疾患が原因の可能性もあります。

#4 TC，LDL-C高値：女性は，男性に比べて血中コレステロールが低い傾向にあります。これはエストロゲンが，LDL-Cを細胞に取り込む受容体(LDLレセプター)を増やす働きにより，コレステロールを低下させる作用をもつからです。そのため，エストロゲンが低下する中年女性ではTC，LDL-Cの高値傾向を認めます。本症例も55歳女性で年齢的には該当します。ただし，後述のようにネフローゼ症候群による二次性の高LDL-C血症の可能性もあります。

#5 GLU，HbA1c高値：GLU 132 mg/dL，HbA1c 6.8％と高血糖が続いているようです。このGLUが空腹時での採血結果であれば高値ですので，空腹時採血か否かを知りたいところです。HbA1c 6.8％はこの年齢ですともう少し下げておきたいデータです。

#6 尿蛋白(3＋)：高度の蛋白尿です。ネフローゼの可能性があります。腎機能は正常(Creはむしろ低値)ですが，糖尿病性腎症の可能性があります。

病態をさらに読み込むと何がみえる？

▶尿蛋白検査である試験法は簡便な検査です。結果は定性結果(−，＋)や半定量(−，±，＋，2＋，3＋，4＋)と表示されます。尿蛋白(3＋)は尿蛋白が多いこと(約300 mg/dL)を示しています。成人のネフローゼ症候群の診断基準は1日尿蛋白量3.5 g/dL以上です。尿蛋白の程度を正確に診断するには，定量検査を受ける必要がありますが，この患者の尿量が減少していなければ尿蛋白(3＋)はネフローゼ症候群の可能性がある検査値になります。なお血中Albは3.2 g/dLと診断基準を満たしてはいません。

▶糖尿病性腎症ではその初期の段階では尿蛋白が試験紙では陽性とならないこともあります。このため尿中の微量アルブミンを糖尿病性腎症の早期発見目的で測定する必要があります。「尿中アルブミン(クレアチニン換算値)」がその検査です。濃度測定だけは尿の水分摂取(尿が薄いとき)や脱水(尿が濃いとき)により尿アルブミン濃度は異なります。そこで1日のクレアチニンの排泄量がほぼ1 gであることを利用してその誤差を補正してアルブミンの

1日量を推定します。尿中アルブミン（クレアチニン換算値）は，3回測定中2回以上で30〜299 mg/gCrのとき，微量アルブミンが検出されたことになり，表に示す糖尿病性腎症病期分類2014の第2期（早期腎症）の診断となります。

表 糖尿病性腎症病期分類2014[注1]

病期	尿アルブミン値(mg/gCr) あるいは 尿蛋白値(g/gCr)	GFR(eGFR) (mL/分/1.73 m²)
第1期 （腎症前期）	正常アルブミン尿（30未満）	30以上[注2]
第2期 （早期腎症期）	微量アルブミン尿（30〜299）[注3]	30以上
第3期 （顕性腎症期）	顕性アルブミン尿（300以上） あるいは 持続性蛋白尿（0.5以上）	30以上[注4]
第4期 （腎不全期）	問わない[注5]	30未満
第5期 （透析療法期）	透析療法中	

注1：糖尿病性腎症は必ずしも第1期から順次第5期まで進行するものではない。本分類は，厚労省研究班の成績に基づき予後（腎，心血管，総死亡）を勘案した分類である（URL：http://mhlw-grants.niph.go.jp/，Wada T, Haneda M, Furuichi K, Babazono T, Yokoyama H, Iseki K, Araki SI, Ninomiya T, Hara S, Suzuki Y, Iwano M, Kusano E, Moriya T, Satoh H, Nakamura H, Shimizu M, Toyama T, Hara A, Makino H ; The Research Group of Diabetic Nephropathy, Ministry of Health, Labour, and Welfare of Japan. Clinical impact of albuminuria and glomerular filtration rate on renal and cardiovascular events, and all-cause mortality in Japanese patients with type 2 diabetes. Clin Exp Nephrol. 2013 Oct 17. [Epub ahead of print]）

注2：GFR 60 mL/分/1.73 m²未満の症例はCKDに該当し，糖尿病性腎症以外の原因が存在し得るため，他の腎臓病との鑑別診断が必要である。

注3：微量アルブミン尿を認めた症例では，糖尿病性腎症早期診断基準に従って鑑別診断を行ったうえで，早期腎症と診断する。

注4：顕性アルブミン尿の症例では，GFR 60 mL/分/1.73 m²未満からGFRの低下に伴い腎イベント（eGFRの半減，透析導入）が増加するため注意が必要である。

注5：GFR 30 mL/分/1.73 m²未満の症例は，尿アルブミン値あるいは尿蛋白値にかかわらず，腎不全期に分類される。しかし，特に正常アルブミン尿・微量アルブミン尿の場合は，糖尿病性腎症以外の腎臓病との鑑別診断が必要である。

【重要な注意事項】本表は糖尿病性腎症の病期分類であり，薬剤使用の目安を示した表ではない。糖尿病治療薬を含む薬剤特に腎排泄性薬剤の使用にあたっては，GFR等を勘案し，各薬剤の添付文書に従った使用が必要である。

（糖尿病性腎症合同委員会：糖尿病性腎症病期分類2014の策定（糖尿病性腎症病期分類改訂）について，日腎会誌 2014；56(5)：550）

▶特に第1期(腎症前期)および第2期(早期腎症期)糖尿病性腎症は自覚症状がないため,「尿中アルブミン(クレアチニン換算値)」を実施して診断を確定した後,治療することが重要になります。本症例のような第3期に至らないように予防するためには糖尿病のコントロールに加え血圧のコントロールも重要です。

薬剤師は次に何をする❓

◆本症例は糖尿病性腎症第3期にあたり,ネフローゼ症候群に近い状態と考えられます。むくみの治療には難渋する状態ですが,こまめに利尿薬の投与量を調節することや塩分制限,血圧コントロールが重要であることを説明しましょう。

◆今回の処方では,アムロジピン(Ca拮抗薬)は降圧作用が良好で,本症例に用いることはよいのですが,ARBやACE阻害薬は糸球体の輸出細動脈の拡張作用があり,糸球体内圧を下げ,蛋白尿の減少や,糸球体保護作用があります。このような観点で降圧薬の選択について,医師と積極的に協議してもよいかもしれません。

専門医からのアドバイス

●現在透析導入患者の3分の2以上は糖尿病性腎症由来とされています。腎症は進行すると透析に至る病です。糖尿病による腎症の進行を抑制することには日ごろから苦心しています。

●糖尿病性腎症は第1期より手前で止めることが重要で,そのために厳重な血糖コントロールと血圧コントロールが必要です。

●血圧コントロールは糸球体内圧のコントロールのために行います。前述されているようにARBやACEIは蛋白尿の減少作用がありますので血圧コントロールに使用します。

●本症例は血中Creが低値でした。これは糸球体内圧が高く糸球体での過濾過という状況がある可能性を示します。本症例はARBなどで糸球体内圧を下げると尿蛋白が減少する可能性もあります。

本症例のまとめ

糖尿病性腎症の第3期の症例です。透析導入を遅らせるためにも今後の治療が大切です。また，患者の疾患への理解度により今後の治療効果が変わります。

初期段階(第1期，第2期)では特に医師と薬剤師の連携で，第3期に移行するのを遅らせることができます。

知っておきたい知識 ネフローゼ症候群

ネフローゼ症候群は主に腎臓の糸球体の障害による高度の蛋白尿に起因する低蛋白血症，浮腫を主な症状とする疾患群です。尿蛋白が1日3.5g以上であり，血清総蛋白が6g/dL以下または血清アルブミン3g/dL以下の場合ネフローゼ症候群と診断されます。

ネフローゼ症候群は，原発性糸球体疾患に起因する原発性(一次性)ネフローゼ症候群と続発性糸球体疾患による二次性ネフローゼ症候群に分類されます。原発性ネフローゼ症候群は微小変化群，巣状糸球体硬化症，膜性腎症，膜性増殖性糸球体腎炎などの原発性糸球体疾患があります。二次性ネフローゼ症候群は糖尿病性腎症，SLEに伴うループス腎炎，腎アミロイドーシス，妊娠中毒症などの何らかの疾患が原因となっているものです。

蛋白尿の程度は糸球体の障害の程度に関連します。ネフローゼ症候群を来す腎臓の病気は治療薬(ステロイドなど)が効きやすいものと効きにくいものがあります。ネフローゼ症候群の原因にもよりますが，一般的には蛋白尿が持続する場合は腎機能の悪化が速いことが知られています。

▶▶ 症例解析フローチャート

ポイント 1　臨床検査値の異常値をリストアップする
- #1　Alb 低値
- #2　ChE 高値
- #3　γ-GT 高値
- #4　TC，LDL-C 高値
- #5　GLU，HbA1c 高値
- #6　尿蛋白（3＋）

ポイント 2　臨床検査値の異常と患者背景から病態を整理する
- #1 #2 #6　ネフローゼ症候群疑い
- #3　飲酒歴の影響
- #4　ネフローゼ症候群に伴う二次性高コレステロール血症
- #5　糖尿病

ポイント 3　尿蛋白陽性の原因を考える
① 糖尿病性腎症の進行
　糸球体内圧上昇による過濾過も関与している

ポイント 4　尿蛋白陽性となる病態と患者背景について考える
- 糖尿病性腎症（第3期）
- 蛋白尿には血圧管理の不良が背景にある。糸球体内圧のコントロールのため ACEI や ARB の追加投与も考える

知っておきたい知識　生理的蛋白尿と病的蛋白尿

　健常人でも尿中にはアルブミン，β2ミクログロブリン，α1ミクログロブリン，タム-ホースフォール蛋白などがわずかに（1日 150 mg まで）認められます。このため 1 日 150 mg 以上の尿蛋白があれば蛋白尿ということになっています。蛋白尿はその程度をみて，正常（0.15 g/日未満），軽度（0.15 以上 0.50 g/日未満），高度（0.50 g/日以上）に分類されることもあります。これを試験紙法でみると，概ね正常は（−），軽度は（±），高度は（1＋以上）となります。

　蛋白尿の原因は数多くありますが，健常人でも一時的に見かけることがあります（生理的蛋白尿）。このため，臨床の現場では蛋白尿を，まず生理的蛋白尿と病的蛋白尿に分類するところから蛋白尿の原因診断を始めます。

　腎臓などに明らかな異常を認めず，一過性あるいは可逆性の蛋白尿がみられることを生理的蛋白尿といいます。その原因は発熱，激しい運動，ストレスなどです。また起立性蛋白尿と呼ばれる生理的蛋白尿もあります。起立性蛋白尿は小児でしばしば認められます。腎下垂や遊走腎などで腎臓の位置が動くことがあると腎臓の血流が変化しやすくなり，立位や前弯位により蛋白尿が認められます。激しい運動後の蛋白尿や起立性蛋白尿では随時尿で陽性であるにもかかわらず，早朝第一尿では陰性となる特徴があります。

　病的蛋白尿はさらに腎前性尿蛋白（血液中にベンス・ジョーンズ蛋白などの異常蛋白が増えることが原因），腎性尿蛋白（糸球体疾患や尿細管疾患によって起こる尿蛋白），腎後性尿蛋白（腎盂以下の炎症，結石，腫瘍などが原因）の 3 つに大別されます。これらは持続性蛋白尿であることが普通です。試験紙法はアルブミン以外の蛋白は検出感度が低いため，これらの病的蛋白尿のうち，糸球体疾患による腎性尿蛋白が最も感度良く陽性となります。

25 尿潜血

CASE ㉕ ★★☆

　近所のクリニック（内科）に高コレステロール血症で通院している57歳女性。体調は良好です。いつもビリルビンは高いが肝臓に問題なく，医師からは「そのような体質です」といわれたようです。10年以上前から尿検査で尿潜血（＋）から（3＋）と陽性が続いている以外，他の尿検査は正常です。このことについて医師から説明はないですが，どうしてなのか疑問に思っていたようです。

患者背景

57歳女性　身長 162 cm　体重 48 kg　来局時血圧 135/82 mmHg
顔色良好
現病歴：高コレステロール血症（52歳からリバロ錠を内服）
生活歴：スポーツ好きで，週に2日ほどテニスに通っている。
喫煙歴：なし
飲酒歴：なし

処方内容

Rp.1）リバロ錠（ピタバスタチンカルシウム水和物）2 mg　　1回1錠（1日1錠）
　　　1日1回　夕食後　　　　　　　　　　　　　　　　　28日分

臨床検査値

項目	単位	結果	項目	単位	結果	項目	単位	結果
WBC	$/\mu L$	4200	ChE	U/L	265	Cl	mEq/L	105
RBC	$10^6/\mu L$	4.20	T-Bil	mg/dL	2.1	TC	mg/dL	253
Hb	g/dL	13.6	D-Bil	mg/dL	0.4	LDL-C	mg/dL	155
Ht	%	41.8	CK	U/L	306	HDL-C	mg/dL	98
PLT	$10^4/\mu L$	19.2	BUN	mg/dL	18	TG	mg/dL	106
AST	U/L	21	Cre	mg/dL	0.5	GLU	mg/dL	104
ALT	U/L	15	TP	g/dL	6.3	HbA1c	%	5.6
LDH	U/L	220	Alb	g/dL	4.1	CRP	mg/dL	0.24
ALP	U/L	71	Na	mEq/L	140			
γ-GT	U/L	32	K	mEq/L	4.2			

尿蛋白(−) 尿潜血(2+)

この検査値,どう読む？

臨床検査値を読んでいくとわかる異常値として,大きく4つに分けることができます。すなわち #1 T-Bil高値, #2 CK高値, #3 TC,LDL-C高値, #4 尿潜血陽性(尿蛋白陰性)です。

どのような病態？

#1 **T-Bil高値**：D-Bilは正常ですので間接ビリルビンの上昇を示しています。ビリルビン高値は肝疾患でよくみられますが,この場合は直接ビリルビンが上昇します。間接ビリルビンの上昇は肝疾患ではないことを示し,体質性黄疸のジルベール症候群や溶血性貧血,無効造血時のシャントビリルビンの増加が考えられます。

#2 **CK高値**：筋肉のダメージがあることを示しています。HMG-CoA還元酵素阻害薬の副作用に横紋筋融解症がありますので,薬物性の可能性はあります。ただし,この患者はスポーツ好きなので運動に伴うCK上昇かもしれ

ません。念のため，尿の色（褐色尿の有無）は確認しておきましょう。

#3 TC，LDL-C高値： 女性の場合閉経後はTC，LDL-Cは一般的に高値になります（☞ P.61参照）。スタチンを服用しているにもかかわらずLDL-Cの低下効果が不十分です。

#4 尿潜血陽性： 尿潜血（2＋）です。血尿の可能性は高いですが，このデータだけではヘモグロビン尿やミオグロビン尿は否定しきれません。

病態をさらに読み込むと何がみえる？

▶ 本症例はT-Bilの高値で，特に間接ビリルビンが高値です。①溶血性貧血は間接ビリルビンが高値を示します。尿潜血は血管内で溶血が起こっていれば陽性になりますが，貧血はなくLDHも正常なので考えにくいと思われます。②無効造血は貧血がないため考えにくく，③体質性黄疸のジルベール症候群が疑われます。

▶ 骨格筋細胞の融解や壊死することにより，ミオグロビンなどの筋細胞成分が血液中へ大量に流出し，尿細管に負荷がかかり急性腎不全を引き起こすことがあります。このCK異常ですが，尿潜血が陽性となるほどのCK上昇ではありません。またピタバスタチンは5年前から服用していることや普段から運動をしており，自覚症状はないことなどから，本症例はスタチンの副作用によるミオグロビン尿の可能性は低いと考えられます。

▶ 尿潜血が陽性の場合，血尿があるかを確認するために尿沈渣検査を行います。尿沈渣検査とは遠心機で尿中の有形成分（赤血球，白血球，上皮細胞など）を沈殿させた後に有形成分を染色して顕微鏡で観察する検査です。400倍に拡大した顕微鏡で見える範囲（1視野）に赤血球が何個あるかで数値を示します。これで血尿か否かを判断します。

薬剤師は次に何をする？

◆ 尿潜血が薬物の副作用によるものか否かを検討しました。尿の色（褐色尿）を確認したうえで，今回はスタチンによる横紋筋融解症の可能性は低いことを伝えてよいと思われます。

◆尿潜血が陽性の場合，次に尿沈渣検査を調べるのが定石です。患者に今回の心配を主治医に伝えるようにいいましょう。沈渣のことも説明いただけるでしょう。

専門医からのアドバイス

- 本症例は尿潜血陽性を気にされている事例です。薬剤師としてはスタチンの副作用に注目し，ミオグロビン尿ではないかという視点で考えていただきました。ただし本症例程度のCK上昇（基準値倍程度）は少し運動するとみられる軽微なものです。CKが4ケタ以上になればミオグロビン尿により尿の色が変化するでしょう。
- 本症例を血尿とすると，医師の関心はなぜ血尿があるのかという点に考えが進んでいきます。血尿はその由来が糸球体性（腎炎など糸球体の異常によるもの）と非糸球体性（尿路の異常）に分類できます。いいかえると，前者は内科的な，後者は泌尿器科的な血尿です。糸球体性血尿は赤血球が潰れている（金平糖状）ことが特徴で，後者は正常の赤血球の形をしています。

本症例のまとめ

　尿潜血のみから疾患名を絞り込むことは困難ですが，他の検査所見からヘモグロビン尿やミオグロビン尿の可能性は低いことがわかります。

　検診で偶然発見される顕微鏡的血尿を「チャンス血尿」と呼ぶことがあります。特に女性で問題になり，女性での10％に認められます（年齢が高いほど頻度は増えます）。したがって，本症例ではこの可能性も否定できません。血尿が消失しない場合，腎炎などの糸球体性や腎疾患泌尿器科的疾患を除外したうえで，年に一度以上の経過観察を推奨するとよいでしょう。

● 参考文献
1）血尿診断ガイドライン編集委員会他　編：血尿診断ガイドライン2013，P.16，2013

症例解析フローチャート

ポイント1 臨床検査値の異常値をリストアップする
- #1 T-Bil高値
- #2 CK高値
- #3 TC, LDL-C高値
- #4 尿潜血陽性

ポイント2 臨床検査値の異常と患者背景から病態を整理する
- #1 T-Bil高値→体質性黄疸（ジルベール症候群）
- #2 CK高値→運動やHMG-CoA還元酵素阻害薬の副作用の可能性
- #3 TC, LDL-C高値→加齢による女性ホルモンの減少や二次性も否定できない
- #4 尿潜血陽性→血尿，ヘモグロビン尿，ミオグロビン尿

ポイント3 尿潜血陽性の原因を考える
① HMG-CoA還元酵素阻害薬の副作用の可能性低い
② 検診で偶然発見される顕微鏡的血尿の可能性
③ 血尿か非血尿かを尿沈渣検査で確認

ポイント4 尿潜血陽性となる病態と患者背景について考える
- 血尿の場合，糸球体性なのか非糸球体性なのかを尿沈渣で確認
- 非血尿ならヘモグロビン尿なのかミオグロビン尿なのかを確認
- 薬剤師としてのコメント：
  1. 持続する尿潜血陽性は医師の判断が必要と説明する
  2. 服用しているスタチンの副作用としての尿潜血の可能性は低いと伝える

知っておきたい知識　無症候性血尿

　無症候性血尿という用語は，症状を伴わない血尿(asymptomatic hematuria)を意味する場合と単独にみられる血尿あるいはチャンス血尿(isolated hematuria)を意味する場合に用いられます。これらの原因となる疾患と一致することが多いです。ここでは後者として考えます。無症候性血尿(isolated hematuria)とは，尿中に赤血球が認められますが，それ以外の尿異常(蛋白尿，尿円柱)は認められない状態です。ほとんどの症例は一過性の顕微鏡的血尿であり，特発性で自然に治癒します。一過性の顕微鏡的血尿は特に小児の尿検体でよくみられ，小児の尿検体の最大5％で認められます。

　原因としては尿路感染症，前立腺炎，尿路結石などが多く，激しい運動によって一過性の血尿が生じる場合もあります。糸球体疾患が原因となる場合もあり注意が必要です。糸球体疾患は全年齢で原因となりえます。IgA腎症が頻度も高く，血尿主体の異常を呈する糸球体疾患ですが，顕微鏡血尿以外の尿異常がない場合は，腎機能低下の速度は遅いことが知られています。無症候性血尿はさまざまな疾患により起こります。多くの場合問題はありませんが，尿路系のがんは特に50歳以上で罹患率が高まりますので，持続する無症候性血尿の場合，泌尿器科を受診する必要があります。

26 尿糖

CASE ㉖

ドラッグストアの健康フェアに中年女性が来られました。よく話を聞くと，特定健診での血糖は正常ですが尿糖は陽性とのことでした。再検のために近所のクリニック（内科）を受診しましたが，特定健診と同じような結果であったとのことで，「今後糖尿病になるのでは…」と気にされています。

患者背景

59歳女性　身長161 cm　体重62 kg　来局時血圧156/97 mmHg
顔色良好
現病歴：なし　　喫煙歴：なし
飲酒歴：あり（缶ビール350 mLを1本/日）

臨床検査値（内科での結果，朝食後6時間の採血）

項目	単位	結果	項目	単位	結果	項目	単位	結果
WBC	/μL	4200	ChE	U/L	275	Cl	mEq/L	104
RBC	10^6/μL	4.17	T-Bil	mg/dL	0.7	TC	mg/dL	204
Hb	g/dL	13.4	I-Bil	mg/dL	0.1	LDL-C	mg/dL	81
Ht	%	42.4	CK	U/L	85	HDL-C	mg/dL	108
PLT	10^4/μL	19.2	BUN	mg/dL	33	TG	mg/dL	141
AST	U/L	27	Cre	mg/dL	0.4	GLU	mg/dL	102
ALT	U/L	13	TP	g/dL	6.9	HbA1c	%	6.1
LDH	U/L	175	Alb	g/dL	4.1	CRP	mg/dL	0.11
ALP	U/L	79	Na	mEq/L	141			
γ-GT	U/L	25	K	mEq/L	4.3			

尿蛋白（−）　尿糖（＋）

この検査値，どう読む❓

臨床検査値を読んでいくとわかる異常値として以下のものがあります。
#1 BUN高値，**#2** HDL-C高値，**#3** 尿糖陽性です。

どのような病態❓

#1 BUN高値：BUNはクレアチニンとともに腎機能を反映する検査ですが，本症例ではBUNは高値，クレアチニンは正常です。このような変化（BUNのみ高値）の原因は，脱水，消化管出血や蛋白質の過剰摂取が考えられます（☞P.30参照）。

#2 HDL-C高値：HDL-Cの軽度高値は女性では時にみられます。少量アルコール摂取でも軽度上昇します。まれな疾患ですが先天的なコレステロール転送蛋白（CETP）の欠損でもHDL-Cは上昇します。

#3 尿糖陽性：食後6時間の採血で血糖は正常です。①腎性糖尿病（近位尿細管におけるグルコースの取込障害があり尿糖は陽性になりますが，血糖は正常です）の可能性はあります。②耐糖能異常のために食後高血糖があった場合血糖が正常に復した後も尿糖（＋）となります。③胃を切除した場合も食後に高血糖となり，直ちに血糖が下がり（ダンピング症候群），尿糖（＋），血糖正常が起こりえます。

病態をさらに読み込むと何がみえる❓

▶ BUN高値（クレアチニン正常）を示す最も注意すべき疾患は，上部消化管出血です。消化管出血ではHbが低下しますが，本症例はHb 13.4 g/dLで，元気そうな方ですので，消化管出血によるBUN高値は考えにくいです。脱水（採血直前の水分摂取はどうだったか）や蛋白質の過剰摂取の要因がないかを患者から聞き取りをしましょう。

▶ 尿糖陽性糖尿病以外にも腎性糖尿や胃切除後にみられます。腎性糖尿病は12時間の絶食後血糖正常でも尿糖（＋）になりますので，過去の検査結果のうち空腹時に行ったものを確認します。胃の手術の有無を確認します。食後

高血糖により尿糖のみ陽性という現象は高い頻度でみられます。

薬剤師は次に何をする❓

◆患者に生活習慣の聞き取りをしたところ，この女性は普段から体力維持のために筋トレを毎朝され，プロテインを朝と夜に摂られていました。このことから，蛋白質の過剰摂取によるBUN高値と考えられます。蛋白質由来のアミノ酸にあるアミノ基はアンモニアを経て尿素になります。

◆若いころから飲酒歴があることがわかりました。高HDL-C血症の原因は長期にわたる飲酒の可能性もあります。飲酒の習慣を止めることは，精神的ストレスにつながることもあり，適度な飲酒習慣をアドバイスしましょう。

◆食生活について聞き取り，尿糖，血糖を含めた病態を確認します。

◆患者には糖尿病が心配であることを主治医に伝えるように説明しましょう。

専門医からのアドバイス

●本症例は血糖が正常ですがHbA1cは基準値の上限ですし，食後高血糖が原因の尿糖陽性の可能性はあります。耐糖能（糖代謝の余力）をみるために75gOGTTなどの精密検査をしてもよいと思えます。患者には糖尿病が心配であることを主治医に伝えるように説明しましょう。

●腎性糖尿病は近位尿細管の機能障害によりグルコースの取り込みができないために尿糖が陽性となる疾患で，まれにみられます。同時にCa，P，重炭酸イオン（HCO_3^-）の再吸収障害を来すファンコニ症候群という疾患もあります。腎性糖尿病か否かも75gOGTTにおいて，血糖と尿糖の関係をみることで診断可能です。

本症例のまとめ

　空腹時血糖値が正常で，食後血糖値が高値を示す食後高血糖は，糖尿病に移行しやすく，また，太い血管に影響を及ぼし，心筋梗塞などの危険性を高めます。

　食後高血糖は，本症例のように，尿糖の検査結果でわかることもありますので，尿糖が陽性のときは特にその原因を考えるようにしましょう。正確な診断は，ブドウ糖負荷試験でできます。

　原因としては，過食・早食いなどの生活習慣にも関係することがありますので，患者から特に食習慣の聞き取りを行うとよいでしょう。食後高血糖防止のためには，ゆっくりした食事の励行，食後運動の習慣化が効果的です。

知っておきたい知識　食後高血糖

　誰でも食後には血糖値は上昇しますが，健常人では血糖が上昇するとすぐに膵臓から適切なインスリンが分泌されるため早く血糖値は低下し，食後2時間後には空腹時血糖近くの値に戻ります。一方，耐糖能異常の場合には，インスリン分泌やインスリン感受性の異常のため，食後2時間経っても健常人のように血糖値は低下せず，高血糖の状態が続きます。血糖が低下せず140 mg/dL以上の場合「食後高血糖」といい，糖代謝に問題があると考えられます。耐糖能異常が起こり始める頃（糖尿病予備群）には空腹時血糖は正常にもかかわらず「食後高血糖」がみられます。空腹時血糖が正常であっても，食後高血糖の人は動脈硬化が起こりやすいことから，「食後高血糖」の早期発見は重要です。

▶▶ 症例解析フローチャート

ポイント1 臨床検査値の異常値をリストアップする
- #1 BUN高値（クレアチニン正常）
- #2 HDL-C高値
- #3 尿糖陽性（血糖正常）

ポイント2 臨床検査値の異常と患者背景から病態を整理する
- #1 蛋白過剰摂取，消化管出血または脱水
- #2 高HDL-C（先天的または後天的）
- #3 食後高血糖，腎性糖尿，ダンピング症候群

ポイント3 尿糖陽性，血糖正常の原因を考える
① 耐糖能異常（食後高血糖）か腎性糖尿かの正確な診断が必要なので内科受診を勧める

ポイント4 尿糖陽性となる病態と患者背景について考える
- 耐糖能異常（食後高血糖）なら生活習慣（ダイエットと運動）の改善
- 腎性糖尿なら多くは経過観察でよい

付録

薬剤師が知っておきたい その他の検査

1 甲状腺機能検査

　甲状腺機能異常（甲状腺機能低下，甲状腺機能亢進）は，ホルモン異常を来す疾患のなかで頻度が高く，臨床の場ではよく遭遇します。これらの疾患では甲状腺ホルモン値をみながら治療薬の投与量決定することが一般的です。近年は甲状腺ホルモンなどの微量な生体内物質の迅速測定が容易になったこともあり検査件数も増えています。

　まずは「甲状腺ホルモン」について簡単に復習します。甲状腺ホルモンは，甲状腺濾胞で作られたサイログロブリン（Tg）を原材料に甲状腺ペルオキシダーゼ（TPO）という酵素により作られます。甲状腺ホルモンにはトリヨードサイロニン（T3）とサイロキシン（T4）がありますが，甲状腺でまず作られるホルモンの大部分はT4です（T3も作られますが多くはありません）。血中に分泌された後，T4はホルモン作用の強いT3に変換されます。血中甲状腺ホルモンの多くは甲状腺ホルモン結合グロブリン（TBG）と結合しています。TBGと結合している甲状腺ホルモンにはホルモン活性はなく，ホルモン活性をもつのはTBGと結合していない遊離型のFT3，FT4です。このため日常臨床では甲状腺ホルモンとしてFT3，FT4を測定します。甲状腺ホルモンの血中濃度は脳の視床下部や下垂体により調節されています。甲状腺は下垂体前葉から分泌される甲状腺刺激ホルモン（TSH）の刺激を受けてT3とT4が産生分泌されます。このためTSHが低下すると甲状腺ホルモン濃度は低下します。このTSHは視床下部ホルモンの1つ甲状腺刺激ホルモン放出ホルモン（TRH）により制御されています。血中T3，T4は下垂体に働き，TSHの分泌抑制やTRHへの感受性を低下させます。

　甲状腺の検査は，(1)甲状腺の機能をみる検査（TSH，FT3，FT4），(2)自己免疫性甲状腺疾患であるバセドウ病や慢性甲状腺炎（橋本病）診断に重要な自己抗体（TRAb，TSAb，抗TPO抗体，抗Tg抗体），(3)甲状腺腫瘍の診断に役立つ検査（サイログロブリンやカルシトニン），に分類されます。ここでは，(1)と(2)について検査値の読み方を解説します。

甲状腺機能のみかたを考えましょう(表1)。先にも述べましたが，T3，T4はTBGの影響を受け(妊娠で上昇，腎不全で低下)ます。このため甲状腺の機能をみるために日常臨床ではFT3，FT4が測定されます。この2つの甲状腺ホルモンに加えTSHをみることで，甲状腺機能が亢進しているか，低下しているか，甲状腺機能異常の原因が甲状腺か，中枢かを判断します。甲状腺から分泌される甲状腺ホルモンの多くはT4なので，多くの場合，甲状腺ホルモンの過不足はTSHとFT4の2つで判定可能です。また保険診療上の制約からFT3を測定していないことも多いです。ただし，バセドウ病の一部ではFT3が主に増加することもありますので，FT3，FT4はこの場合はセットで測る意義はあります。ここではFT3，FT4，TSHを同時測定することとして判読の仕方を考えます。

① FT3，FT4が高値の場合

甲状腺機能亢進状態です。TSHが高ければ下垂体に異常があり，TSHが低ければ甲状腺が原因です。甲状腺機能亢進を来す疾患のなかで最も多いのはバセドウ病です。バセドウ病では甲状腺にあるTSH受容体に対する抗体が作られます。この抗TSH受容体抗体が甲状腺を刺激することが甲状腺ホルモン濃度上昇の原因です。バセドウ病ではTSH，FT3，FT4に加え，抗TSH受容体抗体(TRAb)や甲状腺刺激抗体(TSAb)をみて，診断や抗甲状腺薬の投与量調節が行なわれます。

表1 甲状腺機能検査と原因疾患

		原因	甲状腺機能	原因疾患
FT3，FT4上昇	TSH上昇	中枢性	甲状腺機能機能亢進	TSH産生下垂体腺腫，甲状腺ホルモン不応症
	TSH低下	原発性		バセドウ病，プランマー病
FT3，FT4低下	TSH上昇	原発性	甲状腺機能機能低下	橋本病　など
	TSH低下	中枢性		下垂体腺腫，シーハン症候群など
FT3低下	TSH正常			low-T3症候群

② FT3,FT4が低値の場合

甲状腺機能低下状態です。TSHが低ければ下垂体機能が低下しており，TSHが高ければ甲状腺自身の機能低下です。甲状腺機能低下を来す疾患の原因で最も多いのは慢性甲状腺炎(橋本病)です。慢性甲状腺炎では抗TPO抗体，抗Tg抗体が陽性となります。甲状腺機能低下症に対して甲状腺ホルモンを補充した場合，TSHはFT3やFT4より遅れて改善します。甲状腺機能低下症が慢性甲状腺炎による場合は，甲状腺ホルモン治療を行っても有意に抗TPO抗体，抗Tg抗体が低下することはありません。

少し特殊な状態ですが，重篤な疾患のときに血中でのT4からT3への代謝が抑制されることがあり，血中TSH正常，FT3低下，FT4正常(あるいは軽度低下)となることがあります。低T3症候群といいます。

2 腫瘍マーカー

腫瘍マーカーは患者にとって関心が高い検査です。がんのときに増加するため，当然，医療機関ではがんの診断を受け治療中の患者に測定しています。それ以外には，健康診断などで健康そうな方でも測定していることがあります。腫瘍マーカー高値という結果は，患者にとって大きなショックです。担当医師は腫瘍マーカーの情報提供には細心の注意をはらっています。薬剤師も腫瘍マーカー結果の取り扱いには注意をはらいましょう。

腫瘍マーカーのほとんどは，腫瘍細胞が産生する物質(多くは蛋白質)です。血液中に出た腫瘍マーカーを測定することによりがん診療に用いられています。ただし腫瘍マーカーは，がん細胞以外の正常細胞でも少量産生しています。このため炎症や良性腫瘍でも上昇することがあります。腫瘍マーカーのカットオフ値を越えていても良性のことも多く(偽陽性)，値の判断には慎重にならなければなりません。また，早期がんでは血清腫瘍マーカーが増加しないことも多く，がんの早期発見には適してはいません。たまたま測定した腫瘍マーカーが高値であれば，がん診断の契機になることはありますが，腫瘍マーカーだけではがん診断はできません。このため腫瘍マーカーが最も役立つ場面は，(1)診断されたがんの病勢評価，(2)がん患者において経時的に測定して治療効果

を判定，(3)がんの再発のモニタリング，などです。

　ここでは，現在汎用されている代表的な7つの腫瘍マーカーをあげて判読を考えてみましょう。ここでいう腫瘍マーカーは，いわゆる「がん(癌)」のマーカーです。「がん」とは上皮組織(皮膚や粘膜など)から出た悪性腫瘍です。非上皮(骨，筋肉，脳，骨髄など)から出た悪性腫瘍は「肉腫」とよび，区別されます。

① CEA(がん胎児抗原)　基準範囲(カットオフ値)：5 ng/mL以下

　CEAは胎児の腸管に発現する糖蛋白で，生後に発現は低下します。健常人では血液中の濃度は低いのですが，大腸がんをはじめ胃がん，膵がん，胆道がんなど消化器系のがんや，肺がん，乳がんなど病理組織で「腺がん」を示すがんで上昇します。ただし，良性疾患(喫煙，糖尿病，肺炎，慢性肝炎，慢性膵炎，甲状腺機能低下症など)でもCEAは上昇します。さまざまな良性疾患で上昇するため，CEAで病態を判断できるのは確定したがんの経過観察のみと考えるべきです。

② CA19-9　基準範囲(カットオフ値)：37 U/mL以下

　CA19-9は膵管，胆管，胆嚢，唾液腺，気管支腺，前立腺，胃，大腸，子宮内膜に局在し，これらのがん化により血清濃度は増加します。特に膵がん，胆管がん，胆嚢がんで高率に陽性となります。胃がんや大腸がんでは経過中にがん細胞が腹膜にばらまかれるように拡がる(腹膜播種)と上昇します。

　胆管炎，膵炎，胃炎，慢性肝炎，肝硬変，卵巣嚢腫，気管支炎，肺結核などの良性疾患でも軽度上昇することがありますが，上昇だけでがんとは診断できません。CA19-9をがん判定に用いる場合，困ることがもう1つあります。CA19-9は血液型抗原の1種であるルイスAにシアル酸が付加した糖鎖抗原ですが，このルイス式血液型陰性者が日本人の約10%に存在し，彼らは生まれつき血清中CA19-9が陰性(測定感度以下)で，がん化によっても上昇せず偽陰性を示します。また，ある種のルイス式血液型やCA19-9分泌蛋白の変化のため，遺伝的に高値を示す方もおられます。

③ CA125　基準範囲(カットオフ値)：35 U/mL以下

　CA125は卵巣がんの腫瘍マーカーとして汎用されます。子宮体がん，子宮頸がん，胃がん，膵がんでも上昇する場合があります。CA125は月経時に高値となります。また，子宮内膜症，子宮筋腫，良性の卵巣嚢腫などでも上昇します。

④ αフェトプロテイン(AFP)　基準範囲(カットオフ値)：10 ng/mL以下

　AFPは胎児期の肝臓や卵黄嚢で産生されますが生後は産生されなくなります。原発性肝がんで上昇しますが他のがんで上昇することは多くありません（胚細胞腫瘍の一部や稀に他のがん腫で上昇することはあります）。ただし原発性肝がんの前段階にある慢性肝炎や肝硬変でも上昇することがあります。これらの疾患でAFPが上昇した場合肝臓がんのリスクが高くなっていると考えられています。このためこれらの疾患の経過観察中にはAFPの定期的フォローがなされています。

⑤ CYFRA　基準範囲(カットオフ値)：3.5 ng/mL以下

　病理組織が扁平上皮がんを示すがん（肺がん，頭頸部がん，食道がん，子宮頸がん）で上昇しますが，腺がんの場合も上昇することがあります。良性疾患で上昇することが少なく，偽陽性が少ない腫瘍マーカーです。

⑥ SCC　基準範囲(カットオフ値)：1.9 ng/mL以下

　SCC抗原は扁平上皮がんのときに上昇しますが，CYFRAに比べ感度が低いと考えられています。SCC抗原は正常な扁平上皮にも存在しているためアトピー性皮膚炎，乾癬などの皮膚疾患，肺炎，結核などの肺疾患，腎不全，長年の喫煙者などでも上昇します。SCCはスクリーニング検査には全く適しませんが，扁平上皮がんの治療経過をみる目的で有用です。

⑦ PSA　基準範囲(カットオフ値)：4.0 ng/mL以下

　前立腺の腺組織が産生する糖蛋白質で，前立腺がんの腫瘍マーカーとして使われています。他の腫瘍マーカーと異なり，健康診断でのスクリーニングが前立腺がん早期発見に有効であることが知られています。良性疾患である前立腺

肥大や前立腺炎でも上昇することが多いため，PSA単独で疾患の判断は困難です。4.0 ng/mL以上となると精査が必要ですが，65歳以下では3.0 ng/mL以上で精査を勧められる場合もあります。

3 血液ガス検査

血液ガス分析は特殊な検査です。ほとんどの血液を用いる検査は静脈血を使いますが，この検査は通常は動脈血を用いるからです。この検査の目的は，呼吸状態の確認（酸素化とガス交換）と酸塩基平衡の評価です。血液ガス分析は動脈中のpH，酸素分圧（PaO_2），二酸化炭素分圧（$PaCO_2$）を計測し，これらの値を用いて重炭酸イオン（HCO_3^-）やbase excess（BE）が算出されます*。これらの検査項目を用いて，(1)酸素化の程度，(2)肺胞におけるガス交換，(3)酸塩基平衡，を判断できます。

*最近の分析装置にはNa，K，Cl，グルコース，乳酸，Hb，CO-Hbなどの測定が可能な測定機器もあり，血液ガス分析報告書に同時に記載されていることもあります。

① 酸素化とガス交換をみる

(1)酸素化の程度と(2)肺胞におけるガス交換は，PaO_2と $PaCO_2$で判断します。健常人では空気呼吸（21％酸素）でPaO_2は80～100 mmHg，$PaCO_2$は35～45 mmHg程度となります。

空気呼吸でPaO_2が60 mmHg以上の場合

$PaCO_2$が正常なら，酸素化やガス交換に大きな問題はありません。$PaCO_2$が低下（35 mmHg未満）なら過換気状態です。過換気症候群や代謝性アシドーシスによるpH低下が先にあり，これを過換気で補正している場合などがあります。$PaCO_2$が上昇（45 mmHg以上）しているなら低換気状態です。喫煙者によくみられる慢性閉塞性肺疾患（COPD）や，神経や呼吸筋の病気で十分な呼吸ができない場合にみられます。

空気呼吸でPaO_2が60 mmHg以下の場合

酸素化が不十分で「呼吸不全」という状態と判断されます。PaO_2が

60 mmHg以下で，かつ$PaCO_2$が正常もしくは低下(45 mmHg未満)の場合をⅠ型呼吸不全といい，PaO_2が60 mmHg以下でかつ$PaCO_2$が上昇(45 mmHg以上)の場合をⅡ型呼吸不全といいます。

② 酸塩基平衡を判断する

(3)酸塩基平衡は，pH，$PaCO_2$，HCO_3^-，BEを用いて判定します(PaO_2は関係ありません)。酸塩基平衡とは体内での酸と塩基のバランスを指します。体で作られる酸は揮発酸であるCO_2(20,000 mEq/day)が呼気中に，食事や細胞代謝によりできたさまざまな不揮発酸(乳酸，ケト酸，リン酸など)は，尿中に排泄することにより調整されています。また，発生した酸を重炭酸緩衝系などの働きによりpHの変動は抑えられます。

血漿pHは健常人で7.40±0.05です。pH＜7.35の場合をアシデミアといい，pH＞7.45の場合をアルカレミアといいます。アシデミアにしようとする働きをアシドーシスといい，HCO_3^-を減少させる働きによる場合(代謝性アシドーシス)と，CO_2を増加させる働きによる場合(呼吸性アシドーシス)に分けられます(表2)。

代謝性アシドーシスはさらに，アニオンギャップ(AG)が増大する代謝性アシドーシス(体内の酸発生による)か，AG正常の代謝性アシドーシス(HCO_3^-が減少することにより起こる)に分類できます。AGとは血清中の陽イオンのNa(基準値140 mEq/L)と陰イオンのCl(基準値104 mEq/L)＋HCO_3^-(基準値24 mEq/L)の差($AG = Na - Cl - HCO_3^-$)のことで，血中の不揮発酸(ここでは尿に排泄する酸と考えてもよいです)の濃度を示し，健常人では血中で「12 mEq/L」程度存在します。

表2　酸塩基平衡の判読

pHの変化	pH変化の一次的原因	
pH低下 (アシデミア)	HCO_3^-低下	代謝性アシドーシス
	CO_2上昇	呼吸性アシドーシス
pH上昇 (アルカレミア)	HCO_3^-上昇	代謝性アルカローシス
	CO_2低下	呼吸性アルカローシス

代謝性アシドーシスの検査結果は，pH低下，HCO_3^-低下（$PaCO_2$はpHを補正するために低下）を示します。AG（$Na-Cl-HCO_3^-$）を計算して12より増大していればAGが増大する代謝性アシドーシスで，血中の不揮発酸の増大が原因の代謝性アシドーシスです。AG正常ならHCO_3^-が喪失していることを示します。呼吸性アシドーシスは肺換気が減少しCO_2が蓄積することによって起こります。呼吸性アシドーシスではpH低下，$PaCO_2$増加，HCO_3^-はpHを補正するために増加します。

アルカレミアにしようとする働きをアルカローシスといいます。pHを上げようとする働きが，HCO_3^-を増やす働き（代謝性アルカローシス）による場合とCO_2を減少させる働き（呼吸性アルカローシス）による場合に分類されます。代謝性アルカローシスは酸の喪失やアルカリの投与，または腎でのHCO_3^-再吸収増加によって引き起こされ，呼吸性アルカローシスは肺換気が増加しCO_2が減少することによって起こります。

BEは血液中の塩基の増減を示します。血液1Lを37℃，PCO_2 40 mmHgにおいて強酸で滴定したとき，pHを7.40まで戻すのに要する酸の量をいいます。BEは代謝性の因子の関与の程度を表す参考値になります。基準範囲は$-2.5～+2.5$ mEq/Lとなっています。

4 骨代謝マーカー

私たちの骨は常にダイナミックな代謝を行い生まれ変わっています。古くなった骨は破骨細胞という細胞が壊します。これを「骨吸収」といいます。そして同じ部位を骨芽細胞という骨を作る細胞が修復して新しい骨に作り替えます。これを「骨形成」といいます。これらをまとめて「骨代謝」と呼びます。この骨代謝を評価できるバイオマーカーとして骨代謝マーカーが血液や尿で測ることができます。

最近はさまざまな骨の病気で骨代謝マーカーが測定されます。具体的には代謝性骨疾患（骨粗鬆症，副甲状腺機能亢進症，骨軟化症，腎性骨異栄養症など）や転移性骨腫瘍の診療のため測定されます。特に近年は骨粗鬆症診療には必須の検査に位置づけられています。

骨粗鬆症は，「(骨代謝の変化により)骨強度の低下を起こし，骨折のリスクが増大しやすくなる疾患」です。骨粗鬆症はDXA法などの骨塩定量検査で，骨密度が若年成人(YAM)の70％以下である場合や椎体骨折などの脆弱性骨折がある場合に診断されます。骨粗鬆症を病態からみると「骨吸収が骨形成に対して優位となり骨量減少が進行する病気」とみることができます。このため骨代謝マーカーは，骨粗鬆症の診断を受けた患者に対する病態という点から，使用薬物の選択や薬物治療効果のモニタリングに有用となります。

骨代謝マーカーの基礎知識

骨代謝マーカーは，①骨形成マーカー(骨芽細胞の機能を反映)，②骨吸収マーカー(破骨細胞の機能を反映)，③骨マトリックス関連マーカー，に分類されます。

① 骨形成マーカー

骨の作る働きをみるマーカーです。骨型アルカリフォスファターゼ(BAP)，Ⅰ型プロコラーゲンN-ペプチド(P1NP)などがあります。BAPは骨芽細胞が作る骨由来のアルカリフォスファターゼ(ALP)です。血中BAP上昇は骨形成が亢進することを意味します。P1NPはともにⅠ型コラーゲンが作られる過程でプロコラーゲンから切断されるN末端のプロペプチドで，骨芽細胞から血中に分泌されます。P1NPは骨粗鬆症に骨形成促進薬を使ったときの治療効果の判定に使われます。

② 骨吸収マーカー

骨を壊す働きをみるマーカーです。デオキシピリジノリン(DPD)，Ⅰ型コラーゲン架橋N-テロペプチド(NTX)，Ⅰ型コラーゲン架橋C-テロペプチド(CTX)，酒石酸抵抗性酸フォスファターゼ5b(TRACP-5b)などがあります。DPDは尿で測定します。NTX，CTXは血清と尿で測定可能です。TRACP-5bは破骨細胞由来の酵素であり，血清で測定し破骨細胞による骨吸収速度を反映します。

③ 骨マトリックス関連マーカー

骨マトリックスとは骨の細胞成分以外の骨基質のことで，骨マトリックスの強さを示すのが骨マトリックス関連マーカーです。低カルボキシル化オステオカルシン(ucOC)が該当します。ビタミンK不足ではオステオカルシン(OC)のカルボキシル化が起こらず増加します。

骨代謝マーカーによる患者指導　(表3，表4)

- 骨代謝マーカーを治療薬開始の指標にも用いることがあります。骨形成マーカーが低値の場合は副甲状腺ホルモン薬(遺伝子組換え：連日皮下投与製剤)を，骨吸収マーカーが高値の場合は骨吸収抑制薬(ビスフォスフォネート，SERM，抗RANKL抗体薬など)を，ucOC高値ならビタミンK2を使う根拠の1つになります。
- 骨吸収抑制薬の投与後には，骨吸収マーカー(DPD, NTX, CTX, TRACP-5b)，骨形成マーカー(BAP，P1NP)ともに低下しますので，これらのうちいずれ

表3　骨代謝関連マーカーの基準値

				単位	男性	閉経前女性	閉経後女性
骨形成マーカー	骨型アルカリフォスファターゼ	BAP	血清	μg/L	3.7〜20.9	2.9〜14.5	3.8〜22.6
	Ⅰ型プロコラーゲンN-ペプチド	P1NP	血清	ng/mL	18.1〜74.1	16.8〜70.1	26.4〜98.2
骨吸収マーカー	デオキシピリジノリン	DPD	尿	nmol/mmol Cr	2.0〜5.6	2.8〜7.6	3.3〜13.1
	Ⅰ型コラーゲン架橋N-テロペプチド	NTX	尿	nmolBCE/mmol Cr	13.0〜66.2	9.3〜54.3	14.3〜89.0
			血清	nmolBCE/L	9.6〜17.7	7.5〜16.5	10.7〜24.0
	Ⅰ型コラーゲン架橋C-テロペプチド	CTX	尿	μg/mmol Cr			40.3〜301.4
			血清	ng/mL			0.112〜0.738
	酒石酸抵抗性酸フォスファターゼ5b	TRACP-5b	血清	mU/dL	170〜590	120〜420	250〜760
	低カルボキシル化オステオカルシン	ucOC	血清	ng/mL	4.5未満		

かで判定できます。
- 骨形成促進薬投与にて，骨形成マーカーのP1NPが上昇します(BAPより変化が大きい)。
- ビタミンK2の投与後には，ucOCで判定できます。効果があれば低下します。
- 臨床効果が骨代謝マーカーで評価可能な薬物は，骨代謝状態に強い影響をもつ薬物のみで，ビタミンD_3，イプリフラボン，カルシウム製剤，カルシトニンなどは骨代謝マーカーを用いた評価は困難とされています。

表4　骨代謝マーカーの解釈

	骨形成マーカー		骨吸収マーカー		骨マトリックス関連マーカー
	P1NP・BAP		DPD・CTX・NTX・TRACP-5b		ucOC
	疾患	薬効	疾患	薬効	疾患
高値	原発性骨粗鬆症 転移性骨腫瘍， 骨軟化症 副甲状腺機能亢進症	テラパチリド (PTH製剤)	転移性骨腫瘍 副甲状腺機能亢進症 多発性骨髄腫		ビタミンK不足
基準値内			原発性骨粗鬆症 ステロイド性骨粗鬆症		
低値	ステロイド性骨粗鬆症	ビスフォスフォネート		骨吸収抑制薬	

5 ウイルス感染症検査のなかの抗原定性検査の意義

　感染症診断の原則は病原体を直接同定することです。細菌の多くは分離培養が可能なため，直接同定が可能です。しかし，ウイルスなどでは直接同定は容易ではありません。このためにウイルス感染症では，ウイルスの一部を検出する抗原検査，核酸検出法(PCR検査)やウイルス感染によりできた抗体を測定する抗体検査を利用します。
　抗原検査はウイルス粒子の一部の蛋白を免疫反応(抗原抗体反応)によって検出します。イムノクロマト法(抗原検査定性)による検査が汎用されています。この方法はセルロース膜上をウイルス含有検体が試薬を溶解しながら流れる性

質を利用し，抗原抗体反応を発色させて目視できるようにした方法です。抗原検査には病院の検査室で使われる免疫系汎用機を用いる感度の良い抗原検査定量検査もあります。測定に要する時間は定量検査も定性検査も30分程度です。

 PCR検査はウイルスのもつ核酸を増殖させて検出する検査です。増幅法なので感度は高いのが特徴です。核酸増幅検査であるため，検体中に感染性のあるウイルス粒子がなく，核酸の断片がある場合でも陽性になることがあります。ウイルスのもつ核酸の配列がわかれば，特異度の高いプライマーが設計可能となります。このため，新型コロナウイルスの検出検査のなかで最も早く実用化されました。測定に要する時間が長く，数時間を要します。

 抗体検査はウイルス感染の結果できた抗体を検出する方法です。感染の既往を確認する目的で使われます。急性期の感染の診断は時期を分けて2回測定し，抗体価の上昇を検出することにより可能です。感染既往の診断確定に4週程度かかります。

イムノクロマト法によるウイルス抗原検査（抗原検査定性）

 酵素免疫反応を利用したイムノクロマト法は鼻咽頭ぬぐい液などの検体中に含まれるウイルスの抗原を迅速，簡便に検出します（図）。イムノクロマト法による検査キットは，特別な検査機器を要さないため小規模医療機関や家庭での検査が可能です。ウイルス抗原検査キットの特異度はかなり高いのですが，PCRと比べ検出に多くのウイルス量が必要で，感度は低くなります。イムノクロマト法はさまざまな感染症検査に利用されています。ウイルス感染症では季節性インフルエンザや新型コロナウイルス感染症をはじめ，ロタウイルス，アデノウイルス，RSウイルスの感染症診断に用いられます。

 抗原定性検査はその感度特異度から，症状がある人に検査をして陽性となった場合に意味があります。しかし，この場合でも陰性の場合は偽陰性の可能性も残ります。一方，無症状者に対するスクリーニング検査目的（陰性証明）の使用には適しません。

付録　薬剤師が知っておきたいその他の検査

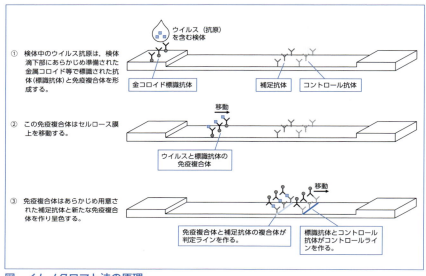

図　イムノクロマト法の原理

新型コロナウイルス(SARS-CoV-2)感染症の検査

① 抗原定性検査

　イムノクロマト法による抗原検査です。新型コロナウイルスのもつヌクレオカプシド蛋白を標的に抗原検出しています。PCR検査との比較で陰性一致率は100％近いですが，陽性一致率は約70％程度です（キットによって異なります）。PCR検査で得られるCt値（この値が高いほどウイルス量は少ない）が25程度以下なら抗原検査は陽性になります（PCRではCt値35以上でも陽性と判断できます）。この検査では，感染して9日後には陰性になることが多いとされています。

　抗原定性検査は医療機関での使用のみならず，薬局での入手が可能になり，医学知識の乏しい方も自ら検査をすることになります。薬局ではどのようなときに検査をすべきかを説明する必要があります。現在は以下のようなときに抗原定性検査をする意義があります。

　　●抗原定性検査は症状がある人に検査をして陽性となった場合は，正確な検査結果と判断可能です。このため抗原定性検査を行うのは，(1)新型コロ

ナウイルス流行期に，(2)感冒症状（咽頭痛，鼻水，咳）や味覚異常が出現したとき，が適切と考えられます。このようなときに陽性結果が出れば，感染していると判断できます。しかし陰性の場合は感染していないとは判断できません。
- 患者への濃厚接触者に検査するのも有用とされています。2023年3月時点で感染者の濃厚接触者は，感染対策をしたうえで5日間で隔離解除になりますが，2日目，3日目に抗原定性検査で陰性なら3日目から隔離解除可能となっています。

② 抗原定量検査

抗原検査には，検査室で稼働している免疫検査汎用機で測定する検査もあります。測定原理は定性検査同様，免疫反応による抗原検出です。検査の感度（感染している場合に陽性となる力）が定性検査より高い（PCR検査より感度は低い）ことが知られています。

③ PCR検査

新型コロナウイルス感染診断の基準となる検査です。少量のウイルスの場合も増幅して検出可能となります。PCR反応において，ウイルスのRNAの検出ができたと判断できる増幅サイクル数（Ct値と概ね同じ意味）が大きいほど，ウイルスの遺伝子は少ないと判断できます。PCR検査では，Ct値35～40位まで意味のある陽性と判断（ウイルスに感染している）と考えることができます*。

なお，あくまで目安ですが，現在（2023年3月）の抗原定量検査は，PCR検査の場合Ct値30位までの検体なら，定性検査の場合Ct値25位までの検体なら，陽性になると考えられています。

* わが国では，Ct値40までに検出すればPCR検査陽性とする場合が多いですが，Ct値35以上の場合は新型コロナウイルスの核酸の断片をPCR増殖していることも多く，感染症としての意味が乏しい場合もあります。

索 引

数字・ギリシャ

1型糖尿病　70
2型糖尿病　70, 109, 223
75g経口ブドウ糖負荷試験　225
Ⅰ型呼吸不全　292
Ⅰ型コラーゲン架橋C-テロペプチド
　（CTX）　294
Ⅰ型コラーゲン架橋N-テロペプチド
　（NTX）　294
Ⅰ型プロコラーゲンN-ペプチド
　（P1NP）　294
Ⅱ型呼吸不全　292
αフェトプロテイン　290
γ-GT　20, 132
γ-グルタミルトランスフェラーゼ
　　　　　　　　　　　20, 132

A

AChE　23
ADH　178
A/G比　38
Alb　38, 164
ALP　16, 122
ALPアイソザイム　18
ALT　8, 108
AMY　57, 202
ANP　54, 201
APTT　92, 260
AST　8, 108
AST/ALT比　9, 110

B

BASO　76
BNP　54, 194, 201
BUN　30, 152
BUN/Cre比　31

Bリンパ球　76

C

CA125　290
CA19-9　289
CCr　154
CEA　289
CETP　281
ChE　23, 138
Child-Pugh分類　167, 171
CK　50, 186
CK-BB　50, 51, 188
CKD　33, 95
　——重症度分類　33, 153
CK-MB　50, 51, 188
CK-MM　50, 51, 188
CKアイソザイム　51
CM　61
Cockcroft-Gault式　139, 154
Cre　30, 152
CRP　72, 226
CYFRA　290
C反応性蛋白（CRP）　72, 226

D

D-Bil　26
DIC　86

E

eGFR　30, 152
$eGFR_{Cre}$　157
$eGFR_{CysC}$　157
eGFR推算式　30, 157
EOS　76

F

FH　62

FN 78, 239
Friedewald式 63
FT3 286
FT4 286

G

GFR区分 33
GLU 68, 220

H

Hb 80
HbA1c 68, 220
HDL 61
HDL-C 61, 208
Hpt 119
Ht 80

I

I-Bil 26
IDL 61
IgA腎症 99, 279
INR 91

K

K 46, 180

L

LDH 12, 116
LDH/AST比 13, 14, 118
LDHアイソザイム 13, 15
LDL-C 61, 208
LPL 209
LYMP 76

M

Mb 193
MCV 80, 81, 166
MONO 76

N

Na 42, 172
NAFL 115
NAFLD 112, 115, 170
NASH 110, 115, 170
Neut 76
Non-HDL-C 63
NT-proBNP 54, 56, 198

P

PBC 131
PCR検査 296, 299
PLT 84, 248
PSA 290
PT 88, 254, 261
PT-INR 88, 90, 254, 255
PT活性 88
PT秒 88
P型アミラーゼ 57

R

RBC 80, 240

S

SAA 73
SCC 290
SGLT 104
SIADH 43, 178
small dense LDL(sd-LDL) 210
SMBG 69
S型アミラーゼ 57

T

T-Bil 26, 144
TC 61, 208
TG 65, 214
TG rich リポ蛋白 219
TIBC 242
TLS 36

TRH　286
Troponin T　211
TSH　286
Tリンパ球　76

U

UA　34, 158

V

VLDL　61, 65
von Willebrand病　93, 261, 265

W

WBC　76, 234

あ

アイソザイム　50, 188
悪性貧血　86
悪性リンパ腫　13
アジソン病　47
アシドーシス　47
アスパラギン酸アミノトランスフェラーゼ（AST）　8, 108
アセチルコリンエステラーゼ(AChE)　23
アポ蛋白　61
アミラーゼ(AMY)　57, 202
アラニンアミノトランスフェラーゼ（ALT）　8, 108
アルカリホスファターゼ(ALP)　16, 122
アルカローシス　47
アルコール性肝炎　167
アルコール性肝硬変　167
アルコール性肝障害　20, 134, 165, 166
アルコール性脂肪肝　167, 168
アルブミン(Alb)　38, 164
アルブミン／グロブリン比(A/G比)　38

い

異所性妊娠　58
一過性蛋白尿　96

遺伝性ChE欠損症　25
イムノクロマト法　298
医薬品リスク管理計画　252
イレウス　58

う

うっ血肝　165
うっ血性心不全　196

え

炎症　72
炎症マーカー　72, 227

お

黄疸　144
横紋筋融解症　52, 188
オンコロジーエマージェンシー　36

か

カイロミクロン　61
過栄養性脂肪肝　25
家族性Ⅲ型高脂血症　219
家族性CETP欠損症　63
家族性高コレステロール血症(FH)　62
家族性複合型高脂血症　219
活性化部分トロンボプラスチン時間（APTT）　92, 260
カットオフ値　3
カリウム(K)　46, 180
間歇性蛋白尿　96
肝硬変　25, 39, 165
肝細胞壊死　10
肝細胞障害型薬物性肝障害　128
肝細胞性黄疸　27
緩徐進行型IDDM　223
間接ビリルビン(I-Bil)　26, 145
肝内胆汁うっ滞　131

き

偽アルドステロン症　183, 184

基準値　2
基準範囲　2
偽性血小板減少症　87
偽性低Na(ナトリウム)血症　44
基本的検査　4
急性肝炎　150
急性期蛋白質　73
急性心筋梗塞　211
急性心不全　196
急性膵炎　57, 203
境界域高LDLコレステロール血症　61
境界型　70
凝固因子　88
共用基準範囲　3
巨赤芽球性貧血　242
筋ジストロフィー　188

く

空腹時血糖　68, 225
　——値　69
クッシング症候群　47
クリグラー・ナジャー症候群　27, 150
グリコヘモグロビン(HbA1c)　68, 220
グリチルリチン　183
クレアチニンクリアランス(CCr)　139
クレアチンキナーゼ(CK)　50, 186
クレアチンリン酸　50

け

劇症肝炎　150
血小板(PLT)　84, 248
　——血栓症　86
　——減少　84
　——増多　84
血清アミロイドA　73
血清アルブミン(Alb)　38, 164
血清クレアチニン(Cre)　30, 152
血清鉄　241
血中尿素窒素(BUN)　30, 152

血糖(GLU)　68, 220
　——自己測定　69
血糖値スパイク　68, 222
血尿　98, 276
血友病　94
血友病A　92, 261, 265
血友病B　261, 265
ケトン体　71
原発性アルドステロン症　47
原発性硬化性胆管炎　150
原発性胆汁性胆管炎　124, 131, 150
原発性ネフローゼ症候群　271
顕微鏡的血尿　99, 279

こ

高Bil(ビリルビン)血症　27, 150
抗GAD抗体　223
高K(カリウム)血症　48, 173
高LDLコレステロール血症　61
高Na(ナトリウム)血症　43
高TG(トリグリセライド)血症　65
抗Tg抗体　288
抗TPO抗体　288
抗TSH受容体抗体　287
好塩基球(BASO)　76
高感度CRP　74
抗原検査　296
抗原定性検査　298
抗原定量検査　299
好酸球(EOS)　76
甲状腺機能亢進　286
　——症　39, 140
甲状腺機能低下　286
　——症　188
甲状腺刺激抗体　287
甲状腺刺激ホルモン　286
甲状腺刺激ホルモン放出ホルモン　286
甲状腺ホルモン結合グロブリン　286
抗体検査　296
好中球(Neut)　76, 77

後天性血友病　92, 261, 262, 265
高尿酸血症　34, 160
高比重リポ蛋白　61
抗利尿ホルモン（ADH）　178
　　　──不適合分泌症候群（SIADH）
　　　　　　　　　　　　　42, 178
抗リン脂質抗体症候群　93, 261, 265
呼吸性アシドーシス　292
呼吸性アルカローシス　293
骨型アルカリフォスファターゼ（BAP）
　　　　　　　　　　　　　294
骨吸収マーカー　294
骨形成マーカー　294
骨髄異形成症候群　86
骨髄抑制　235
骨折　16
骨肉腫　16
骨マトリックス関連マーカー　294
コリンエステラーゼ（ChE）　23, 138
コレステロール　61, 208
混合型薬物性肝障害　128

さ

再生不良性貧血　86, 243, 249
細胞外液　46
　　　──過剰　44
細胞内液　46
サイロキシン　286
酸素分圧（PaO$_2$）　291

し

耳下腺炎　58, 203
糸球体性血尿　277
糸球体濾過量　30
脂質異常症　63
シスタチンC（CysC）　157
持続性蛋白尿　96
脂肪肝　110, 140
重炭酸イオン（HCO$_3^-$）　291
十二指腸潰瘍穿孔　58

酒石酸抵抗性酸フォスファターゼ5b
　　（TRACP-5b）　　　　　294
腫瘍崩壊性症候群（TLS）　36
小球性貧血　81, 117
静脈血　69
食後2時間血糖　225
　　　──値　69
食後血糖値　222
食後高血糖　225, 281
ジルベール症候群　27, 29, 147, 150, 275
心筋梗塞　13, 186
神経因性疼痛　154
進行性肝硬変　150
真性赤血球増加症　247
真性多血症　86
腎性糖尿　105, 283
　　　──病　282
腎不全　47
心不全　54, 196, 198
心房性ナトリウム利尿ペプチド（ANP）
　　　　　　　　　　　　　54, 201

す

膵がん　58
随時血糖値　69
随時尿　104
推定糸球体濾過量（eGFR）　30, 152
膵頭部がん　151
膵のう胞　58

せ

正球性貧血　81, 117
生理的蛋白尿　273
赤沈　73
赤血球（RBC）　80, 240
　　　──指数　81
　　　──増加症　247
　　　──沈降速度　73
絶対的赤血球増加症　247

そ

総コレステロール(TC)　61, 208
相対的赤血球増加症　247
総胆管結石症　150
早朝第一尿　104
早朝第二尿　104
総ビリルビン(T-Bil)　26, 144

た

大球性貧血　81, 117
体質性黄疸　27
代謝性アシドーシス　292
代謝性アルカローシス　293
多飲症　43
多発性筋炎　188
胆管がん　151
単球(MONO)　76
胆汁うっ滞　10, 16, 18, 131, 146
　——型薬物性肝障害　22, 128
　——性疾患　20
胆石発作　10
胆道系酵素　22
胆嚢炎　58
蛋白尿　273
ダンピング症候群　105, 281

ち

チャンス血尿　277
中間比重リポ蛋白　61
直接作用型経口抗凝固薬　90
直接ビリルビン(D-Bil)　26, 147
治療閾値　4

つ

痛風　161
　——発作　36

て

低HDLコレステロール血症　61
低K(カリウム)血症　48
低Na(ナトリウム)血症　42, 44, 173
低T3症候群　288
低カルボキシル化オステオカルシン
　(ucOC)　295
低比重リポ蛋白　61
デオキシピリジノリン(DPD)　294
鉄欠乏性貧血　241, 242
デュビン・ジョンソン症候群　28, 151

と

糖尿病　25, 105
　——型　70
　——性腎症　41, 222, 268
　——性腎症病期分類　269
動脈血　69
特発性血小板減少性紫斑病　86, 249
トランスフェリン　242
　——飽和率　242
トリグリセライド(TG)　61, 65, 214
トリヨードサイロニン　286
トロポニン　211

な

内臓脂肪型　217
ナトリウム(Na)　42, 172
　——依存性グルコース共輸送(SGLT)
　　　104
　——利尿ペプチド　201

に

肉眼的血尿　99
二酸化炭素分圧($PaCO_2$)　291
二次性ネフローゼ症候群　271
日内変動　4
日間変動　4
乳酸脱水素酵素(LDH)　12, 116
乳頭部がん　151
尿ケトン体　71

尿酸(UA)　34, 133, 158
　　——クリアランス　160, 163
　　——の産生　34
尿潜血　98, 274
尿蛋白　95, 266
尿中アルブミン　268
尿中尿酸排泄量　163
　　——排泄量と尿酸C_{UA}による病型分類
　　　　36
尿糖　103, 280
妊娠糖尿病　70

ね

ネフローゼ症候群
　　　24, 39, 140, 267, 268, 271

の

脳性ナトリウム利尿ペプチド(BNP)
　　　54, 194, 201

は

バソプレッシン　178
白血球(WBC)　76, 234
　　——分画　76, 234
敗血症　237
肺梗塞　13
バセドウ病　287
白血病　13, 86
発熱性好中球減少症(FN)　78, 239
パニック値　4, 236
ハプトグロビン(Hpt)　119
汎血球減少症　82
反応性血小板増多　84

ひ

非アルコール性脂肪肝(NAFL)　115
非アルコール性脂肪肝炎(NASH)
　　　110, 115
非アルコール性脂肪性肝疾患(NAFLD)
　　　112, 115

ビタミンB_{12}欠乏性貧血　242
非抱合型ビリルビン　26
肥満　217
病的蛋白尿　273
ビリルビン代謝　26
貧血　80, 81, 242

ふ

ファンコニ症候群　283
フェリチン　242
浮腫　39
ブチリルコリンエステラーゼ　23
プリン体　34
プロカルシトニン　75
プロトロンビン時間(PT)　88, 261
　　——国際基準比(PT-INR)　88

へ

平均赤血球容積(MCV)　80, 81, 240
閉塞性黄疸　20, 27
ヘパリン起因性血小板減少症　251
ヘマトクリット(Ht)　80
ヘモグロビン(Hb)　80, 240
　　——尿　99, 102, 276

ほ

抱合型ビリルビン　26
本態性血小板血症　86

ま

マクロCK血症　190
マクロアミラーゼ血症　58
慢性甲状腺炎　288
慢性骨髄性白血病　86
慢性腎臓病(CKD)　32, 95
慢性心不全　196, 198
慢性膵炎　57, 203

み

ミオグロビン(Mb)　52, 193
　——尿　99, 102, 276

む

無効造血　275
無症候性血尿　279
無症候性高CK血症　190

め

メタボリックシンドローム
　　　　　　　70, 109, 140

も

毛細血管血　69
網状赤血球　244

や

薬物性肝障害　8, 124, 125, 128
薬物性血小板減少症　85
薬剤性膵炎　207
薬剤性低ナトリウム血症　45
薬剤性溶血性貧血　119

ゆ

有機リン中毒　24

よ

溶血性黄疸　27, 150
溶血性疾患　13
溶血性貧血　118, 119, 243, 275
葉酸欠乏性貧血　243
予防医学的閾値　3

り

リウマトイド因子　74
リポ蛋白　61
リポ蛋白質リパーゼ(LPL)　209
臨床判断値　3

リンパ球(LYMP)　76

れ

レムナント　219
　——リポ蛋白　219

ろ

ローター症候群　28, 151

わ

ワルファリン　89, 255

読者アンケートのご案内

本書に関するご意見・ご感想をお聞かせください。

下記QRコードもしくは下記URLから
アンケートページにアクセスしてご回答ください。
https://form.jiho.jp/questionnaire/book.html

※本アンケートの回答はパソコン・スマートフォン等からとなります。
稀に機種によってはご利用いただけない場合がございます。
※インターネット接続料、および通信料はお客様のご負担となります。

薬剤師のための
基礎からの検査値の読み方　第2版

定価　本体3,400円（税別）

2018年 9 月25日　発　行
2023年 6 月30日　第 2 版発行

監修・編集　　上硲　俊法（かみさこ　としのり）
編　　集　　森嶋　祥之（もりしま　よしゆき）
発　行　人　　武田　信
発　行　所　　株式会社　じほう
　　　　　　　101-8421　東京都千代田区神田猿楽町1-5-15（猿楽町SSビル）
　　　　　　　振替　00190-0-900481
　　　　　　　＜大阪支局＞
　　　　　　　541-0044　大阪市中央区伏見町2-1-1（三井住友銀行高麗橋ビル）
　　　　　　　お問い合わせ　https://www.jiho.co.jp/contact/

©2023　　　　　　　　　組版　（株）ケーエスアイ　　印刷　音羽印刷（株）
Printed in Japan

本書の複写にかかる複製、上映、譲渡、公衆送信（送信可能化を含む）の各権利は株式会社じほうが管理の委託を受けています。

JCOPY ＜出版者著作権管理機構　委託出版物＞
本書の無断複製は著作権法上での例外を除き禁じられています。
複製される場合は、そのつど事前に、出版者著作権管理機構（電話 03-5244-5088、FAX 03-5244-5089、e-mail：info@jcopy.or.jp）の許諾を得てください。

万一落丁、乱丁の場合は、お取替えいたします。
ISBN 978-4-8407-5518-4